ИНТЕЛЛЕКТУАЛЬНЫЙ ДЕТЕКТИВ

ДЭН БРАУН

ЦИФРОВАЯ КРЕПОСТЬ

ИЗДАТЕЛЬСТВО

МОСКВА
2005

УДК 821.111(73)
ББК 84 (7Сое)
Б87

Серия «Интеллектуальный детектив» основана в 2004 году

Dan Brown
DIGITAL FORTRESS

Перевод с английского А.А. Файнгара

Серийное оформление и компьютерный дизайн А.А. Кудрявцева

Печатается с разрешения издательства St. Martins Press, LLC.
и литературного агентства Permissions & Rights Ltd.

Подписано в печать с готовых диапозитивов 25.07.05.
Формат 60×90$^1/_{16}$. Бумага офсетная. Печать офсетная.
Усл. печ. л. 30. Тираж 130 000 экз. Заказ 1970.

Браун, Д.
Б87   Цифровая крепость : [роман] / Дэн Браун; пер. с англ. А.А. Файнгара. — М.:
АСT: АСТ МОСКВА: Транзиткнига, 2005. — 474, [6] с. — (Интеллектуаль-
ный детектив).

ISBN 5-17-031339-X (ООО «Издательство АСТ»)
ISBN 5-9713-0176-4 (ООО «АСТ МОСКВА»)
ISBN 5-9578-2290-6 (ООО «Транзиткнига»)

Автор СУПЕРБЕСТСЕЛЛЕРА ДЕСЯТИЛЕТИЯ предлагает вам взломать еще
ОДИН КОД — сверхсложный, таящий в себе опасность и угрозу для всего мира!
Но... КТО ПРИДУМАЛ этот код?!
ЧЕГО он добивается?!
ЗАЧЕМ вступил в безжалостную игру с Агентством национальной безопасности
США?!
Оружие загадочного врага — всего лишь набор символов и букв.
За расшифровку берется ЛУЧШИЙ КРИПТОГРАФ Америки Сьюзан Флетчер.
И то, что она обнаруживает, ставит под угрозу не только важнейшие разработки
спецслужб США, но и судьбы миллионов людей...
С этой секунды на Сьюзан начинается настоящая ОХОТА...

УДК 821.111(73)
ББК 84 (7Сое)

ISBN 985-13-4998-4 (Харвест)

Моим родителям...
моим героям и наставникам

Считаю своим долгом поблагодарить: моих редакторов из издательства «Сент-Мартин пресс» Томаса Данна и Мелиссу Джекобс, человека редкостных талантов; моих нью-йоркских литературных агентов Джорджа Уизера, Ольгу Уизер и Джейка Элвелла; всех, кто прочитал рукопись и попутно способствовал ее улучшению. И прежде всего мою жену Блайт за энтузиазм и терпение.

А также большое спасибо двум бывшим шифровальщикам Агентства национальной безопасности, которые оказали мне бесценную помощь анонимными ответами на мои письма. Без них эта книга не была бы написана.

ПРОЛОГ

Говорят, что в минуту смерти все обретает предельную ясность. Энсей Танкадо теперь знал, что это чистая правда. Прижав руку к груди, которую жгла нестерпимая боль, и падая на землю, он понял весь ужас своей ошибки.

Подошли какие-то люди, склонились над ним, пытаясь помочь. Но Танкадо уже не нуждался в помощи — слишком поздно.

Он поднял дрожащую левую руку и вытянул вперед растопыренные пальцы. *Посмотрите на мою руку!* Окружающие уставились на него, но он мог поклясться, что они ничего не поняли.

На его пальце блеснуло золотое кольцо с гравировкой. На мгновение, освещенные андалузским солнцем, сверкнули какие-то знаки. Энсей Танкада знал, что это последняя вспышка света в его жизни.

ГЛАВА 1

Они были вдвоем в Смоки-Маунтинс, в своем любимом отеле. Дэвид смотрел на нее и улыбался.

— Ну и что ты скажешь, моя красавица? Выйдешь за меня замуж?

Лежа в кровати с балдахином, она смотрела на него и знала, что ей нужен именно он. Навсегда. Ее завораживала глубина его темно-зеленых глаз, и она не могла отвести от них взгляд. В этот момент где-то вдали раздался оглушительный колокольный звон. Она потянулась к Дэвиду, но он исчез, и ее руки сомкнулись в пустоте.

Телефонный звонок окончательно прогнал сон. Сьюзан Флетчер вздохнула, села в кровати и потянулась к трубке.

— Алло?

— Сьюзан, это Дэвид. Я тебя разбудил?

Она улыбнулась и поудобнее устроилась в постели.

— Ты мне только что приснился. Приходи поиграть.

— На улице еще темно, — засмеялся он.

— А-ах, — сладко потянулась она. — Тем более приходи. Мы успеем выспаться перед поездкой на север.

Дэвид грустно вздохнул:

— Потому-то я и звоню. Речь идет о нашей поездке. Нам придется ее отложить.

— Что-о? — Сьюзан окончательно проснулась.

— Прости. Я срочно уезжаю. Вернусь завтра. И уже утром мы сможем поехать. В нашем распоряжении будет целых два дня.

— Но я уже забронировала номер, — обиженно сказала Сьюзан. — Нашу старую комнату в «Стоун-Мэнор».

— Я понимаю, но...

— Сегодня у нас особый день — мы собирались отметить шесть месяцев. Надеюсь, ты помнишь, что мы помолвлены?

— Сьюзан, — вздохнул он. — Я не могу сейчас об этом говорить, внизу ждет машина. Я позвоню тебе из самолета и все объясню.

— Из самолета? — повторила она. — Что происходит? С какой стати университетский профессор...

— Это не университетские дела. Я позвоню и все объясню. Мне в самом деле пора идти, они уже сигналят. Буду на связи, обещаю.

— Дэвид! — крикнула она. — Что...

Но было уже поздно. Дэвид положил трубку.

Она долго лежала без сна, ожидая его звонка. Но телефон молчал.

В подавленном настроении Сьюзан приняла ванну. Она окунулась в мыльную пену и попыталась забыть о «Стоун-Мэнор» и Смоки-Маунтинс. «Куда его понесло? — думала она. — Почему он не звонит?»

Вода из горячей постепенно превратилась в теплую и, наконец, холодную. Она уже собиралась вылезать, как вдруг ожил радиотелефон. Сьюзан быстро встала и, расплескивая воду, потянулась к трубке, лежавшей на краю раковины.

— Дэвид?

— Это Стратмор, — прозвучал знакомый голос.

Сьюзан плюхнулась обратно в ванну.

— Ох! — Она не могла скрыть разочарование. — Здравствуйте, шеф.

— Думала, кое-кто помоложе? — засмеялся Стратмор.

— Да нет, сэр, — попыталась она сгладить неловкость. — Не в этом дело...

— Да в этом, конечно. — Он все еще посмеивался. — Дэвид Беккер хороший малый. Не упусти его.

— Спасибо, шеф.

Голос шефа из смешливого вдруг стал жестким:

— Сьюзан, я звоню потому, что ты нужна мне здесь. Срочно.

Она попыталась собраться с мыслями.

— Сегодня суббота, сэр. Обычно мы...

— Знаю, — спокойно сказал он. — Но ситуация чрезвычайная.

Сьюзан встала. *Чрезвычайная ситуация?* Она не помнила, чтобы это слово срывалось когда-нибудь с губ коммандера Стратмора. *Чрезвычайная? В шифровалке?* Она не могла себе этого представить.

— С-слушаюсь, сэр. — Она выдержала паузу. — Постараюсь побыстрее.

— А лучше еще быстрее. — Стратмор положил трубку.

Сьюзан стояла, завернувшись в мохнатое полотенце, не замечая, что вода капает на аккуратно сложенные вещи, приготовленные накануне: шорты, свитер — на случай прохладных вечеров в горах, — новую ночную рубашку. Расстроенная, она подошла к шкафу, чтобы достать чистую блузку и юбку. *Чрезвычайная ситуация? В шифровалке?*

Спускаясь по лестнице, она пыталась представить себе, какие еще неприятности могли ее ожидать.

Ей предстояло узнать это совсем скоро.

ГЛАВА 2

На высоте тридцать тысяч футов, над застывшим внизу океаном, Дэвид Беккер грустно смотрел в крохотный овальный иллюминатор самолета «Лирджет-60». Ему сказали, что бортовой телефон вышел из строя, поэтому позвонить Сьюзан не удастся.

— Что я здесь делаю? — пробормотал он. Ответ был очень простым: есть люди, которым не принято отвечать «нет».

— Мистер Беккер, — возвестил громкоговоритель. — Мы прибываем через полчаса.

Беккер мрачно кивнул невидимому голосу. *Замечательно*. Он опустил шторку иллюминатора и попытался вздремнуть. Но мысли о Сьюзан не выходили из головы.

ГЛАВА 3

«Вольво» Сьюзан замер в тени высоченного четырехметрового забора с протянутой поверху колючей проволокой. Молодой охранник положил руку на крышу машины.

— Пожалуйста, ваше удостоверение.

Сьюзан протянула карточку и приготовилась ждать обычные полминуты. Офицер пропустил удостоверение через подключенный к компьютеру сканер, потом наконец взглянул на нее.

— Спасибо, мисс Флетчер. — Он подал едва заметный знак, и ворота распахнулись.

Проехав еще полмили, Сьюзан подверглась той же процедуре перед столь же внушительной оградой, по которой был пропущен электрический ток. «Давайте же, ребята... уже миллион раз вы меня проверяли».

Когда она приблизилась к последнему контрольно-пропускному пункту, коренастый часовой с двумя сторожевыми псами на поводке и автоматом посмотрел на номерной знак ее машины и кивком разрешил следовать дальше. Она проехала по Кэнин-роуд еще сотню метров и въехала на стоянку «С», предназначенную для сотрудников. «Невероятно, — подумала она, — двадцать шесть тысяч служащих, двадцатимиллиардный бюджет — и они не могут обойтись без меня в уик-энд». Она поставила машину на зарезервированное за ней место и выключила двигатель.

Миновав похожую на сад террасу и войдя в главное здание, она прошла проверку еще на двух внутренних контрольных пунктах и наконец оказалась в туннеле без окон, который вел в новое крыло. Вскоре путь ей преградила кабина голосового сканирования, табличка на которой гласила:

АГЕНТСТВО НАЦИОНАЛЬНОЙ БЕЗОПАСНОСТИ (АНБ)
ОТДЕЛЕНИЕ КРИПТОГРАФИИ
ТОЛЬКО ДЛЯ СОТРУДНИКОВ С ДОПУСКОМ

Вооруженный охранник поднял голову:
— Добрый день, мисс Флетчер.
— Привет, Джон.
— Не ожидал, что вы придете сегодня.
— Да, я тоже. — Она наклонилась к микрофону и четко произнесла: — Сьюзан Флетчер.

Компьютер немедленно распознал частоту ее голоса, и дверь, щелкнув, открылась. Сьюзан проследовала дальше.

Охранник залюбовался Сьюзан, шедшей по бетонной дорожке. Он обратил внимание, что сегодня взгляд ее карих глаз казался отсутствующим, но на щеках играл свежий румянец, а рыжеватые до плеч волосы были только что высушены. От нее исходил легкий аромат присыпки «Джонсонс беби». Его взгляд скользнул по стройной фигурке, задержался на белой блузке с едва различимым под ней бюстгальтером, на юбке до колен цвета хаки и, наконец, на ее ногах... ногах Сьюзан Флетчер.

Трудно поверить, что такие ножки носят 170 баллов IQ. Охранник покачал головой.

Он долго смотрел ей вслед. И снова покачал головой, когда она скрылась из виду.

Дойдя до конца туннеля, Сьюзан уткнулась в круглую сейфовую дверь с надписью СЕКРЕТНО — огромными буквами.

Вздохнув, она просунула руку в углубление с цифровым замком и ввела свой личный код из пяти цифр. Через несколько секунд двенадцатитонная стальная махина начала поворачиваться. Она попыталась собраться с мыслями, но они упрямо возвращали ее к нему.

Дэвид Беккер. Единственный мужчина, которого она любила. Самый молодой профессор Джорджтаунского университета, блестящий ученый-лингвист, он пользовался всеобщим признанием в академическом мире. Наделенный феноменальной памятью и способностями к языкам, он знал шесть азиатских языков, а также прекрасно владел испанским, французским и итальянским. На его лекциях по этимологии яблоку негде было упасть, и он всегда надолго задерживался в аудитории, отвечая на нескончаемые вопросы. Он говорил авторитетно и увлеченно, не обращая внимания на восторженные взгляды студенток.

Беккер был смуглым моложавым мужчиной тридцати пяти лет, крепкого сложения, с проницательным взглядом зеленых глаз и потрясающим чувством юмором. Волевой подбородок и правильные черты его лица казались Сьюзан высеченными из мрамора. При росте более ста восьмидесяти сантиметров он передвигался по корту куда быстрее университетских коллег. Разгромив очередного партнера, он шел охладиться к фонтанчику с питьевой водой и опускал в него голову. Затем, с еще мокрыми волосами, угощал поверженного соперника орешками и соком.

Как у всех молодых профессоров, университетское жалованье Дэвида было довольно скромным. Время от времени, когда надо было продлить членство в теннисном клубе или перетянуть старую фирменную ракетку, он подрабатывал переводами для правительственных учреждений в Вашингтоне и его окрестностях. В связи с одной из таких работ он и познакомился со Сьюзан.

В то прохладное осеннее утро у него был перерыв в занятиях, и после ежедневной утренней пробежки он вернулся в свою трехкомнатную университетскую квартиру. Войдя, Дэвид увидел мигающую лампочку автоответчика. Слушая сообщение, он выпил почти целый пакет апельсинового сока. Послание ничем не отличалось от многих других, которые он получал: правительственное учреждение просит его поработать переводчиком в течение нескольких часов сегодня утром. Странным показалось только одно: об этой организации Беккер никогда прежде не слышал.

Беккер позвонил одному из своих коллег:

— Тебе что-нибудь известно об Агентстве национальной безопасности?

Это был не первый его звонок, но ответ оставался неизменным:

— Ты имеешь в виду Совет национальной безопасности?

Беккер еще раз просмотрел сообщение.

— Нет. Они сказали — агентство. АНБ.

— Никогда о таком не слышал.

Беккер заглянул в справочник Управления общей бухгалтерской отчетности США, но не нашел в нем ничего похожего. Заинтригованный, он позвонил одному из своих партнеров по теннису, бывшему политологу, перешедшему на службу в Библиотеку конгресса. Слова приятеля его очень удивили.

Дело в том, что АНБ не только существовало, но и считалось одной из самых влиятельных правительственных организаций в США и во всем мире. Уже больше полувека оно занималось тем, что собирало электронные разведданные по всему миру и защищало американскую секретную информацию. О его существовании знали только три процента американцев.

— АНБ, — пошутил приятель, — означает «Агентство, которого Никогда не Было».

Со смешанным чувством тревоги и любопытства Беккер принял приглашение загадочного агентства. Он проехал тридцать семь миль до их штаб-квартиры, раскинувшейся на участке площадью тридцать шесть акров среди лесистых холмов Форт-Мида в штате Мэриленд. После бесчисленных проверок на контрольно-пропускных пунктах он получил шестичасовой гостевой пропуск с голографическим текстом и был препровожден в роскошное помещение, где ему, как было сказано, предстояло «вслепую» оказать помощь Отделению криптографии — элитарной группе талантливых математиков, именуемых дешифровщиками.

В течение первого часа они, казалось, даже не замечали его присутствия. Обступив громадный стол, они говорили на языке, которого Беккеру прежде никогда не доводилось слы-

шать, — о поточных шифрах, самоуничтожающихся генераторах, ранцевых вариантах, протоколах нулевого понимания,
точках единственности. Беккер наблюдал за ними, чувствуя
себя здесь лишним. Они рисовали на разграфленных листах
какие-то символы, вглядывались в компьютерные распечатки и постоянно обращались к тексту, точнее — нагромож-
дению букв и цифр, на экране под потолком.

```
JHDJA3JKHDHMADO/ERTWTJLW+JGJ328
5JHALSFNHKHHHFAFOHHDFGAF/FJ37WE
OHI93450S9DJFD2H/HHRTYFHLF89303
95JSPJF2J0890IHJ98YHFI080EWRTO3
JOJR845HOROQ+JTOEU4TQEFQE//OUJW
O8UYOIHO934JTPWFIAJERO9QU4JR9GU
IVJP$DUW4H95PE8RTUGVJW3P4E/IKKC
MFFUERHFGVOQ394IKJRMG+UNHVS9OER
IRK/O956Y7UOPOIKIOJP9F876DQWERQI
```

В конце концов один из них объяснил Беккеру то, что тот
уже и сам понял. Эта абракадабра представляла собой зашифрованный текст: за группами букв и цифр прятались слова.
Задача дешифровщиков состояла в том, чтобы, изучив его,
получить оригинальный, или так называемый открытый,
текст. АНБ пригласило Беккера, потому что имелось подозрение, что оригинал был написан на мандаринском диалек-
те китайского языка, и ему предстояло переводить иероглифы по мере их дешифровки.

В течение двух часов Беккер переводил бесконечный поток китайских иероглифов. Но каждый раз, когда он предла-
гал перевод, дешифровщики в отчаянии качали головами.
Очевидно, получалась бессмыслица. Желая помочь, Беккер
обратил их внимание на то, что все показанные ему иероглифы объединяет нечто общее — они одновременно являются
и иероглифами кандзи. В комнате тут же стало тихо. Стар-
ший дешифровщик, нескладный тип по имени Морант, не
выпускавший сигареты изо рта, недоверчиво уставился на
Беккера.

— То есть вы хотите сказать, что эти знаки имеют множе-
ственное значение?

Беккер кивнул. Он объяснил, что кандзи — это система японского письма, основанная на видоизмененных китайских иероглифах. Он же давал им китайские значения, потому что такую задачу они перед ним поставили.

— Господи Иисусе. — Морант закашлялся. — Давайте попробуем кандзи.

И словно по волшебству все встало на свое место.

Это произвело на дешифровщиков впечатление, но тем не менее Беккер продолжал переводить знаки вразнобой, а не в той последовательности, в какой они были расположены в тексте.

— Это для вашей же безопасности, — объяснил Морант. — Вам незачем знать, что вы переводите.

Беккер засмеялся. И увидел, что никто даже не улыбнулся, когда текст был наконец расшифрован. Беккер так и не узнал, какие страшные секреты он помог раскрыть, ни одна вещь не вызывала у него никаких сомнений. АНБ очень серьезно относилось к дешифровке. Полученный чек превышал его месячное университетское жалованье.

Когда он шел к выходу по главному коридору, путь ему преградил охранник с телефонной трубкой в руке.

— Мистер Беккер, подождите минутку.

— В чем дело? — Беккер не рассчитывал, что все это займет так много времени, и теперь опаздывал на свой обычный субботний теннисный матч.

Часовой пожал плечами.

— С вами хочет поговорить начальник шифровалки. Она сейчас будет здесь.

— Она? — Беккер рассмеялся. Он не заметил в АНБ ни одного существа женского пола.

— Вас это смущает? — раздался у него за спиной звонкий голос.

Беккер обернулся и тотчас почувствовал, что краснеет. Он уставился на карточку с личными данными, приколотыми к блузке стоявшей перед ним женщины. Глава Отделения криптографии АНБ была не просто женщиной, а очень привлекательной женщиной.

— Да нет, — замялся он. — Я просто...

— Сьюзан Флетчер. — Женщина улыбнулась и протянула ему тонкую изящную руку.

— Дэвид Беккер. — Он пожал ее руку.

— Примите мои поздравления, мистер Беккер. Мне сказали, что вы сегодня отличились. Вы позволите поговорить с вами об этом?

Беккер заколебался.

— Видите ли, я, честно говоря, очень спешу. — Он надеялся, что отказ представителю самого мощного разведывательного ведомства не слишком большая глупость с его стороны, но партия в сквош начиналась через сорок пять минут, а он дорожил своей репутацией: Дэвид Беккер никогда не опаздывает на партию в сквош... на лекцию — да, возможно, но на сквош — никогда.

— Постараюсь быть краткой, — улыбнулась Сьюзан Флетчер. — Пожалуйста, сюда.

Через десять минут Беккер уже сидел в буфете АНБ, жуя сдобную булку и запивая ее клюквенным соком, в обществе очаровательной руководительницы Отделения криптографии АНБ. Ему сразу же стало ясно, что высокое положение в тридцать восемь лет в АНБ нельзя получить за красивые глаза: Сьюзан Флетчер оказалась одной из умнейших женщин, каких ему только доводилось встречать. Обсуждая шифры и ключи к ним, он поймал себя на мысли, что изо всех сил пытается соответствовать ее уровню, — для него это ощущение было новым и оттого волнующим.

Час спустя, когда Беккер уже окончательно опоздал на свой матч, а Сьюзан откровенно проигнорировала трехстраничное послание на интеркоме, оба вдруг расхохотались. И вот эти два интеллектуала, казалось бы, неспособные на вспышки иррациональной влюбленности, обсуждая проблемы лингвистической морфологии и числовые генераторы, внезапно почувствовали себя подростками, и все вокруг окрасилось в радужные тона.

Сьюзан ни слова не сказала об истинной причине своей беседы с Дэвидом Беккером — о том, что она собиралась предложить ему место в Отделе азиатской криптографии. Судя по той увлеченности, с которой молодой профессор говорил о преподавательской работе, из университета он не уйдет. Сьюзан решила не заводить деловых разговоров, чтобы не портить настроение ни ему ни себе. Она снова почувствовала себя школьницей. Это чувство было очень приятно, ничто не должно было его омрачить. И его ничто не омрачало.

Их отношения развивались медленно и романтично: встречи украдкой, если позволяли дела, долгие прогулки по университетскому городку, чашечка капуччино у Мерлутти поздно вечером, иногда лекции и концерты. Сьюзан вдруг поняла, что стала смеяться гораздо чаще, чем раньше. Казалось, не было на свете ничего, что Дэвид не мог бы обратить в шутку. Это было радостное избавление от вечного напряжения, связанного с ее служебным положением в АНБ.

В один из прохладных осенних дней они сидели на стадионе, наблюдая за тем, как футбольная команда Рутгерса громит команду Джорджтаунского университета.

— Я забыла: как называется вид спорта, которым ты увлекаешься? — спросила Сьюзан. — Цуккини?

— Сквош, — чуть не застонал Беккер.

Сьюзан сделала вид, что не поняла.

— Это похоже на цуккини, — пояснил он, — только корт поменьше.

Она ткнула его локтем в бок.

Левый крайний Джорджтауна, подавая угловой, отправил мяч в аут, и трибуны негодующе загудели. Защитники поспешили на свою половину поля.

— А ты? — спросил Беккер. — Что предпочитаешь ты?

— У меня черный пояс по дзюдо.

Беккер поморщился.

— Предпочитаю вид спорта, в котором я могу выиграть.

— Победа любой ценой? — улыбнулась Сьюзан.

Защитник Джорджтауна перехватил опасную передачу, и по трибунам пронесся одобрительный гул. Сьюзан наклонилась к Дэвиду и шепнула ему на ухо:

— Доктор.

Он смотрел на нее с недоумением.

— Доктор, — повторила она. — Скажи первое, что придет в голову.

— Ассоциативный ряд? — по-прежнему недоумевал Дэвид.

— Стандартная для АНБ процедура. Мне нужно знать, с кем я имею дело. — Глаза ее смотрели сурово. — Доктор.

— Зюсс. — Он пожал плечами.

— Ладно, — нахмурилась Сьюзан. — Попробуем еще... Кухня.

— Спальня, — без колебаний отозвался он.

Сьюзан смутилась.

— Хорошо, а что, если... кошка?

— Жи́ла! — не задумываясь выпалил Беккер.

— Жила?

— Да. Кошачья жила. Из нее делают струны для ракеток.

— Как мило, — вздохнула она.

— Итак, твой диагноз? — потребовал он.

Сьюзан на минуту задумалась.

— Склонность к ребячеству, фанат сквоша с подавляемой сексуальностью.

Беккер пожал плечами:

— Не исключено, что ты попала в точку.

Так продолжалось несколько недель. За десертом в ночных ресторанах он задавал ей бесконечные вопросы.

Где она изучала математику?

Как она попала в АНБ?

Как ей удалось стать столь привлекательной?

Покраснев, Сьюзан сказала, что созрела довольно поздно. Чуть ли не до двадцати лет она была худой и нескладной и носила скобки на зубах, так что тетя Клара однажды сказала, что Господь Бог наградил ее умом в утешение за невзрачные внешние данные. Господь явно поторопился с утешением, подумал Беккер.

Сьюзан также сообщила, что интерес к криптографии появился у нее еще в школе, в старших классах. Президент компьютерного клуба, верзила из восьмого класса Фрэнк Гутманн, написал ей любовные стихи и зашифровал их, подставив вместо букв цифры. Сьюзан упрашивала его сказать, о чем в них говорилось, но он, кокетничая, отказывался. Тогда она взяла послание домой и всю ночь просидела под одеялом с карманным фонариком, пытаясь раскрыть секрет. Наконец она поняла, что каждая цифра обозначала букву с соответствующим порядковым номером. Она старательно расшифровывала текст, завороженная тем, как на первый взгляд произвольный набор цифр превращался в красивые стихи. В тот момент она поняла, что нашла свою любовь — шифры и криптография отныне станут делом ее жизни.

Почти через двадцать лет, получив степень магистра математики в Университете Джонса Хопкинса и окончив аспирантуру по теории чисел со стипендией Массачусетского технологического института, она представила докторскую диссертацию — «Криптографические методы, протоколы и алгоритмы ручного шифрования». По-видимому, ее работу прочел не только научный руководитель, потому что вскоре последовал телефонный звонок, а затем по почте ей доставили авиационный билет от АНБ.

Все, кто имел отношение к криптографии, знали, что в АНБ собраны лучшие криптографические умы нашей планеты. Каждую весну, когда частные фирмы начинают охоту за талантливой молодежью, соблазняя ее неприлично высокими окладами и фондовыми опционами в придачу, АНБ внимательно наблюдает за этим, выделяет наиболее подходящих и удваивает предлагаемую сумму. АНБ покупает все, что ему требуется. Дрожа от нетерпения, Сьюзан вылетела в Вашингтон. В международном аэропорту Далласа девушку встретил шофер АНБ, доставивший ее в Форт-Мид.

В тот год аналогичное приглашение получили еще сорок кандидатов. Двадцативосьмилетняя Сьюзан оказалась среди них младшей и к тому же единственной женщиной. Визит вылился в сплошной пиар и бесчисленные интеллектуальные тесты при минимуме информации по существу дела. Через неделю Сьюзан и еще шестерых пригласили снова. Сьюзан заколебалась, но все же поехала. По приезде группу сразу же разделили. Все они подверглись проверке на полиграф-машине, иными словами — на детекторе лжи: были тщательно проверены их родственники, изучены особенности почерка, и с каждым провели множество собеседований на всевозможные темы, включая сексуальную ориентацию и соответствующие предпочтения. Когда интервьюер спросил у Сьюзан, не занималась ли она сексом с животными, она с трудом удержалась, чтобы не выбежать из кабинета, но, так или иначе, верх взяли любопытство, перспектива работы на самом острие теории кодирования, возможность попасть во «Дворец головоломок» и стать членом наиболее секретного клуба в мире — Агентства национальной безопасности.

Беккер внимательно слушал ее рассказ.

— В самом деле спросили про секс с животными?

Сьюзан пожала плечами.

— Обычная проверка кандидата.

— Ну и ну... — Беккер с трудом сдержал улыбку. — И что же ты ответила?

Она ткнула его в ногу носком туфли.

— Я сказала «нет»! — И, выдержав паузу, добавила: — И до вчерашней ночи это была правда.

В глазах Сьюзан Дэвид был самим совершенством — насколько вообще такое возможно. Одно только ее беспокоило: всякий раз, когда они куда-то ходили, он решительно противился тому, чтобы она сама платила за себя. Сьюзан не могла с этим смириться, видя, как он выкладывает за их обед свою дневную заработную плату, но спорить с ним было бесполезно. Она в конце концов перестала протестовать, но это продолжало ее беспокоить. «Я зарабатываю гораздо больше, чем в состоянии потратить, — думала она, — поэтому будет вполне естественным, если я буду платить».

Но если не считать его изрядно устаревших представлений о рыцарстве, Дэвид, по мнению Сьюзан, вполне соответствовал образцу идеального мужчины. Внимательный и заботливый, умный, с прекрасным чувством юмора и, самое главное, искренне интересующийся тем, что она делает. Чем бы они ни занимались — посещали Смитсоновский институт, совершали велосипедную прогулку или готовили спагетти у нее на кухне, — Дэвид всегда вникал во все детали. Сьюзан отвечала на те вопросы, на которые могла ответить, и постепенно у Дэвида сложилось общее представление об Агентстве национальной безопасности — за исключением, разумеется, секретных сторон деятельности этого учреждения.

Основанное президентом Трумэном в 12 часов 01 минуту 4 ноября 1952 года, АНБ на протяжении почти пятидесяти лет оставалось самым засекреченным разведывательным ведомством во всем мире. Семистраничная доктрина сжато излагала программу его работы: защищать системы связи американского правительства и перехватывать сообщения зарубежных государств.

На крыше главного служебного здания АНБ вырос лес из более чем пятисот антенн, среди которых были две большие антенны, закрытые обтекателями, похожими на громадные мячи для гольфа. Само здание также было гигантских размеров — его площадь составляла более двух миллионов квадратных футов, вдвое больше площади штаб-квартиры ЦРУ. Внутри было протянуто восемь миллионов футов телефонного кабеля, общая площадь постоянно закрытых окон составляла восемьдесят тысяч квадратных футов.

Сьюзан рассказала Дэвиду про КОМИНТ, подразделение глобальной разведки, в распоряжении которого находилось немыслимое количество постов прослушивания, спутников-шпионов и подслушивающих устройств по всему земному шару. Ежедневно тысячи сообщений и разговоров перехватывались и посылались экспертам АНБ для дешифровки. Разведданные, поставляемые агентством, влияли на процесс принятия решений ФБР, ЦРУ, а также внешнеполитическими советниками правительства США.

Беккер был потрясен.

— А как насчет вскрытия шифров? Какова *твоя* роль во всем этом?

Сьюзан объяснила, что перехватываемые сообщения обычно исходят от правительств потенциально враждебных стран, политических фракций, террористических групп, многие из которых действуют на территории США. Эти сообщения обычно бывают зашифрованы: на тот случай, если они попадут не в те руки, — а благодаря КОМИНТ это обычно так и происходит. Сьюзан сообщила Дэвиду, что ее работа заключается в изучении шифров, взламывании их ручными методами и передаче расшифрованных сообщений руководству. Но это было не совсем так.

Сьюзан переживала из-за того, что ей пришлось солгать любимому человеку, но у нее не было другого выхода. Все, что она сказала, было правдой еще несколько лет назад, но с тех пор положение в АНБ изменилось. Да и весь мир криптографии изменился. Новые обязанности Сьюзан были засекречены, в том числе и для многих людей в высших эшелонах власти.

— Шифры, — задумчиво сказал Беккер — Откуда ты знаешь, с чего начинать? То есть... как ты их вскрываешь?

Сьюзан улыбнулась:

— Уж ты-то мог бы это понять. Это все равно что изучать иностранный язык. Сначала текст воспринимается как полная бессмыслица, но по мере постижения законов построения его структуры начинает появляться смысл.

Беккер понимающе кивнул, но ему хотелось знать больше. Используя вместо классной доски салфетки ресторана Мерлутти или концертные программы, Сьюзан дала этому популярному и очень привлекательному преподавателю первые уроки криптографии. Она начала с «совершенного квадрата» Юлия Цезаря.

Цезарь, объясняла она, был первым в истории человеком, использовавшим шифр. Когда его посыльные стали попадать в руки врага вместе с его секретными посланиями, он придумал примитивный способ шифровки своих указаний. Он преобразовывал послания таким образом, чтобы текст выглядел бессмыслицей. Что, разумеется, было не так. Каждое послание состояло из числа букв, равного полному квадрату, — шестнадцати, двадцати пяти, ста — в зависимости от того, какой объем информации нужно было передать. Цезарь тайно объяснил офицерам, что по получении этого якобы случайного набора букв они должны записать текст таким образом, чтобы он составил квадрат. Тогда, при чтении сверху вниз, перед глазами магически возникало тайное послание.

С течением времени этот метод преобразования текста был взят на вооружение многими другими и модифицирован, с тем чтобы его труднее было прочитать. Кульминация развития докомпьютерного шифрования пришлась на время Второй мировой войны. Нацисты сконструировали потрясающую шифровальную машину, которую назвали «Энигма». Она была похожа на самую обычную старомодную пишущую машинку с медными взаимосвязанными роторами, вращавшимися сложным образом и превращавшими открытый текст в запутанный набор на первый взгляд бессмысленных групп знаков. Только с помощью еще одной точно так же настроенной шифровальной машины получатель текста мог его прочесть.

Беккер слушал как завороженный. Учитель превратился в ученика.

Однажды вечером на университетском представлении «Щелкунчика» Сьюзан предложила Дэвиду вскрыть шифр, который можно было отнести к числу базовых. Весь антракт он просидел с ручкой в руке, ломая голову над посланием из одиннадцати букв:

HL FKZC VD LDS

В конце концов, когда уже гасли огни перед началом второго акта, его осенило. Шифруя послание, Сьюзан просто заменила в нем каждую букву на предшествующую ей алфавите. Для расшифровки Беккеру нужно было всего лишь подставить вместо имеющихся букв те, что следовали непосредственно за ними: А превращалось в B, B — в C и так далее. Беккер быстро проделал это со всеми буквами. Он никогда не думал, что четыре слова могут сделать его таким счастливым:

IM GLAD WE MET

Что означало: «Я рада, что мы встретились». Он быстро нацарапал на программке ответ и протянул Сьюзан:

LD SNN

Сьюзан, прочитав, просияла. ME TOO, что означало: «Я тоже».

Беккер расхохотался. Он дожил до тридцати пяти лет, а сердце у него прыгало, как у влюбленного мальчишки. Никогда еще его не влекло ни к одной женщине. Изящные европейские черты лица и карие глаза делали Сьюзан похожей на модель, рекламирующую косметику «Эсте Лаудер». Худоба и неловкость подростка бесследно исчезли. С годами она приобрела гибкость и грацию. У нее была высокая стройная фигура с пышной грудью и по-юношески плоским животом. Дэвид шутил, что она может стать первой моделью для рекламы купальников, имеющей докторскую степень по прикладной математике и теории чисел. Через несколько месяцев оба начали подозревать, что обрели нечто такое, что может продлиться всю жизнь.

Они были вместе уже два года, когда Дэвид вдруг сделал ей предложение. Это случилось во время поездки на уик-энд в Смоки-Маунтинс. Они лежали на широкой кровати под балдахином в «Стоун-Мэнор». О кольце он позаботиться не успел, слова пришли сами собой. Именно это и нравилось ей в нем — спонтанность решений. Она надолго прижалась губами к его губам. Он обвил ее руками, и они сами собой начали стягивать с нее ночную рубашку.

— Я понимаю это как знак согласия, — сказал он, и они не отрывались друг от друга всю ночь, согреваемые теплом камина.

Этот волшебный вечер был шесть месяцев назад, до того как Дэвида неожиданно назначили главой факультета современных языков. С тех пор их отношения развивались с быстротой скольжения по склону горы.

ГЛАВА 4

Потайная дверь издала сигнал, выведя Сьюзан из состояния печальной задумчивости. Дверь повернулась до положения полного открытия. Через пять секунд она вновь закроется, совершив вокруг своей оси поворот на триста шестьдесят градусов. Сьюзан собралась с мыслями и шагнула в дверной проем. Компьютер зафиксировал ее прибытие.

Хотя Сьюзан практически не покидала шифровалку в последние три года, она не переставала восхищаться этим сооружением. Главное помещение представляло собой громадную округлую камеру высотой в пять этажей. Ее прозрачный куполообразный потолок в центральной части поднимался на 120 футов. Купол из плексигласа имел ячеистую структуру — защитную паутину, способную выдержать взрыв силой в две мегатонны. Солнечные лучи, проходя сквозь этот экран, покрывали стены нежным кружевным узором. Крошечные частички пыли, пленницы мощной системы деионизации купола, простодушно устремлялись вверх широкой спиралью.

Наклонные стены помещения, образуя вверху широкую арку, на уровне глаз были практически вертикальными. Затем они приобретали как бы полупрозрачность, завершаясь у пола непроницаемой чернотой — посверкивающей черной глазурью кафеля, отливавшей жутковатым сиянием, создававшим какое-то тревожное ощущение прозрачности пола. Черный лед.

В центре помещения из пола торчала, подобно носу исполинской торпеды, верхняя часть машины, ради которой было возведено все здание. Ее черный лоснящийся верх поднимался на двадцать три фута, а сама она уходила далеко вниз, под пол. Своей гладкой окружной формой она напоминала дельфина-косатку, застывшего от холода в схваченном морозом море.

Это был «ТРАНСТЕКСТ», компьютер, равного которому не было в мире, — шифровальная машина, засекреченная агентством.

Подобно айсбергу машина скрывала девяносто процентов своей массы и мощи под поверхностью. Ее секрет был спрятан в керамических шахтах, уходивших на шесть этажей вниз; ее похожий на ракету корпус окружал лабиринт подвесных лесов и кабелей, из-под которых слышалось шипение фреоновой системы охлаждения. Генераторы внизу производили постоянный низкочастотный гул, что делало акустику в шифровалке какой-то загробной, присущей миру призраков.

«ТРАНСТЕКСТ», подобно всем великим технологическим достижениям, появился на свет в силу необходимости. В 1980-е годы АНБ стало свидетелем революции в сфере телекоммуникаций, которой было суждено навсегда изменить весь мир разведывательной деятельности, — имеется в виду широкая доступность Интернета, а если говорить конкретнее — появление электронной почты.

Преступники, террористы и шпионы, которым надоело прослушивание их телефонов, с радостью встретили это новое средство глобальной коммуникации. Электронная почта соединила безопасность обычной почты со скоростью телефонной связи. С тех пор как сообщения стали передаваться по подземным волоконно-оптическим линиям, а не с помощью радиоволн, они оказались полностью защищенными от перехвата — таков по крайней мере был замысел.

В действительности перехват электронных писем, передвигаемых по Интернету, был детской забавой для технических гуру из АНБ. Интернет не был создан, как считали многие, в эру домашних персональных компьютеров. Он появился тремя десятилетиями ранее благодаря усилиям специалистов из министерства обороны и представлял собой громадную сеть компьютеров, призванных обеспечить безопасность правительственной связи на случай ядерной войны. Профессионалы Интернета стали глазами и ушами АНБ. Люди, занимавшиеся нелегальной деятельностью с использованием электронной почты, быстро убедились в том, что их секреты больше не являются их частным достоянием. ФБР, Налоговое управление, Агентство по борьбе с наркотиками и другие правоохранительные агентства США — с помощью опытных штатных хакеров — сумели арестовать и предать суду гораздо больше преступников.

Разумеется, когда пользователи компьютеров во всем мире обнаружили, что американское правительство имеет широкий доступ к их электронной почте, раздались возмущенные голоса. Даже те, кто использовал электронную почту лишь для развлечения, занервничали из-за вторжения в их частную жизнь. Корпоративные программисты во всем мире озаботились решением проблемы безопасности электронной почты. В конце концов оно было найдено — так родился доступный широкой публике способ кодирования.

Его концепция была столь же проста, сколь и гениальна. Она состояла из легких в использовании программ для домашнего компьютера, которые зашифровывали электронные послания таким образом, что они становились абсолютно нечитаемыми. Пользователь писал письмо, пропускал его через специальную программу, и на другом конце линии адресат получал текст, на первый взгляд не поддающийся прочтению, — шифр. Тот же, кто перехватывал такое сообщение, видел на экране лишь маловразумительную абракадабру.

Расшифровать сообщение можно было лишь введя специальный ключ — секретный набор знаков, действующий как ПИН-код в банкомате. Ключ, как правило, был довольно длинным и сложным и содержал всю необходимую информацию об алгоритме кодирования, задействуя математические операции, необходимые для воссоздания исходного текста.

Теперь пользователь мог посылать конфиденциальные сообщения: ведь если даже его послание перехватывалось, расшифровать его могли лишь те, кто знал ключ-пароль.

АНБ сразу же осознало, что возникла кризисная ситуация. Коды, с которыми столкнулось агентство, больше не были шифрами, что разгадывают с помощью карандаша и листка бумаги в клетку, — теперь это были компьютеризированные функции запутывания, основанные на теории хаоса и использующие множественные символические алфавиты, чтобы преобразовать сообщение в абсолютно хаотичный набор знаков.

Сначала используемые пароли были довольно короткими, что давало возможность компьютерам АНБ их «угадывать». Если искомый пароль содержал десять знаков, то компьютер программировался так, чтобы перебирать все комбинации от 0000000000 до 9999999999, и рано или поздно находил нужное сочетание цифр. Этот метод проб и ошибок был известен как применение «грубой силы». На это уходило много времени, но математически гарантировало успех.

Когда мир осознал возможности шифровки с помощью «грубой силы», пароли стали все длиннее и длиннее. Компьютерное время, необходимое для их «угадывания», растягивалось на месяцы и в конце концов — на годы.

К началу 1990-х годов ключи имели уже более пятидесяти знаков, в них начали использовать весь алфавит АСКИ — Американского национального стандартного кода для обмена информацией, состоящего из букв, цифр и символов. Число возможных комбинаций приблизилось к 10 в 120-й степени — то есть к единице со 120 нулями. Определить ключ стало столь же математически нереально, как найти нужную песчинку на пляже длиной в три мили. Было подсчитано, что для успешной атаки на стандартный ключ самому быстрому компьютеру АНБ — секретнейшему «Крей-Джозефсону II» — потребуется более девятнадцати лет. К тому времени когда компьютер разгадает пароль и взломает шифр, информация, содержащаяся в послании, утратит всякую ценность.

Оказавшись в условиях подлинного разведывательного затемнения, АНБ выпустило секретную директиву, одобренную президентом Соединенных Штатов. Заручившись поддержкой федеральных фондов и получив карт-бланш на все необходимые меры для решения проблемы, АНБ приступило к созданию невозможного — первой универсальной машины для вскрытия шифров.

Вопреки широко распространенному мнению о том, что такой компьютер создать невозможно, АНБ осталось верным своему девизу: возможно все; на невозможное просто требуется больше времени.

Через пять лет, истратив полмиллиона рабочих часов и почти два миллиарда долларов, АНБ вновь доказало жизненность своего девиза. Последний из трех миллионов процессоров размером с почтовую марку занял свое место, все программное обеспечение было установлено, и керамическая оболочка наглухо заделана. «ТРАНСТЕКСТ» появился на свет.

Хотя создававшийся в обстановке повышенной секретности «ТРАНСТЕКСТ» стал плодом усилий многих умов и принцип его работы не был доступен ни одному человеку в отдельности, он, в сущности, был довольно прост: множество рук делают груз легким.

Три миллиона процессоров работали параллельно — считая с неимоверной скоростью, перебирая все мыслимые комбинации символов. Надежда возлагалась на то, что шифры даже с самыми длинными ключами не устоят перед исключительной настойчивостью «ТРАНСТЕКСТА». Этот многомиллиардный шедевр использовал преимущество параллельной обработки данных, а также некоторые секретные достижения в оценке открытого текста для определения возможных ключей и взламывания шифров. Его мощь основывалась не только на умопомрачительном количестве процессоров, но также и на достижениях квантового исчисления — зарождающейся технологии, позволяющей складировать информацию в квантово-механической форме, а не только в виде двоичных данных.

Момент истины настал в одно ненастное октябрьское утро. Провели первый реальный тест. Несмотря на сомнения относительно быстродействия машины, в одном инженеры проявили единодушие: если все процессоры станут действовать параллельно, «ТРАНСТЕКСТ» будет очень мощным. Вопрос был лишь в том, насколько мощным.

Ответ получили через двенадцать минут. Все десять присутствовавших при этом человек в напряженном ожидании молчали, когда вдруг заработавший принтер выдал им открытый текст: шифр был взломан. «ТРАНСТЕКСТ» вскрыл ключ, состоявший из шестидесяти четырех знаков, за десять с небольшим минут, в два миллиона раз быстрее, чем если бы для этого использовался второй по мощности компьютер АНБ. Тогда бы время, необходимое для дешифровки, составило двадцать лет.

Производственное управление АНБ под руководством заместителя оперативного директора коммандера Тревора Дж. Стратмора торжествовало победу. «ТРАНСТЕКСТ» себя оправдал. В интересах сохранения в тайне этого успеха коммандер Стратмор немедленно организовал утечку информации о том, что проект завершился полным провалом. Вся деятельность в крыле, где размещалась шифровалка, якобы сводилась к попыткам зализать раны после своего фиаско ценой в два миллиарда долларов. Правду знала только элита АНБ — «ТРАНСТЕКСТ» взламывал сотни шифров ежедневно.

В условиях, когда пользователи были убеждены, что закодированные с помощью компьютера сообщения не поддаются расшифровке — даже усилиями всемогущего АНБ, — секреты потекли рекой. Наркобароны, боссы, террористы и люди, занятые отмыванием криминальных денег, которым надоели перехваты и прослушивание их переговоров по сотовым телефонам, обратились к новейшему средству мгновенной передачи сообщений по всему миру — электронной почте. Теперь, считали они, им уже нечего было опасаться, представ перед Большим жюри, услышать собственный записанный на пленку голос как доказательство давно забытого телефонного разговора, перехваченного спутником АНБ.

Никогда еще получение разведывательной информации не было столь легким делом. Шифры, перехваченные АНБ, вводились в «ТРАНСТЕКСТ» и через несколько минуты выплевывались из машины в виде открытого текста. Секретов отныне больше не существовало.

Чтобы еще больше усилить впечатление о своей некомпетентности, АНБ подвергло яростным нападкам программы компьютерного кодирования, утверждая, что они мешают правоохранительным службам ловить и предавать суду преступников. Участники движения за гражданские свободы торжествовали и настаивали на том, что АНБ ни при каких обстоятельствах не должно читать их почту. Программы компьютерного кодирования раскупались как горячие пирожки. Никто не сомневался, что АНБ проиграло сражение. Цель была достигнута. Все глобальное электронное сообщество было обведено вокруг пальца... или так только казалось?

ГЛАВА 5

«Куда все подевались? — думала Сьюзан, идя по пустому помещению шифровалки. — Ничего себе чрезвычайная ситуация».

Хотя большинство отделов АНБ работали в полном составе семь дней в неделю, по субботам в шифровалке было тихо. По своей природе математики-криптографы — неисправимые трудоголики, поэтому существовало неписаное правило, что по субботам они отдыхают, если только не случается нечто непредвиденное. Взломщики шифров были самым ценным достоянием АНБ, и никто не хотел, чтобы они сгорали на работе.

Сьюзан посмотрела на корпус «ТРАНСТЕКСТА», видневшийся справа. Шум генераторов, расположенных восемью этажами ниже, звучал сегодня в ее ушах необычно зловеще. Сьюзан не любила бывать в шифровалке в неурочные часы, поскольку в таких случаях неизменно чувствовала себя запертой в клетке с гигантским зверем из научно-фантастического романа. Она ускорила шаги, чтобы побыстрее оказаться в кабинете шефа.

К рабочему кабинету Стратмора, именуемому аквариумом из-за стеклянных стен, вела узкая лестница, поднимавшаяся по задней стене шифровалки. Взбираясь по решетчатым ступенькам, Сьюзан смотрела на массивную дубовую дверь кабинета, украшенную эмблемой АНБ, на которой был изображен могучий орел, терзающий когтями старинную отмычку. За этой дверью находился один из самых великих людей, которых ей довелось знать.

Пятидесятишестилетний коммандер Стратмор, заместитель оперативного директора АНБ, был для нее почти как отец. Именно он принимал ее на работу, именно он сделал АНБ для нее родным домом. Когда десять лет назад Сьюзан поступила в агентство, Стратмор возглавлял Отдел развития криптографии, являвшийся тренировочной площадкой для новых криптографов, криптографов *мужского пола*. Хотя Стратмор терпеть не мог выделять кого-нибудь из подчиненных, он с особым вниманием относился к своей единственной сотруднице. Когда его обвиняли в фаворитизме, он в ответ говорил чистую правду: Сьюзан Флетчер — один из самых способных новых сотрудников, которых он принял на работу. Это заявление не оставляло места обвинениям в сексуальном домогательстве, однако как-то один из старших криптографов по глупости решил проверить справедливость слов шефа.

Однажды, в первый год своей работы в агентстве, Сьюзан заглянула в комнату новых криптографов за какими-то бумагами. Уже направляясь к двери, она увидела свое фото на доске объявлений и едва не лишилась чувств. На фотографии она была изображена наклонившейся над постелью, в одних трусиках.

Как выяснилось, кто-то из криптографов сосканировал фотографию из порножурнала и приставил к телу головы модели голову Сьюзан. Получилось очень даже правдоподобно.

К несчастью для того, кто это придумал, коммандер Стратмор не нашел в этой выходке ничего забавного. Два часа спустя был издан ставший знаковым приказ:

СОТРУДНИК КАРЛ ОСТИН УВОЛЕН
ЗА НЕДОСТОЙНЫЙ ПОСТУПОК

С этого дня никто больше не доставлял ей неприятностей; всем стало ясно, что Сьюзан Флетчер — любимица коммандера Стратмора.

Но не только молодые криптографы научились уважать Стратмора; еще в начале своей карьеры он был замечен начальством как человек, разработавший целый ряд неортодоксальных и в высшей степени успешных разведывательных операций. Продвигаясь по служебной лестнице, Тревор Стратмор прославился умением сжато и одновременно глубоко анализировать сложнейшие ситуации. Он обладал почти сверхъестественной способностью преодолевать моральные затруднения, с которыми нередко бывают связаны сложные решения агентства, и действовать без угрызений совести в интересах всеобщего блага.

Ни у кого не вызывало сомнений, что Стратмор любит свою страну. Он был известен среди сотрудников, он пользовался репутацией патриота и идеалиста... честного человека в мире, сотканном из лжи.

За годы, прошедшие после появления в АНБ Сьюзан, Стратмор поднялся с поста начальника Отдела развития криптографии до второй по важности позиции во всем агентстве. Теперь только один человек в АНБ был по должности выше коммандера Стратмора — директор Лиланд Фонтейн, мифический правитель «Дворца головоломок», которого никто никогда не видел, лишь изредка слышал, но перед которым все дрожали от страха. Он редко встречался со Стратмором с глазу на глаз, но когда такое случалось, это можно было сравнить с битвой титанов. Фонтейн был гигантом из гигантов, но Стратмора это как будто не касалось. Он отстаивал перед директором свои идеи со спокойствием невозмутимого боксера-профессионала. Даже президент Соединенных Штатов не решался бросать вызов Фонтейну, что не раз позволял себе Стратмор. Для этого нужен был политический иммунитет — или, как в случае Стратмора, политическая индифферентность.

Сьюзан поднялась на верхнюю ступеньку лестницы. Она не успела постучать, как заверещал электронный дверной замок. Дверь открылась, и коммандер помахал ей рукой.

— Спасибо, что пришла, Сьюзан. Я тебе очень благодарен.

— Не стоит благодарности. — Она улыбнулась и села напротив шефа.

Стратмор был крупным кряжистым мужчиной, чье невыразительное лицо скрывало присущие ему решительность, настойчивость и неизменное стремление к совершенству. Серые глаза светились уверенностью, с которой сочеталась профессиональная скрытность, но сегодня в них проглядывали беспокойство и нерешительность.

— У вас испуганный вид, — сказала Сьюзан.

— Настали не лучшие времена, — вздохнул Стратмор.

«Не сомневаюсь», — подумала она.

Сьюзан никогда еще не видела шефа столь подавленным. Его редеющие седые волосы спутались, и даже несмотря на прохладу, создаваемую мощным кондиционером, на лбу у него выступили капельки пота. Его костюм выглядел так, будто он в нем спал. Стратмор сидел за современным письменным столом с двумя клавиатурами и монитором в расположенной сбоку нише. Стол был завален компьютерными распечатками и выглядел каким-то чужеродным в этом задернутом шторами помещении.

— Тяжелая неделя? — спросила она.

— Не тяжелей, чем обычно. — Стратмор пожал плечами. — Фонд электронных границ замучил неприкосновенностью частной жизни и переписки.

Сьюзан хмыкнула. Этот фонд, всемирная коалиция пользователей компьютеров, развернул мощное движение в защиту гражданских свобод, прежде всего свободы слова в Интернете, разъясняя людям реальности и опасности жизни в электронном мире. Фонд постоянно выступал против того, что именовалось им «оруэлловскими средствами подслушивания, имеющимися в распоряжении правительственных агентств», прежде всего АНБ. Этот фонд был для Стратмора постоянной головной болью.

— Не вижу ничего нового, — сказала Сьюзан. — В чем же чрезвычайность ситуации, из-за которой вы вытащили меня из ванной?

Какое-то время Стратмор задумчиво нажимал на клавиши мышки, вмонтированной в столешницу письменного стола. После долгой паузы он наконец посмотрел ей в глаза и долго не отводил взгляда.

— Назови мне самое большое время, которое «ТРАНСТЕКСТ» затрачивал на взламывание кода.

Что за чепуха! И ради этого он вызвал меня в субботу?

— Как сказать... — Она заколебалась. — Несколько месяцев назад к нам попал перехват КОМИНТ, на расшифровку ушло около часа, но там мы столкнулись с удивительно длинным шифром — что-то около десяти тысяч бит.

— Около часа, говоришь? — хмуро спросил он. — А что ты скажешь о проверках пределов памяти, которые мы выполняли?

Сьюзан пожала плечами.

— Ну, если вы имеете в виду и диагностику, то времени уходило больше.

— Насколько больше?

Сьюзан не понимала, к чему клонит Стратмор.

— В марте я испробовала алгоритм с сегментированным ключом в миллион бит. Ошибка в функции цикличности, сотовая автоматика и прочее. «ТРАНСТЕКСТ» все равно справился.

— Время?

— Три часа.

Стратмор поднял брови.

— Целых три часа? Так долго?

Сьюзан нахмурилась, почувствовав себя слегка оскорбленной. Ее основная работа в последние три года заключалась в тонкой настройке самого секретного компьютера в мире: большая часть программ, обеспечивавших феноменальное быстродействие «ТРАНСТЕКСТА», была ее творением. Шифр в миллион бит едва ли можно было назвать реалистичным сценарием.

— Ладно, — процедил Стратмор. — Итак, даже в самых экстремальных условиях самый длинный шифр продержался в «ТРАНСТЕКСТЕ» около трех часов?

— Да. Более или менее так, — кивнула Сьюзан.

Стратмор замолчал, словно боясь сказать что-то, о чем ему придется пожалеть. Наконец он поднял голову:

— «ТРАНСТЕКСТ» наткнулся на нечто непостижимое. — Он опять замолчал.

Сьюзан ждала продолжения, но его не последовало.

— Больше трех часов?

Стратмор кивнул.

Она не выглядела взволнованной.

— Новая диагностика? Что-нибудь из Отдела обеспечения системной безопасности?

Стратмор покачал головой:

— Это внешний файл.

Она ждала чего угодно, но только не этого.

— Внешний файл? Вы не шутите?

— Если бы я шутил... Я поставил его вчера в одиннадцать тридцать вечера. Шифр до сих пор не взломан.

Сьюзан от изумления застыла с открытым ртом. Она посмотрела на часы, потом на Стратмора.

— Все еще не взломан? Через пятнадцать с лишним часов?

Стратмор подался вперед и повернул к Сьюзан монитор компьютера. На черном поле светилось небольшое желтое окно, на котором виднелись две строчки:

ВРЕМЯ ПОИСКА: 15:09:33

ИСКОМЫЙ ШИФР: _____

Сьюзан недоумснно смотрела на экран. Получалось, что «ТРАНСТЕКСТ» трудится над шифром больше пятнадцати часов. Она хорошо знала, что процессор перебирает тридцать миллионов паролей в секунду — сто миллиардов в час. Если «ТРАНСТЕКСТ» до сих пор не дал ответа, значит, пароль насчитывает не менее десяти миллиардов знаков. Полнейшее безумие.

— Это невозможно! — воскликнула она наконец. — Вы проверили сигналы ошибки? Быть может, в «ТРАНСТЕКСТЕ» какой-нибудь сбой и...

— Все в полном порядке.

— Но это значит, что пароль неимоверной длины!

Стратмор пожал плечами:

— Стандартный коммерческий алгоритм. Насколько я могу судить, пароль из шестидесяти четырех знаков.

В полном недоумении Сьюзан посмотрела в окно кабинета на видневшийся внизу «ТРАНСТЕКСТ». Она точно знала, что на такой пароль уходит меньше десяти минут.

— Должно ведь быть какое-то объяснение.

— Оно есть, — кивнул Стратмор. — Тебя оно не обрадует.

— В «ТРАНСТЕКСТЕ» сбой?

— «ТРАНСТЕКСТ» в полном порядке.

— Вирус?

— Никакого вируса нет. Выслушай меня внимательно, — попросил Стратмор.

Сьюзан была ошеломлена. «ТРАНСТЕКСТ» еще никогда не сталкивался с шифром, который не мог бы взломать менее чем за один час. Обычно же открытый текст поступал на принтер Стратмора за считанные минуты. Она взглянула на скоростное печатное устройство позади письменного стола шефа. В нем ничего не было.

— Сьюзан, — тихо сказал Стратмор, — с этим сначала будет трудно свыкнуться, но все же послушай меня хоть минутку. — Он прикусил губу. — Шифр, над которым работает «ТРАНСТЕКСТ», уникален. Ни с чем подобным мы еще не сталкивались. — Он замолчал, словно подбирая нужные слова. — Этот шифр взломать невозможно.

Сьюзан посмотрела на него и едва не рассмеялась. *Невозможно? Что это должно означать?* Такого понятия, как шифр, не поддающийся взлому, не существует: на некоторые из них требуется больше времени, но любой шифр можно вскрыть. Есть математическая гарантия, что рано или поздно «ТРАНСТЕКСТ» отыщет нужный пароль.

— Простите?

— Шифр не поддается взлому, — сказал он безучастно.

Не поддается? Сьюзан не могла поверить, что это сказал человек, двадцать семь лет работавший с шифрами.

— Не поддается, сэр? — с трудом произнесла она. — А как же принцип Бергофского?

О принципе Бергофского Сьюзан узнала еще в самом начале своей карьеры. Это был краеугольный камень метода «грубой силы». Именно этим принципом вдохновлялся Стратмор, приступая к созданию «ТРАНСТЕКСТА». Он недвусмысленно гласит, что если компьютер переберет достаточное количество ключей, то есть математическая гарантия, что он найдет правильный. Безопасность шифра не в том, что нельзя найти ключ, а в том, что у большинства людей для этого нет ни времени, ни необходимого оборудования.

Стратмор покачал головой:

— Это шифр совершенно иного рода.

— Иного рода? — Сьюзан смотрела на него вопрошающе. *Невзламываемый шифр — математическая бессмыслица! Он это отлично знает!*

Стратмор провел рукой по вспотевшему лбу.

— Этот шифр есть продукт нового типа шифровального алгоритма, с таким нам еще не приходилось сталкиваться.

Эти слова повергли Сьюзан в еще большее смятение. Шифровальный алгоритм — это просто набор математических формул для преобразования текста в шифр. Математики и программисты каждый день придумывают новые алгоритмы. На рынке их сотни — PGP, Diffie-Hellman, ZIP, IDEA, El Gamal. «ТРАНСТЕКСТ» ежедневно без проблем взламывает эти шифры. Для него все шифры выглядят одинаково, независимо от алгоритма, на основе которого созданы.

— Не понимаю, — сказала она. — Мы же говорим не о реверсии какой-либо сложной функции, а о грубой силе. PGP, Lucifer, DSA — не важно. Алгоритм создает шифр, который кажется абсолютно стойким, а «ТРАНСТЕКСТ» перебирает все варианты, пока не находит ключ.

Стратмор ответил ей тоном учителя, терпеливого и умеющего держать себя в руках:

— Да, Сьюзан, «ТРАНСТЕКСТ» всегда найдет шифр, каким бы длинным он ни был. — Он выдержал длинную паузу. — Если только...

Сьюзан хотела что-то сказать, но поняла, что сейчас-то Стратмор и взорвет бомбу. *Если только — что?*

— Если только компьютер понимает, взломал он шифр или нет.

Сьюзан чуть не свалилась со стула.

— Что?!

— Может случиться так, что компьютер, найдя нужный ключ, продолжает поиски, как бы не понимая, что нашел то, что искал. — Стратмор смотрел на нее отсутствующим взглядом. — Я полагаю, у этого алгоритма меняющийся открытый текст.

Сьюзан затаила дыхание.

Первое упоминание о меняющемся открытом тексте впервые появилось в забытом докладе венгерского математика Джозефа Харне, сделанном в 1987 году. Ввиду того что компьютеры, действующие по принципу грубой силы, отыскивают шифр путем изучения открытого текста на предмет наличия в нем узнаваемых словосочетаний, Харне предложил шифровальный алгоритм, который, помимо шифрования, постоянно видоизменял открытый текст. Теоретически постоянная мутация такого рода должна привести к тому, что компьютер, атакующий шифр, никогда не найдет узнаваемое словосочетание и не «поймет», нашел ли он искомый ключ. Вся эта концепция чем-то напоминала идею колонизации Марса — на интеллектуальном уровне вполне осуществимую, но в настоящее время выходящую за границы человеческих возможностей.

— Откуда вы взяли этот файл? — спросила она.

Коммандер не спешил с ответом:

— Автор алгоритма — частное лицо.

— Как же так? — Сьюзан откинулась на спинку стула. — У нас внизу работают лучшие программисты в мире! И мы нашими совместными усилиями даже близко не подошли к математической функции меняющегося открытого текста. А вы хотите сказать, что какой-то панк с персональным компьютером придумал, как это сделать?

Стратмор заговорил тише, явно желая ее успокоить:

— Я бы не назвал этого парня панком.

Но Сьюзан его не слушала. Она была убеждена, что должно найтись какое-то другое объяснение. Сбой. Вирус. Все, что угодно, только не шифр, не поддающийся взлому.

Стратмор сурово посмотрел на нее.

— Этот алгоритм создал один самых блестящих умов в криптографии.

Сьюзан пришла в еще большее смятение: самые блестящие умы в криптографии работают в ее отделе, и уж она-то наверняка хоть что-нибудь услышала бы об этом алгоритме.

— Кто? — требовательно сказала она.

— Уверен, ты догадаешься сама, — сказал Стратмор. — Он не очень любит Агентство национальной безопасности.

— Какая редкость! — саркастически парировала Сьюзан.

— Он участвовал в разработке «ТРАНСТЕКСТА». Он нарушил правила. Из-за него чуть было не произошел полный крах нашей разведки. Я его выгнал.

На лице Сьюзан на мгновение мелькнуло недоумение. Она побледнела и прошептала:

— О Боже...

Стратмор утвердительно кивнул, зная, что она догадалась.

— Он целый год хвастался, что разрабатывает алгоритм, непробиваемый для грубой силы.

— Н-но... — Сьюзан запнулась, но тут же продолжила: — Я была уверена, что он блефует. Он действительно это сделал?

— Да. Создатель последнего шифра, который никто никогда не взломает.

Сьюзан долго молчала.

— Но... это значит...

Стратмор посмотрел ей прямо в глаза:

— Да. Энсей Танкадо только что превратил «ТРАНСТЕКСТ» в устаревшую рухлядь.

ГЛАВА 6

Хотя Энсей Танкадо еще не родился, когда шла Вторая мировая война, он тщательно изучал все, что было о ней написано, — особенно о кульминации войны, атомном взрыве, в огне которого сгорело сто тысяч его соотечественников.

Хиросима, 6 августа 1945 года, 8.15 утра. Акт безжалостного уничтожения. Бесчувственная демонстрация силы страной, уже добившейся победы. С этим Танкадо сумел примириться. Но он не смог примириться с тем, что этот взрыв лишил его возможности познакомиться с собственной матерью. Произведя его на свет, она умерла из-за осложнений, вызванных радиационным поражением, от которого страдала многие годы.

В 1945 году, когда Энсей еще не родился, его мать вместе с другими добровольцами поехала в Хиросиму, где работала в одном из ожоговых центров. Там она и стала тем, кого японцы именуют *хибакуся* — человеком, подвергшимся облучению. Через девятнадцать лет, в возрасте тридцати шести лет, она лежала в родильном отделении больницы, страдая от внутреннего кровотечения, и знала, что умирает. Она не знала лишь того, что смерть избавит ее от еще большего ужаса: ее единственный ребенок родится калекой.

Отец Энсея так ни разу и не взглянул на сына. Ошеломленный потерей жены и появлением на свет неполноценного, по словам медсестер, ребенка, которому скорее всего не удастся пережить ночь, он исчез из больницы и больше не вернулся. Энсея Танкадо отдали в приемную семью.

Каждую ночь юный Танкадо смотрел на свои скрюченные пальцы, вцепившиеся в куклу Дарума*, и клялся, что отомстит — отомстит стране, которая лишила его матери, а отца заставила бросить его на произвол судьбы. Не знал он только одного — что в его планы вмешается судьба.

В феврале того года, когда Энсею исполнилось двенадцать, его приемным родителям позвонили из токийской фирмы, производящей компьютеры, и предложили их сыну-калеке принять участие в испытаниях новой клавиатуры, которую фирма сконструировала для детей с физическими недостатками. Родители согласились.

Хотя Энсей Танкадо никогда прежде не видел компьютера, он как будто инстинктивно знал, как с ним обращаться. Компьютер открыл перед ним мир, о существовании которого он даже не подозревал, и вскоре заполнил всю его жизнь. Повзрослев, он начал давать компьютерные уроки, зарабaтывать деньги и в конце концов получил стипендию для учебы в Университете Досися. Вскоре слава о *фугуся-кисай*, гениальном калеке, облетела Токио.

Со временем Танкадо прочитал о Пёрл-Харборе и военных преступлениях японцев. Ненависть к Америке постепенно стихала. Он стал истовым буддистом и забыл детские клятвы о мести; умение прощать было единственным путем, ведущим к просветлению.

К двадцати годам Энсей Танкадо стал своего рода культовой фигурой, представителем программистского андеграунда. Компания «Ай-би-эм» предоставила ему визу и предложила работу в Техасе. Танкадо ухватился за это предложение. Через три года он ушел из «Ай-би-эм», поселился в Нью-Йорке и начал писать программы. Его подхватила новая волна увлечения криптографией. Он писал алгоритмы и зарабатывал неплохие деньги.

Как и большинство талантливых программистов, Танкада сделался объектом настойчивого внимания со стороны АНБ. От него не ускользнула ирония ситуации: он получал

---

* Дарума — кукла, изображающая божество буддийского пантеона. У нее отсутствуют руки и ноги. — *Примеч. ред.*

возможность работать в самом сердце правительства страны, которую поклялся ненавидеть до конца своих дней. Энсей решил пойти на собеседование. Сомнения, которые его одолевали, исчезли, как только он встретился с коммандером Стратмором. У них состоялся откровенный разговор о его происхождении, о потенциальной враждебности, какую он мог испытывать к Соединенным Штатам, о его планах на будущее. Танкадо прошел проверку на полиграф-машине и пережил пять недель интенсивного психологического тестирования. И с успехом его выдержал. Ненависть в его сердце уступила место преданности Будде. Еще через четыре месяца Энсей Танкадо приступил к работе в Отделении криптографии Агентства национальной безопасности США.

Несмотря на солидный заработок, Танкадо ездил на службу на стареньком мопеде и обедал в одиночестве за своим рабочим столом, вместо того чтобы вместе с сослуживцами поглощать котлеты из телятины и луковый суп с картофелем — фирменные блюда местной столовой. Энсей пользовался всеобщим уважением, работал творчески, с блеском, что дано немногим. Он был добрым и честным, выдержанным и безукоризненным в общении. Самым главным для него была моральная чистота. Именно по этой причине увольнение из АНБ и последующая депортация стали для него таким шоком.

Танкадо, как и остальные сотрудники шифровалки, работал над проектом «ТРАНСТЕКСТА», будучи уверенным, что в случае успеха эта машина будет использоваться для расшифровки электронной почты только с санкции министерства юстиции. Использование «ТРАНСТЕКСТА» Агентством национальной безопасности должно было регулироваться примерно так же, как в случае ФБР, которому для установки подслушивающих устройств необходимо судебное постановление. Программное обеспечение «ТРАНСТЕКСТА» по раскрытию кодов должно храниться в Федеральной резервной системе и министерстве юстиции. Это должно было гарантировать, что АНБ не сможет перехватывать частную переписку законопослушных граждан во всем мире.

Однако когда настало время загрузки программного обеспечения, персоналу, работавшему с «ТРАНСТЕКСТОМ», объявили, что планы изменились. В связи с чрезвычайной обстановкой, в которой обычно осуществляется антитеррористическая деятельность АНБ, «ТРАНСТЕКСТ» станет независимым инструментом дешифровки, использование которого будет регулироваться исключительно самим АНБ.

Энсей Танкадо был возмущен. Получалось, что АНБ фактически получило возможность вскрывать всю почту и затем пересылать ее без какого-либо уведомления. Это было все равно что установить «жучки» во все телефонные аппараты на земле. Стратмор попытался убедить Танкадо, что «ТРАНСТЕКСТ» — это орудие охраны правопорядка, но безуспешно: Танкадо продолжал настаивать на том, что это грубейшее нарушение гражданских прав. Он немедленно уволился и сразу же нарушил Кодекс секретности АНБ, попытавшись вступить в контакт с Фондом электронных границ. Танкадо решил потрясти мир рассказом о секретной машине, способной установить тотальный правительственный контроль над пользователями компьютеров по всему миру. У АНБ не было иного выбора, кроме как остановить его любой ценой.

Арест и депортация Танкадо, широко освещавшиеся средствами массовой информации, стали печальным и позорным событием. Вопреки желанию Стратмора специалисты по заделыванию прорех такого рода, опасаясь, что Танкадо попытается убедить людей в существовании «ТРАНСТЕКСТА», начали распускать порочащие его слухи. Энсей Танкадо стал изгоем мирового компьютерного сообщества: никто не верил калеке, обвиняемому в шпионаже, особенно когда он пытался доказать свою правоту, рассказывая о какой-то фантастической дешифровальной машине АНБ.

Самое странное заключалось в том, что Танкадо, казалось, понимал, что таковы правила игры. Он не дал волю гневу, а лишь преисполнился решимости. Когда службы безопасности выдворяли его из страны, он успел сказать несколько слов Стратмору, причем произнес их с ледяным спокойствием:

— Мы все имеем право на тайну. И я постараюсь это право обеспечить.

ГЛАВА 7

Мозг Сьюзан лихорадочно работал: *Энсей Танкадо написал программу, с помощью которой можно создавать шифры, не поддающиеся взлому!* Она никак не могла свыкнуться с этой мыслью.

— «Цифровая крепость», — сказал Стратмор. — Так назвал ее Танкадо. Это новейшее оружие, направленное против разведслужб. Если эта программа попадет на рынок, любой третьеклассник, имеющий модем, получит возможность отправлять зашифрованные сообщения, которые АНБ не сможет прочесть. Это означает конец нашей разведки.

Но мысли Сьюзан были далеко от политических последствий создания «Цифровой крепости». Она пыталась осознать истинный смысл случившегося. Всю свою жизнь она посвятила взламыванию шифров, отвергая саму возможность разработки абсолютно стойкого шифра. *Любой шифр можно взломать* — *так гласит принцип Бергофского!* Она чувствовала себя атеистом, лицом к лицу столкнувшимся с Господом Богом.

— Если этот шифр станет общедоступным, — прошептала она, — криптография превратится в мертвую науку.

Стратмор кивнул:

— Это наименьшая из наших проблем.

— Не можем ли мы подкупить Танкадо? Я знаю, он нас ненавидит, но что, если предложить ему несколько миллионов долларов? Убедить не выпускать этот шифр из рук?

Стратмор рассмеялся:

— Несколько миллионов? Ты понимаешь, сколько стоит эта штука? Любое правительство выложит любые деньги. Можешь ли ты представить себе, как мы будем докладывать президенту, что перехватили сообщения иракцев, но не в состоянии их прочитать? И дело тут не только в АНБ, речь идет обо всем разведывательном сообществе. Наша машина обеспечивает информацией ФБР, ЦРУ, Агентство по борьбе с наркотиками — всем им теперь придется действовать вслепую. Не удастся отслеживать перемещение грузов наркокартелей, крупные корпорации смогут переводить деньги, не оставляя никакого следа и держа Налоговое управление в полном неведении, террористы будут в полной тайне готовить свои акции. Результатом будет полнейший хаос.

— А Фонд электронных границ будет праздновать победу, — побледнела Сьюзан.

— Фонд понятия не имеет о том, чем мы тут занимаемся, — презрительно бросил Стратмор. — Если бы они знали, сколько террористических нападений мы предотвратили благодаря тому, что можем взламывать шифры, они запели бы по-другому.

Сьюзан была согласна с этим, но в то же время прекрасно понимала: Фонд электронных границ никогда не узнает, насколько важен и нужен «ТРАНСТЕКСТ». Эта машина помогла предотвратить десятки преступлений, но связанная с ней информация строго засекречена и никогда не будет раскрыта. Причина такой секретности проста: правительство не может допустить массовой истерии. Никто не знает, как поведет себя общество, узнав, что группы фундаменталистов дважды за прошлый год угрожали ядерным объектам, расположенным на территории США.

Ядерное нападение было, однако, не единственной угрозой. Только в прошлом месяце благодаря «ТРАНСТЕКСТУ» удалось предотвратить одну из самых изощренных террористических акций, с которыми приходилось сталкиваться агентству. Нская антиправительственная организация разработала план под кодовым названием «Шервудский лес». Его целью была Нью-Йоркская фондовая биржа, а замыслом — «перераспределение богатства». За шесть дней члены группы установили в зданиях вокруг биржи двадцать семь взрывобезопасных легкоплавких контейнеров. Одновременный подрыв этих тщательно замаскированных устройств должен был создать магнитное поле такой мощности, что вся информация на магнитных носителях — жестких дисках компьютеров, в постоянных запоминающих устройствах, в резервных файлах и даже на гибких дисках — оказалась бы стерта. Все данные, свидетельствующие о том, кто чем владел, должны были исчезнуть навсегда.

Поскольку для одновременного подрыва устройств была необходима точнейшая координация действий, все эти изделия были связаны между собой телефонными линиями через Интернет. Двое суток встроенные часы устройств обменивались бесконечными потоками зашифрованной синхронизирующейся информации. АНБ, перехватывая эти информационные импульсы, игнорировало их, считая аномалией сети, безобидной тарабарщиной. Но когда «ТРАНСТЕКСТ» расшифровал эти потоки информации, аналитики тут же увидели в них синхронизированный через Интернет отсчет времени. Устройства были обнаружены и удалены за целых три часа до намеченного срока взрыва.

Сьюзан знала, что без «ТРАНСТЕКСТА» агентство беспомощно перед современным электронным терроризмом. Она взглянула на работающий монитор. Он по-прежнему показывал время, превышающее пятнадцать часов. Даже если файл Танкадо будет прочитан прямо сейчас, это все равно будет означать, что АНБ идет ко дну. С такими темпами шифровалка сумеет вскрывать не больше двух шифров в сутки. В то время как даже при нынешнем рекорде — сто пятьдесят вскрытых шифров в день — они не успевают расшифровывать всю перехватываемую информацию.

— Танкадо звонил мне в прошлом месяце, — сказал Стратмор, прервав размышления Сьюзан.

— Танкадо звонил вам? — удивилась она.

Он кивнул:

— Чтобы предупредить.

— Предупредить? Он же вас ненавидит.

— Он позвонил и предупредил, что заканчивает работу над алгоритмом, создающим абсолютно стойкие шифры. Я ему не поверил.

— Но зачем он вам об этом сообщил? — спросила Сьюзан. — Хотел предложить вам купить этот алгоритм?

— Нет. Это был шантаж.

Все встало на свои места.

— Ну конечно, — сказала она, все еще не в силах поверить в произошедшее. — Он хотел, чтобы вы восстановили его доброе имя.

— Нет, — хмуро сказал Стратмор. — Танкадо потребовал «ТРАНСТЕКСТ».

— «ТРАНСТЕКСТ»?

— Да. Он потребовал, чтобы я публично, перед всем миром, рассказал о том, что у нас есть «ТРАНСТЕКСТ». Он сказал, что, если мы признаем, что можем читать электронную почту граждан, он уничтожит «Цифровую крепость».

Сьюзан смотрела на него с сомнением.

Стратмор пожал плечами:

— Так или иначе, уже слишком поздно. Он разместил бесплатный образец «Цифровой крепости» на своем сайте в Интернете. Теперь его скачать может кто угодно.

Сьюзан побледнела:

— Что?

— Это рекламный ход. Не стоит волноваться. Копия, которую он разместил, зашифрована. Ее можно скачать, но нельзя открыть. Очень хитро придумано. Ключ к «Цифровой крепости» зашифрован и недоступен.

— Ну разумеется! — Она только сейчас поняла смысл сказанного. — Все смогут скачать, но никто не сможет воспользоваться.

— Совершенно верно. Танкадо размахивает морковкой.

— Вы видели этот алгоритм?

Коммандера удивил ее вопрос.

— Нет. Я же объяснил тебе, что он зашифрован.

Сьюзан, в свою очередь, удивил ответ шефа.

— Но ведь у нас есть «ТРАНСТЕКСТ», почему бы его не расшифровать? — Но, увидев выражение лица Стратмора, она поняла, что правила игры изменились. — О Боже, — проговорила Сьюзан, сообразив, в чем дело, — «Цифровая крепость» зашифровала самое себя?

Стратмор невесело улыбнулся:

— Наконец ты поняла.

Формула «Цифровой крепости» зашифрована с помощью «Цифровой крепости». Танкадо предложил бесценный математический метод, но зашифровал его. Зашифровал, используя этот самый метод.

— Сейф Бигглмана, — протянула Сьюзан.

Стратмор кивнул. Сейф Бигглмана представляет собой гипотетический сценарий, когда создатель сейфа прячет внутри его ключ, способный его открыть. Чтобы ключ никто не нашел, Танкадо проделал то же самое с «Цифровой крепостью». Он спрятал свой ключ, зашифровав его формулой, содержащейся в этом ключе.

— А что за файл в «ТРАНСТЕКСТЕ»? — спросила Сьюзан.

— Я, как и все прочие, скачал его с сайта Танкадо в Интернете. АНБ является счастливым обладателем алгоритма «Цифровой крепости», просто мы не в состоянии его открыть.

Сьюзан не могла не восхититься умом Танкадо. Не открыв своего алгоритма, он доказал АНБ, что тот не поддается дешифровке.

Стратмор протянул Сьюзан газетную вырезку. Это был перевод рекламного сообщения «Никкей симбун», японского аналога «Уолл-стрит джорнал», о том, что японский программист Энсей Танкадо открыл математическую формулу, с помощью которой можно создавать не поддающиеся взлому шифры. Формула называется «Цифровая крепость», говорилось в заметке, и доступна для ознакомления в Интернете. Программист намеревался выставить ее на аукционе и отдать тому, кто больше всех заплатит. Далее в заметке сообщалось, что, хотя алгоритм вызвал громадный интерес в Японии, несколько американских производителей программного обеспечения, прослышавших о «Цифровой крепости», считают эту информацию нелепой — чем-то вроде обещания превратить свинец в золото. Формула, утверждают они, — это мистификация, к которой не следует относиться серьезно.

— Аукцион? — Сьюзан подняла глаза.

Стратмор кивнул:

— Как раз сейчас японские компании скачивают зашифрованную версию «Цифровой крепости» и пытаются ее взломать. С каждой минутой, уходящей на эти бесплодные попытки, ее цена растет.

— Но это же абсурд, — не согласилась Сьюзан. — Ни один из новых шифрованных файлов нельзя вскрыть без «ТРАНСТЕКСТА». Вероятно, «Цифровая крепость» — это стандартный алгоритм для общего пользования, тем не менее эти компании не смогут его вскрыть.

— Это блистательная рекламная операция, — сказал Стратмор. — Только подумай — все виды пуленепробиваемого стекла непроницаемы для пуль, но если компания предлагает вам попробовать пробить ее стекло, все хотят это сделать.

— И японцы действительно верят, что «Цифровая крепость» — это нечто особенное? Самое лучшее из того, что можно найти на рынке?

— Должно быть, Танкадо держится в стороне от таких вещей, но всем известно, что он гений. Это культовая фигура, икона в мире хакеров. Если Танкадо говорит, что алгоритм не поддается взлому, значит, так оно и есть.

— Но ведь для обычных пользователей они все не поддаются взлому!

— Верно... — Стратмор задумался. — На какое-то время.

— Что это значит?

Стратмор вздохнул:

— Двадцать лет назад никто не мог себе представить, что мы научимся взламывать ключи объемом в двенадцать бит. Но технология не стоит на месте. Производители программного обеспечения исходят из того, что рано или поздно появятся компьютеры типа «ТРАНСТЕКСТА». Технология развивается в геометрической прогрессии, и рано или поздно алгоритмы, которыми пользуется общество, перестанут быть надежными. Понадобятся лучшие алгоритмы, чтобы противостоять компьютерам завтрашнего дня.

— Такова «Цифровая крепость»?

— Конечно. Алгоритм, не подающийся «грубой силе», никогда не устареет, какими бы мощными ни стали компьютеры, взламывающие шифры. Когда-нибудь он станет мировым стандартом.

Сьюзан глубоко вздохнула.

— Да поможет нам Бог, — прошептала она. — Мы можем принять участие в аукционе?

Стратмор покачал головой:

— Танкадо дал нам шанс. Это совершенно ясно. Тем не менее риск велик: если нас обнаружат, это, в сущности, будет означать, что он своим алгоритмом нас напугал. Нам придется публично признать не только то, что мы имеем «ТРАНС-ТЕКСТ», но и то, что «Цифровая крепость» неприступна.

— Каким временем мы располагаем?

Стратмор нахмурился:

— Танкадо намерен назвать победителя аукциона завтра в полдень.

Сьюзан почувствовала, что у нее сводит желудок.

— А что потом?

— Он говорит, что вручит победителю ключ.

— Ключ?

— В этом и заключается его замысел. Алгоритм есть уже у всех. Танкадо предлагает ключ, с помощью которого его можно расшифровать.

— Понятно. — Она застонала. Все четко, ясно и просто. Танкадо зашифровал «Цифровую крепость», и только ему известен ключ, способный ее открыть. Но Сьюзан трудно было представить себе, что где-то — например, на клочке бумаги, лежащем в кармане Танкадо, — записан ключ из шестидесяти четырех знаков, который навсегда положит конец сбору разведывательной информации в Соединенных Штатах.

Ей стало плохо, когда она представила себе подобное развитие событий. Танкадо передает ключ победителю аукциона, и получившая его компания вскрывает «Цифровую крепость». Затем она, наверное, вмонтирует алгоритм в защищенный чип, и через пять лет все компьютеры будут выпускаться с предустановленным чипом «Цифровой крепости».

Никакой коммерческий производитель и мечтать не мог о создании шифровального чипа, потому что нормальные алгоритмы такого рода со временем устаревают. Но «Цифровая крепость» никогда не устареет: благодаря функции меняющегося открытого текста она выдержит людскую атаку и не выдаст ключа. Новый стандарт шифрования. Отныне и навсегда. Шифры, которые невозможно взломать. Банкиры, брокеры, террористы, шпионы — один мир, один алгоритм.

Анархия.

— Какой у нас выбор? — спросила Сьюзан. Она хорошо понимала, что в отчаянной ситуации требуются отчаянные меры, в том числе и от АНБ.

— Мы не можем его устранить, если ты это имела в виду.

Именно это она и хотела узнать. За годы работы в АНБ до нее доходили слухи о неофициальных связях агентства с самыми искусными киллерами в мире — наемниками, выполняющими за разведывательные службы всю грязную работу.

— Танкадо слишком умен, чтобы предоставить нам такую возможность, — возразил Стратмор.

Сьюзан испытала от этих слов странное облегчение.

— У него есть охрана?

— В общем-то нет.

— Он прячется в укрытии?

Стратмор пожал плечами.

— Танкадо выехал из Японии. Он собирался следить за ходом аукциона по телефону. Но нам известно, где он.

— И вы не хотите ничего предпринять?

— Нет. Он подстраховался — передал копию ключа анонимной третьей стороне на тот случай... ну, если с ним что-нибудь случится.

«Это можно было предвидеть, — подумала Сьюзан. — Ангел-хранитель».

— И, полагаю, если с Танкадо что-нибудь случится, эта загадочная личность продаст ключ?

— Хуже. Если Танкадо убьют, этот человек опубликует пароль.

— Его партнер опубликует ключ? — недоуменно переспросила Сьюзан.

Стратмор кивнул:

— Он разместит его в Интернете, напечатает в газетах, на рекламных щитах. Короче, он *отдаст* ключ публике.

Глаза Сьюзан расширились.

— Предоставит для бесплатного скачивания?

— Именно так. Танкадо рассудил, что, если он погибнет, деньги ему не понадобятся, — так почему бы не вручить миру маленький прощальный подарок?

Оба замолчали. Сьюзан глубоко дышала, словно пытаясь вобрать в себя ужасную правду. *Энсей Танкадо создал не поддающийся взлому код. Он держит нас в заложниках.*

Внезапно она встала. В голосе ее прозвучала удивительная решимость:

— Мы должны установить с ним контакт! Должен быть способ убедить его не выпускать ключ из рук! Мы обязаны утроить самое высокое сделанное ему предложение. Мы можем восстановить его репутацию. Мы должны пойти на все!

— Слишком поздно, — сказал Стратмор. Он глубоко вздохнул. — Сегодня утром Энсея Танкадо нашли мертвым в городе Севилья, в Испании.

ГЛАВА 8

Двухмоторный «Лирджет-60» коснулся раскаленной посадочной полосы. Голый ландшафт испанской нижней Эстремадуры бежал за окном, слившись в неразличимый фон, затем замедлил свой бег.

— Мистер Беккер! — послышался голос. — Мы на месте.

Беккер встал и потянулся. Открыв полку над головой, он вспомнил, что багажа у него нет. Времени на сборы ему не дали, да какая разница: ему же обещали, что путешествие будет недолгим — туда и обратно.

Двигатели снизили обороты, и самолет с залитого солнцем летного поля въехал в пустой ангар напротив главного терминала. Вскоре появился пилот и открыл люк. Беккер быстро допил остатки клюквенного сока, поставил стакан на мокрую столешницу и надел пиджак.

Пилот достал из летного костюма плотный конверт.

— Мне поручено передать вам это. — Он протянул конверт Беккеру, и тот прочитал надпись, сделанную синими чернилами: «Сдачу возьмите себе».

Беккер открыл конверт и увидел толстую пачку красноватых банкнот.

— Что это?

— Местная валюта, — безучастно сказал пилот.

— Я понимаю. — Беккер запнулся. — Но тут... тут слишком много. Мне нужны только деньги на такси. — Он прикинул в уме, сколько в этой пачке в пересчете на доллары. — Да тут несколько тысяч долларов!

— Я действую по инструкции, сэр. — Пилот повернулся и скрылся в кабине. Дверца за ним захлопнулась.

Беккер спустился вниз, постоял, глядя на самолет, потом опустил глаза на пачку денег в руке. Постояв еще некоторое время в нерешительности, он сунул конверт во внутренний карман пиджака и зашагал по летному полю. Странное начало. Он постарался выкинуть этот эпизод из головы. Если повезет, он успеет вернуться и все же съездить с Сьюзан в их любимый «Стоун-Мэнор».

«Туда и обратно, — повторил он себе. — Туда и обратно».

Если бы он тогда знал...

ГЛАВА 9

Техник систем безопасности Фил Чатрукьян собирался заглянуть в шифровалку на минуту-другую — только для того, чтобы взять забытые накануне бумаги. Но вышло иначе.

Пройдя помещение шифровалки и зайдя в лабораторию систем безопасности, он сразу почувствовал что-то неладное. Компьютер, который постоянно отслеживал работу «ТРАНС-ТЕКСТА», оказался выключен, вокруг не было ни души.

— Эй! — крикнул Чатрукьян.

Ответа не последовало. В лаборатории царил образцовый порядок, словно здесь никто не появлялся уже много часов.

Чатрукьяну было всего двадцать три года, и он относительно недавно начал работать в команде обеспечения безопасности, однако был хорошо подготовлен и отлично знал правила: в шифровалке постоянно дежурил кто-то из работников его службы... особенно по субботам, когда не было криптографов.

Он немедленно включил монитор и повернулся к графику дежурств на стене.

— Чья смена? — громко спросил он, пробегая глазами список. Согласно расписанию, в полночь должен был заступить на двойную смену новый сотрудник по имени Зейденберг. Чатрукьян еще раз обвел глазами пустую лабораторию и нахмурился. — Где же он, черт возьми?

Глядя на оживающий монитор, он подумал, известно ли Стратмору, что в лаборатории систем безопасности нет ни души. Подходя к шифровалке, он успел заметить, что шторы кабинета шефа задернуты. Это означало, что тот находится на рабочем месте. Несмотря на субботу, в этом не было ничего необычного; Стратмор, который просил шифровальщиков отдыхать по субботам, сам работал, кажется, 365 дней в году.

В одном Чатрукьян был абсолютно уверен: если шеф узнает, что в лаборатории систем безопасности никого нет, это будет стоить молодому сотруднику места. Чатрукьян посмотрел на телефонный аппарат и подумал, не позвонить ли этому парню: в лаборатории действовало неписаное правило, по которому сотрудники должны прикрывать друг друга. В шифровалке они считались людьми второго сорта и не очень-то ладили с местной элитой. Ни для кого не было секретом, что всем в этом многомиллиардном курятнике управляли шифровальщики. Сотрудников же лаборатории безопасности им приходилось терпеть, потому что те обеспечивали бесперебойную работу их игрушек.

Чатрукьян принял решение и поднял телефонную трубку, но поднести ее к уху не успел. Он замер, когда его взгляд упал на монитор. Как при замедленной съемке, он положил трубку на место и впился глазами в экран.

За восемь месяцев работы в лаборатории Фил Чатрукьян никогда не видел цифр в графе отсчета часов на мониторе «ТРАНСТЕКСТА» что-либо иное, кроме двух нулей. Сегодня это случилось впервые.

ИСТЕКШЕЕ ВРЕМЯ: 15:17:21

— Пятнадцать часов семнадцать минут? — Он не верил своим глазам. — Это невозможно!

Он перезагрузил монитор, надеясь, что все дело в каком-то мелком сбое. Но, ожив, монитор вновь показал то же самое.

Чатрукьяну вдруг стало холодно. У сотрудников лаборатории систем безопасности была единственная обязанность — поддерживать «ТРАНСТЕКСТ» «в чистоте», следить, чтобы в него не проникли вирусы. Он знал, что пятнадцатичасовой прогон может означать только одно: зараженный файл попал в компьютер и выводит из строя программу. Все, чему его учили, свидетельствовало о чрезвычайности ситуации. Тот факт, что в лаборатории систем безопасности никого нет, а монитор был выключен, больше не имело значения. Главное теперь — сам «ТРАНСТЕКСТ». Чатрукьян немедленно вывел на дисплей список файлов, загружавшихся в машину в последние сорок восемь часов, и начал его просматривать.

«Неужели попал зараженный файл? — подумал он. — Неужели фильтры безопасности что-то пропустили?»

В целях безопасности каждый файл, загруженный в «ТРАНСТЕКСТ», должен был пройти через устройство, именуемое «Сквозь строй», — серию мощных межсетевых шлюзов, пакетных фильтров и антивирусных программ, которые проверяли вводимые файлы на предмет компьютерных вирусов и потенциально опасных подпрограмм. Файлы, содержащие программы, «незнакомые» устройству, немедленно отвергались. Их затем проверяли вручную. Иногда отвергались абсолютно безвредные файлы — на том основании, что они содержали программы, с которыми фильтры прежде не сталкивались. В этом случае сотрудники лаборатории систем безопасности тщательно изучали их вручную и, убедившись в их чистоте, запускали в «ТРАНСТЕКСТ», минуя фильтры программы «Сквозь строй».

Компьютерные вирусы столь же разнообразны, как и те, что поражают человека. Подобно своим природным аналогам они преследуют одну цель — внедриться в организм и начать размножаться. В данном случае организмом является «ТРАНСТЕКСТ».

Чатрукьяна всегда изумляло, что АНБ никогда прежде не сталкивалось с проблемой вирусов. «Сквозь строй» — надежная система, но ведь АНБ — ненасытный пожиратель информации, высасывающий ее из разнообразнейших источников по всему миру. Поглощение огромных объемов информации сродни беспорядочным половым связям: какие меры предосторожности ни принимай, рано или поздно подхватишь какую-нибудь гадость.

Чатрукьян просмотрел список и изумился еще больше. Все файлы прошли проверку, в них не было обнаружено ничего необычного, а это означало, что «ТРАНСТЕКСТ» безукоризненно чист.

«На что же уходит такая уйма времени?» — спросил он, обращаясь в пустоту и чувствуя, как покрывается потом. Наверное, придется потревожить этой новостью Стратмора.

«Проверка на наличие вируса, — решительно сказал он себе, стараясь успокоиться. — Я должен сделать проверку на наличие вируса».

Чатрукьян знал: это первое, чего в любом случае потребует Стратмор. Выглянув в пустую шифровалку, он принял решение. На загрузку программы и поиск вируса уйдет минут пятнадцать.

«Скажи, что ничего нет, — прошептал он. — Абсолютно ничего. Скажи папе, что все в порядке».

Но нутром он чувствовал, что это далеко не так. Интуиция подсказывала ему, что в глубинах дешифровального чудовища происходит что-то необычное.

ГЛАВА 10

— Энсей Танкадо мертв? — Сьюзан почувствовала подступившую к горлу тошноту. — Вы его убили? Вы же сказали...

— Мы к нему пальцем не притронулись, — успокоил ее Стратмор. — Он умер от разрыва сердца. Сегодня утром звонили из КОМИНТа. Их компьютер через Интерпол засек имя Танкадо в регистратуре полиции Севильи.

— От разрыва сердца? — усомнилась Сьюзан. — Ему ведь всего тридцать лет.

— Тридцать два, — уточнил Стратмор. — У него был врожденный порок сердца.

— Никогда об этом не слышала.

— Так записано в его медицинской карточке. Он не очень-то об этом распространялся.

Сьюзан трудно было поверить в такое удачное совпадение.

— Его погубило слабое сердце — вот так просто? Слишком уж удобная версия.

Стратмор пожал плечами.

— Слабое сердце... да к тому же еще испанская жара. Не забывай и о сильнейшем стрессе, связанном с попыткой шантажировать наше агентство...

Сьюзан замолчала. Какими бы ни были обстоятельства, она почувствовала боль от потери талантливого коллеги-криптографа. Мрачный голос Стратмора вывел ее из задумчивости.

— Единственный луч надежды во всей этой печальной истории — то, что Танкадо путешествовал один. Есть шанс, что его партнер пока ничего не знает. Испанские власти обещали придержать информацию — столько, сколько смогут. Мы узнали об этом лишь благодаря оперативности КОМИНТа. — Стратмор внимательно посмотрел не нее. — Я должен найти его партнера, прежде чем он узнает о смерти Танкадо. Вот почему я тебя вызвал. Мне нужна твоя помощь.

Сьюзан плохо его понимала. Ей показалось, что столь своевременная кончина Танкадо решила все проблемы.

— Коммандер, — сказала она, — если власти говорят, что он умер от сердечного приступа, это значит, мы к его смерти не причастны. Его партнер поймет, что АНБ не несет за нее ответственности.

— Не несет ответственности? — Глаза Стратмора расширились от изумления. — Некто шантажирует АНБ и через несколько дней умирает — и мы не несем ответственности? Готов поспорить на любую сумму, что у партнера Танкадо будет иное мнение. Что бы ни произошло на самом деле, мы все равно выглядим виновными. Яд, фальсифицированные результаты вскрытия и так далее. — Стратмор выдержал паузу. — Какой была твоя первая реакция, когда я сообщил тебе о смерти Танкадо?

Сьюзан нахмурилась.

— Я подумала, что АНБ его ликвидировало.

— Вот именно. Если АНБ в состоянии вывести пять риолитовых спутников на геостационарную орбиту над Ближним Востоком, то, мне кажется, легко предположить, что у нас достаточно средств, чтобы подкупить несколько испанских полицейских. — Его доводы звучали волне убедительно.

Сьюзан перевела дыхание. *Энсей Танкадо умер. Вина ляжет на АНБ.*

— Мы успеем найти его партнера?

— Думаю, да. У нас есть кое-какие данные. Танкадо неоднократно публично заявлял, что у него есть партнер. Наверное, этим он надеялся помешать производителям программного обеспечения организовать нападение на него и выкрасть пароль. Он пригрозил, что в случае нечестной игры его партнер обнародует пароль, и тогда все эти фирмы сойдутся в схватке за то, что перестало быть секретом.

— Умно, — сказала Сьюзан.

Стратмор продолжал:

— Несколько раз Танкадо публично называл имя своего партнера. North Dakota. Северная Дакота.

— Северная Дакота? Разумеется, это кличка.

— Да, но я на всякий случай заглянул в Интернет, запустив поиск по этим словам. Я не надеялся что-либо найти, но наткнулся на учетную запись абонента. — Он выдержал паузу. — Я, конечно, предположил, что это не та Северная Дакота, которую мы ищем, но на всякий случай проверил эту запись. Представь себе мое изумление, когда я обнаружил множество сообщений Энсея Танкадо. — Стратмор приподнял брови. — В них постоянно упоминается «Цифровая крепость» и его планы шантажа АНБ.

Сьюзан отнеслась к словам Стратмора скептически. Ее удивило, что он так легко клюнул на эту приманку.

— Коммандер, — возразила она, — Танкадо отлично понимал, что АНБ может найти его переписку в Интернете, он никогда не стал бы доверять секреты электронной почте. Это ловушка. Энсей Танкадо всучил вам Северную Дакоту, так как он знал, что вы начнете искать. Что бы ни содержалось в его посланиях, он хотел, чтобы вы их нашли, — это ложный след.

— У тебя хорошее чутье, — парировал Стратмор, — но есть кое-что еще. Я ничего не нашел на Северную Дакоту, поэтому изменил направление поиска. В записи, которую я обнаружил, фигурирует другое имя — NDAKOTA.

Сьюзан покачала головой.

— Такие перестановки — стандартный прием. Танкадо знал, что вы испробуете различные варианты, пока не наткнетесь на что-нибудь подходящее. NDAKOTA — слишком простое изменение.

— Возможно, — сказал Стратмор, потом нацарапал несколько слов на бумажке и протянул ее Сьюзан. — Взгляни-ка на это.

Прочитав написанное, Сьюзан поняла ход мысли коммандера. На бумажке был электронный адрес Северной Дакоты.

NDAKOTA@ARA.ANON.ORG

Ее внимание сразу же привлекли буквы ARA — сокращенное название «Анонимной рассылки Америки», хорошо известного анонимного сервера.

Такие серверы весьма популярны среди пользователей Интернета, желающих скрыть свои личные данные. За небольшую плату они обеспечивают анонимность электронной почты, выступая в роли посредников. Это все равно что номерной почтовый ящик: пользователь получает и отправляет почту, не раскрывая ни своего имени, ни адреса. Компания получает электронные сообщения, адресованные на подставное имя, и пересылает их на настоящий адрес клиента. Компания связана обязательством ни при каких условиях не раскрывать подлинное имя или адрес пользователя.

— Это не доказательство, — сказал Стратмор. — Но кажется довольно подозрительным.

Сьюзан кивнула.

— То есть вы хотите сказать, Танкадо не волновало, что кто-то начнет разыскивать Северную Дакоту, потому что его имя и адрес защищены компанией ARA?

— Верно.

Сьюзан на секунду задумалась.

— ARA обслуживает в основном американских клиентов. Вы полагаете, что Северная Дакота может быть где-то здесь?

— Возможно. — Стратмор пожал плечами. — Имея партнера в Америке, Танкадо мог разделить два ключа географически. Возможно, это хорошо продуманный ход.

Сьюзан попыталась осознать то, что ей сообщил коммандер. Она сомневалась, что Танкадо мог передать ключ какому-то человеку, который не приходился ему близким другом, и вспомнила, что в Штатах у него практически не было друзей.

— Северная Дакота, — вслух произнесла она, пытаясь своим умом криптографа проникнуть в скрытый смысл этого имени. — Что говорится в его посланиях на имя Танкадо?

— Понятия не имею. КОМИНТ засек лишь исходящую почту. В данный момент мы ничего не знаем про Северную Дакоту, кроме анонимного адреса.

— Возможно, это приманка, — предположила Сьюзан.

Стратмор вскинул брови.

— С какой целью?

— Танкадо мог посылать фиктивные сообщения на неиспользованный адрес в надежде, что мы его обнаружим и решим, что он обеспечил себе защиту. В таком случае ему не нужно будет передавать пароль кому-то еще. Возможно, он работал в одиночку.

Стратмор хмыкнул. Мысль Сьюзан показалась ему достойной внимания.

— Неплохо, но есть одно «но». Он не пользовался своими обычными почтовыми ящиками — ни домашним, ни служебными. Он бывал в Университете Досися и использовал их главный компьютер. Очевидно, там у него был адрес, который он сумел утаить. Это хорошо защищенный почтовый ящик, и мне лишь случайно удалось на него наткнуться. — Он выдержал паузу. — Итак, если Танкадо хотел, чтобы мы обнаружили его почту, зачем ему понадобился секретный адрес?

Сьюзан снова задумалась.

— Может быть, для того, чтобы вы не заподозрили, что это приманка? Может быть, Танкадо защитил его ровно настолько, чтобы вы на него наткнулись и сочли, что вам очень повезло. Это придает правдоподобность его электронной переписке.

— Тебе следовало бы работать в полиции, — улыбнулся Стратмор. — Идея неплохая, но на каждое послание Танкадо, увы, поступает ответ. Танкадо пишет, его партнер отвечает.

— Убедительно. — Сьюзан нахмурилась. — Итак, вы полагаете, что Северная Дакота — реальное лицо.

— Боюсь, что так. И мы должны его найти. Найти *тихо*. Если он почует, что мы идем по его следу, все будет кончено.

Теперь Сьюзан точно знала, зачем ее вызвал Стратмор.

— Я, кажется, догадалась, — сказала она. — Вы хотите, чтобы я проникла в секретную базу данных ARA и установила личность Северной Дакоты?

Стратмор улыбнулся, не разжимая губ.

— Вы читаете мои мысли, мисс Флетчер.

Сьюзан Флетчер словно была рождена для тайных поисков в Интернете. Год назад высокопоставленный сотрудник аппарата Белого дома начал получать электронные письма с угрозами, отправляемые с некоего анонимного адреса. АНБ поручили разыскать отправителя. Хотя агентство имело возможность потребовать от переадресующей компании открыть ему имя этого клиента, оно решило прибегнуть к более изощренному методу — «следящему» устройству.

Фактически Сьюзан создала программу-маяк направленного действия, замаскированный под элемент электронной почты. Она отправляла его на фиктивный адрес этого клиента, и переадресующая компания, выполняя свои договорные обязательства, пересылала этот маяк на подлинный адрес. Попав по назначению, программа фиксировала свое местонахождение в Интернете и передавала его в АНБ, после чего бесследно уничтожала маяк. Начиная с того дня, анонимные переадресующие компании перестали быть для АНБ источником серьезных неприятностей.

— Вы сможете его найти? — спросил Стратмор.

— Конечно. Почему вы не позвонили мне раньше?

— Честно говоря, — нахмурился Стратмор, — я вообще не собирался этого делать. Мне не хотелось никого в это впутывать. Я сам попытался отправить твой маячок, но ты использовала для него один из новейших гибридных языков, и мне не удалось привести его в действие. Он посылал какую-то тарабарщину. В конце концов пришлось смирить гордыню и вызвать тебя сюда.

Сьюзан это позабавило. Стратмор был блестящими программистом-криптографом, но его диапазон был ограничен работой с алгоритмами и тонкости этой не столь уж изощренной и устаревшей технологии программирования часто от него ускользали. К тому же Сьюзан написала свой маячок на новом гибридном языке, именуемом LIMBO, поэтому не приходилось удивляться, что Стратмор с ним не справился.

— Я возьму это на себя, — улыбнулась она, вставая. — Буду у своего терминала.

— Как ты думаешь, сколько времени это займет?

— Ну... — задумалась Сьюзан. — Это зависит от оперативности, с которой ARA пересылает почту. Если адресат находится в Штатах и пользуется такими провайдерами, как «Америка онлайн» или «Компьюсерв», я отслежу его кредитную карточку и получу его учетную запись в течение часа. Если он использует адрес университета или корпорации, времени уйдет немного больше. — Она через силу улыбнулась. — Остальное будет зависеть от вас.

Сьюзан знала, что «остальное» — это штурмовая группа АНБ, которая, перерезав электрические провода, ворвется в дом с автоматами, заряженными резиновыми пулями. Члены группы будут уверены, что производят облаву на наркодельцов. Стратмор, несомненно, постарается проверить все лично и найти пароль из шестидесяти четырех знаков. Затем он его уничтожит, и «Цифровая крепость» навсегда исчезнет из Интернета.

— Действуй своим маячком очень осторожно, — сказал Стратмор. — Если Северная Дакота заподозрит, что мы его ищем, он начнет паниковать и исчезнет вместе с паролем, так что никакая штурмовая группа до него не доберется.

— Все произойдет, как булавочный укол, — заверила его Сьюзан. — В тот момент, когда обнаружится его счет, маяк самоуничтожится. Танкадо даже не узнает, что мы побывали у него в гостях.

— Спасибо, — устало кивнул коммандер.

Сьюзан ответила ему теплой улыбкой. Ее всегда поражало, что даже в преддверии катастрофы Стратмор умел сохранять выдержку и спокойствие. Она была убеждена, что именно это качество определило всю его карьеру и вознесло на высшие этажи власти.

Уже направляясь к двери, Сьюзан внимательно посмотрела на «ТРАНСТЕКСТ». Она все еще не могла свыкнуться с мыслью о шифре, не поддающемся взлому. И взмолилась о том, чтобы они сумели вовремя найти Северную Дакоту.

— Поторопись, — крикнул ей вдогонку Стратмор, — и ты еще успеешь к ночи попасть в Смоки-Маунтинс!

От неожиданности Сьюзан застыла на месте. Она была уверена, что никогда не говорила с шефом о поездке. Она повернулась. «Неужели АНБ прослушивает мои телефонные разговоры?»

Стратмор виновато улыбнулся.

— Сегодня утром Дэвид рассказал мне о ваших планах. Он сказал, что ты будешь очень расстроена, если поездку придется отложить.

Сьюзан растерялась.

— Вы говорили с Дэвидом сегодня утром?

— Разумеется. — Стратмора, похоже, удивило ее недоумение. — Мне пришлось его проинструктировать.

— Проинструктировать? Относительно чего?

— Относительно его поездки. Я отправил Дэвида в Испанию.

ГЛАВА 11

Испания. «Я отправил Дэвида в Испанию». Слова коммандера словно обожгли Сьюзан.

— Дэвид в Испании? — Она не могла поверить услышанному. — Вы отправили его в Испанию? — В ее голосе послышались сердитые нотки. — Зачем?

Стратмор казался озадаченным. Он не привык, чтобы кто-то повышал на него голос, пусть даже это был его главный криптограф. Он немного смешался. Сьюзан напряглась как тигрица, защищающая своего детеныша.

— Сьюзан, ты же говорила с ним! Разве Дэвид тебе не объяснил?

Она была слишком возбуждена, чтобы ответить. *Испания? Так вот почему Дэвид отложил поездку в «Стоун-Мэнор»!*

— Сегодня утром я послал за ним машину. Он сказал, что позвонит тебе перед вылетом. Прости, я думал...

— Зачем вы послали его в Испанию?

Стратмор выдержал паузу и посмотрел ей прямо в глаза.

— Чтобы он получил второй ключ.

— Что еще за второй ключ?

— Тот, что Танкадо держал при себе.

Сьюзан была настолько ошеломлена, что отказывалась понимать слова коммандера.

— О чем вы говорите?

Стратмор вздохнул.

— У Танкадо наверняка была при себе копия ключа в тот момент, когда его настигла смерть. И я меньше всего хотел, чтобы кто-нибудь в севильском морге завладел ею.

— И вы послали туда Дэвида Беккера? — Сьюзан все еще не могла прийти в себя. — Он даже не служит у вас!

Стратмор был поражен до глубины души. Никто никогда не позволял себе говорить с заместителем директора АНБ в таком тоне.

— Сьюзан, — проговорил он, стараясь сдержать раздражение, — в этом как раз все дело. Мне было нужно...

Но тигрица уже изготовилась к прыжку.

— В вашем распоряжении двадцать тысяч сотрудников! С какой стати вы решили послать туда моего будущего мужа?

— Мне был нужен человек, никак не связанный с государственной службой. Если бы я действовал по обычным каналам и кто-то узнал...

— И Дэвид Беккер единственный, кто не связан с государственной службой?

— Разумеется, не единственный! Но сегодня в шесть часов утра события стали разворачиваться стремительно. Дэвид говорит по-испански, он умен, ему можно доверять, к тому же я подумал, что оказываю ему услугу!

— Услугу? — бурно отреагировала Сьюзан. — Послать его в Испанию значит оказать услугу?

— Да! Я заплачу ему десять тысяч долларов за один день работы. Он заберет личные вещи Танкадо и вернется домой. Разве это не услуга?

Сьюзан промолчала. Она поняла: все дело в деньгах.

Она перенеслась мыслями в тот вечер, когда президент Джорджтаунского университета предложил Дэвиду повышение — должность декана факультета лингвистики. Президент объяснил, что преподавательских часов будет меньше, бумажной работы больше, — но гораздо выше будет и жалованье. Сьюзан хотелось закричать: «Дэвид, не соглашайся! Это не принесет тебе радости. У нас много денег — какая разница, кто из нас их получает?» Но это была чужая епархия. В конце концов ей пришлось смириться. Когда они в ту ночь отправились спать, она старалась радоваться с ним вместе, но что-то в глубине души говорило ей: все это кончится плохо. Она оказалась права, но никогда не подозревала насколько.

— Вы заплатили ему десять тысяч долларов? — Она повысила голос. — Это грязный трюк!

— Трюк? — Теперь уже Стратмор не мог скрыть свое раздражение. — Это вовсе не трюк! Да я вообще слова ему не сказал о деньгах. Я попросил оказать мне личную услугу. И он согласился поехать.

— Конечно, согласился! Вы же мой шеф! Вы заместитель директора АНБ! Он не мог отказаться!

— Ты права, — проворчал Стратмор. — Поэтому я его и попросил. Я не мог позволить себе роскошь...

— Директор знает, что вы послали в Испанию частное лицо?

— Сьюзан, — сказал Стратмор, уже теряя терпение, — директор не имеет к этому никакого отношения. Он вообще не в курсе дела.

Сьюзан смотрела на Стратмора, не веря своим ушам. У нее возникло ощущение, что она разговаривает с абсолютно незнакомым человеком. Коммандер послал ее жениха, преподавателя, с заданием от АНБ и даже не потрудился сообщить директору о самом серьезном кризисе в истории агентства.

— Вы не поставили в известность Лиланда Фонтейна?

Терпение Стратмора иссякло. Он взорвался:

— Сьюзан, выслушай меня! Я вызвал тебя сюда, потому что мне нужен союзник, а не следователь! Сегодня у меня было ужасное утро. Вчера вечером я скачал файл Танкадо и провел у принтера несколько часов, ожидая, когда «ТРАНСТЕКСТ» его расколет. На рассвете я усмирил свою гордыню и позвонил директору — и, уверяю тебя, это был бы тот еще разговорчик. Доброе утро, сэр. Извините, что пришлось вас разбудить. Почему я звоню? Я только что выяснил, что «ТРАНСТЕКСТ» устарел. Все дело в алгоритме, сочинить который оказалось не под силу нашим лучшим криптографам! — Стратмор стукнул кулаком по столу.

Сьюзан окаменела. Она не произнесла ни слова. За десять лет их знакомства Стратмор выходил из себя всего несколько раз, и этого ни разу не произошло в разговоре с ней.

В течение нескольких секунд ни он, ни она не произнесли ни слова. Наконец Стратмор откинулся на спинку стула, и Сьюзан поняла, что он постепенно успокаивается. Когда он наконец заговорил, голос его звучал подчеркнуто ровно, хотя было очевидно, что это давалось ему нелегко.

— Увы, — тихо сказал Стратмор, — оказалось, что директор в Южной Америке на встрече с президентом Колумбии. Поскольку, находясь там, он ничего не смог бы предпринять, у меня оставалось два варианта: попросить его прервать визит и вернуться в Вашингтон или попытаться разрешить эту ситуацию самому.

Воцарилась тишина. Наконец Стратмор поднял усталые глаза на Сьюзан. Выражение его лица тут же смягчилось.

— Сьюзан, извини меня. Это кошмар наяву. Я понимаю, ты расстроена из-за Дэвида. Я не хотел, чтобы ты узнала об этом так. Я был уверен, что он тебе все рассказал.

Сьюзан ощутила угрызения совести.

— Я тоже хватила через край. Извините меня. Дэвид — это отличная кандидатура.

Стратмор отрешенно кивнул:

— Он вернется сегодня вечером.

Сьюзан представила себе, что пришлось пережить коммандеру, — весь этот груз бесконечного ожидания, бесконечные часы, бесконечные встречи. Говорили, что от него уходит жена, с которой он прожил лет тридцать. А в довершение всего — «Цифровая крепость», величайшая опасность, нависшая над разведывательной службой. И со всем этим ему приходится справляться в одиночку. Стоит ли удивляться, что он находится на грани срыва?..

— С учетом обстоятельств, я полагаю, — сказала Сьюзан, — вам все же нужно позвонить директору.

Стратмор покачал головой, и капля пота с его лба упала на стол.

— Я не хочу никоим образом нарушать покой директора и говорить с ним о кризисе, в то время как он не в состоянии предпринять хоть что-нибудь.

Сьюзан понимала, что коммандер прав. Даже в такие моменты ему удавалось сохранять ясность рассудка.

— А вы не думали о том, чтобы позвонить президенту?

Стратмор кивнул:

— Думал. Но решил этого не делать.

Сьюзан так и подумала. Старшие должностные лица АНБ имели право разбираться со своими кризисными ситуациями, не уведомляя об этом исполнительную власть страны. АНБ было единственной разведывательной организацией США, освобожденной от обязанности отчитываться перед федеральным правительством. Стратмор нередко пользовался этой привилегией: он предпочитал творить свое волшебство в уединении.

— Коммандер, — все же возразила она, — это слишком крупная неприятность, и с ней не стоит оставаться наедине. Вам следовало бы привлечь кого-то еще.

— Сьюзан, появление «Цифровой крепости» влечет за собой очень серьезные последствия для всего будущего нашего агентства. Я не намерен информировать президента за спиной директора. У нас возник кризис, и я пытаюсь с ним справиться. — Он задумчиво посмотрел на нее. — Я являюсь заместителем оперативного директора агентства. — Усталая улыбка промелькнула на его лице. — И потом, я не один. Рядом со мной Сьюзан Флетчер.

В тот момент Сьюзан поняла, за что уважает Тревора Стратмора. Все эти десять лет, в штиль и в бурю, он вел ее за собой. Уверенно и неуклонно. Не сбиваясь с курса. Именно эта целеустремленность всегда изумляла, эта неколебимая верность принципам, стране, идеалам. Что бы ни случилось, коммандер Тревор Стратмор всегда будет надежным ориентиром в мире немыслимых решений.

— Так ты со мной, Сьюзан? — спросил он.

Сьюзан улыбнулась:

— Да, сэр. На сто процентов.

— Отлично. А теперь — за работу.

ГЛАВА 12

Дэвиду Беккеру приходилось бывать на похоронах и видеть мертвых, но на этот раз его глазам открылось нечто особенно действующее на нервы. Это не был тщательно загримированный покойник в обитом шелком гробу. Обнаженное тело, бесцеремонно брошенное на алюминиевый стол. Глаза, которые еще не приобрели отсутствующего безжизненного взгляда, закатились вверх и уставились в потолок с застывшим в них выражением ужаса и печали.

— Dónde están sus efectos? — спросил Беккер на беглом кастильском наречии. — Где его вещи?

— Allí, — ответил лейтенант с желтыми прокуренными зубами. Он показал на прилавок, где лежала одежда и другие личные вещи покойного.

— Es todo? Это все?

— Sí.

Беккер попросил дать ему картонную коробку, и лейтенант отправился за ней.

Был субботний вечер, и севильский морг не работал. Молодой лейтенант пустил туда Беккера по распоряжению севильской гвардии — похоже, у этого приезжего американца имелись влиятельные друзья.

Беккер осмотрел одежду. Среди вещей были паспорт, бумажник и очки, засунутые кем-то в один из ботинок. Еще здесь был вещевой мешок, который полиция взяла в отеле, где остановился этот человек. Беккер получил четкие инструкции: ни к чему не прикасаться, ничего не читать. Просто все привезти. Абсолютно все. Ничего не упустив.

Беккер еще раз обвел глазами кучу вещей и нахмурился. Зачем АНБ вся эта рухлядь?

Вернулся лейтенант с маленькой коробкой в руке, и Беккер начал складывать в нее вещи.

Лейтенант дотронулся до ноги покойного.

— Quien es? Кто он такой?

— Понятия не имею.

— Похож на китайца.

Японец, подумал Беккер.

— Бедняга. Сердечный приступ, да?

Беккер безучастно кивнул:

— Так мне сказали.

Лейтенант вздохнул и сочувственно помотал головой.

— Севильское солнце бывает безжалостным. Будьте завтра поосторожнее.

— Спасибо, — сказал Беккер. — Я сегодня улетаю.

Офицер был шокирован.

— Вы же только что прибыли!

— Да, но человек, оплативший авиабилет, ждет. Я должен доставить эти вещи.

На лице лейтенанта появилось оскорбленное выражение, какое бывает только у испанцев.

— Вы хотите сказать, что даже не познакомитесь с Севильей?

— Я был здесь несколько лет назад. Замечательный город. Я бы хотел задержаться.

— Значит, вы видели башню? Гиральду?

Беккер кивнул. Он, конечно, видел старинную мавританскую башню, но взбираться на нее не стал.

— Алькасар?

Беккер снова кивнул, вспомнив ночь, когда слушал гитару Пако де Лючии — фламенко под звездами в крепости XV века. Вот бы побывать здесь вместе со Сьюзан.

— И, разумеется, Христофора Колумба? — просиял лейтенант. — Он похоронен в нашем соборе.

Беккер удивленно посмотрел на него.

— Разве? Я думал, что он похоронен в Доминиканской Республике.

— Да нет же, черт возьми! И кто только распустил этот слух? Тело Колумба покоится здесь, в Испании. Вы ведь, кажется, сказали, что учились в университете.

Беккер пожал плечами:

— Наверное, в тот день я прогулял лекцию.

— Испанская церковь гордится тем, что ей принадлежат его останки.

Испанская церковь. Беккер отлично знал, что в Испании только одна церковь — римско-католическая. Католицизм здесь посильнее, чем в самом Ватикане.

— У нас, конечно, не все его тело, — добавил лейтенант. — Solo el escroto.

Беккер даже прервал свое занятие и посмотрел на лейтенанта. Solo el escroto? Он с трудом сдержал улыбку.

— Только лишь мошонка?

Офицер гордо кивнул:

— Да. Когда церковь получит все останки этого великого человека, она причислит его к лику святых и разместит отдельные части его тела в разных соборах, чтобы все могли проникнуться их величием.

— А у вас здесь... — Беккер не сдержал смешка.

— Да! Это очень важная часть! — заявил лейтенант. — Это не ребро или палец, как в церквях Галиции! Вам и в самом деле стоило бы задержаться и посмотреть.

— Может быть, я так и сделаю.

— Mala suerte, — вздохнул лейтенант. — Не судьба. Собор закрыт до утренней мессы.

— Тогда в другой раз. — Беккер улыбнулся и поднял коробку. — Я, пожалуй, пойду. Меня ждет самолет. — Он еще раз оглядел комнату.

— Вас подбросить в аэропорт? — предложил лейтенант — Мой «Мото Гуччи» стоит у подъезда.

— Спасибо, не стоит. Я возьму такси. — Однажды в колледже Беккер прокатился на мотоцикле и чуть не разбился. Он больше не хотел искушать судьбу, кто бы ни сидел за рулем.

— Как скажете. — Лейтенант направился к двери. — Я должен выключить свет.

Беккер держал коробку под мышкой. *Я ничего не упустил?* Он в последний раз бросил взгляд на труп на алюминиевой столешнице. Покойный лежал на спине, лицом вверх, освещаемый лампами дневного света, вроде бы ничего не скрывая. Беккер непроизвольно снова и снова вглядывался в его странно деформированные руки. Он присмотрелся внимательнее.

Офицер выключил свет, и комната погрузилась в темноту.

— Подождите, — сказал Беккер. — Включите на секунду.

Лампы, замигав, зажглись.

Беккер поставил коробку на пол и подошел к столу. Наклонился и осмотрел пальцы левой руки.

Лейтенант следил за его взглядом.

— Ужасное уродство, правда?

Но не искалеченная рука привлекла внимание Беккера. Он увидел кое-что другое. И повернулся к офицеру.

— Вы уверены, что в коробке все его вещи?

— Да, конечно, — подтвердил лейтенант.

Беккер постоял минуту, уперев руки в бока. Затем поднял коробку, поставил ее на стол и вытряхнул содержимое. Аккуратно, предмет за предметом, перетряхнул одежду. Затем взял ботинки и постучал каблуками по столу, точно вытряхивая камешек. Просмотрев все еще раз, он отступил на шаг и нахмурился.

— Какие-то проблемы? — спросил лейтенант.

— Да, — сказал Беккер. — Мы кое-что упустили.

ГЛАВА 13

Токуген Нуматака стоял у окна своего роскошного кабинета на верхнем этаже небоскреба и разглядывал завораживающие очертания Токио на фоне ярко-синего неба. Служащие и конкуренты называли Нуматаку *акута саме* — смертоносной акулой. За три десятилетия он перехитрил, превзошел и задавил рекламой всех своих японских конкурентов, и теперь лишь один шаг отделял его от того, чтобы превратиться еще и в гиганта мирового рынка.

Он собирался совершить крупнейшую в своей жизни сделку — сделку, которая превратит его «Нуматек корпорейшн» в «Майкрософт» будущего. При мысли об этом он почувствовал прилив адреналина. Бизнес — это война, с которой ничто не сравнится по остроте ощущений.

Хотя три дня назад, когда раздался звонок, Токуген Нуматака был полон сомнений и подозрений, теперь он знал правду. У него счастливая *миури* — счастливая судьба. Он избранник богов.

— В моих руках копия ключа «Цифровой крепости», — послышался голос с американским акцентом. — Не желаете купить?

Нуматака чуть не расхохотался во весь голос. Он знал, что это трюк. Корпорация «Нуматек» сделала очень крупную ставку на новый алгоритм Танкадо, и теперь кто-то из конкурентов пытается выведать ее величину.

— У вас есть ключ? — сказал Нуматака с деланным интересом.

— Да. Меня зовут Северная Дакота.

Нуматака подавил смешок. Все знали про Северную Дакоту. Танкадо рассказал о своем тайном партнере в печати. Это был разумный шаг — завести партнера: даже в Японии нравы делового сообщества не отличались особой чистотой. Энсей Танкадо не чувствовал себя в безопасности. Лишь один неверный шаг слишком уж настойчивой фирмы, и ключ будет опубликован, а в результате пострадают все фирмы программного обеспечения.

Нуматака затянулся сигарой «умами» и, выпустив струю дыма, решил подыграть этому любителю шарад.

— Итак, вы хотите продать ключ, имеющийся в вашем распоряжении? Интересно. А что по этому поводу думает Энсей Танкадо?

— Я ничем не обязан мистеру Танкадо. Он зря мне доверился. Ключ стоит в сотни раз больше того, что он платит мне за его хранение.

— Извините, но ваш ключ сам по себе ничего не стоит. Как только Танкадо узнает о том, что вы сделали, он опубликует свою копию, и рынок рухнет.

— Вы получите оба экземпляра, — прозвучал голос. — Мой и мистера Танкадо.

Нуматака закрыл трубку ладонью и громко засмеялся. Однако он не смог удержаться от вопроса:

— Сколько же вы хотите за оба экземпляра?

— Двадцать миллионов американских долларов.

Почти столько же поставил Нуматака.

— Двадцать миллионов? — повторил он с притворным ужасом. — Это уму непостижимо!

— Я видел алгоритм. Уверяю вас, он стоит этих денег.

Тут все без обмана. Он стоит десять раз по двадцать миллионов.

— Увы, — сказал Нуматака, которому уже наскучило играть, — мы оба знаем, что Танкадо этого так не оставит. Подумайте о юридических последствиях.

Звонивший выдержал зловещую паузу.

— А что, если мистер Танкадо перестанет быть фактором, который следует принимать во внимание?

Нуматака чуть не расхохотался, но в голосе звонившего слышалась подозрительная решимость.

— Если Танкадо перестанет быть фактором? — вслух размышлял Нуматака. — Тогда мы с вами придем к соглашению.

— Буду держать вас в курсе, — произнес голос, и вслед за этим в трубке раздались короткие гудки.

ГЛАВА 14

Беккер впился глазами в труп. Даже через несколько часов после смерти лицо азиата отливало чуть розоватым загаром. Тело же его было бледно-желтого цвета — кроме крохотного красноватого кровоподтека прямо над сердцем.

«Скорее всего от искусственного дыхания и массажа сердца, — подумал Беккер. — Жаль, что бедняге это не помогло».

Он принялся рассматривать руки покойного. Ничего подобного ему никогда не приходилось видеть. На каждой руке всего по три пальца, скрюченных, искривленных. Но Беккера интересовало отнюдь не это уродство.

— Боже ты мой, — пробормотал лейтенант из другого конца комнаты. — Он японец, а не китаец.

Беккер поднял глаза. Лейтенант листал паспорт умершего.

— Я бы предпочел, чтобы вы ни к чему не прикасались, — попросил он. *Ничего не трогайте. Ничего не читайте.*

— Энсей Танкадо... родился в январе...

— Пожалуйста, — вежливо сказал Беккер. — Положите на место.

Офицер еще какое-то время разглядывал паспорт, потом положил его поверх вороха одежды.

— У этого парня была виза третьего класса. По ней он мог жить здесь многие годы.

Беккер дотронулся до руки погибшего авторучкой.

— Может быть, он и жил здесь.

— Вовсе нет. Пересек границу неделю назад.

— Наверное, хотел сюда переехать, — сухо предположил Беккер.

— Да, возможно. Первая неделя оказалась последней. Солнечный удар и инфаркт. Бедолага.

Беккер ничего не сказал и продолжал разглядывать пальцы умершего.

— Вы уверены, что на руке у него не было перстня?

Офицер удивленно на него посмотрел.

— Перстня?

— Да. Взгляните.

Офицер подошел к столу.

Кожа на левой руке загорелая, если не считать узкой светлой полоски на мизинце.

Беккер показал лейтенанту эту полоску.

— Смотрите, полоска осталась незагорелой. Похоже, он носил кольцо.

Офицер был поражен этим открытием.

— Кольцо? — Он вдруг забеспокоился. Вгляделся в полоску на пальце и пристыженно покраснел. — О Боже, — хмыкнул он, — значит, эта история подтверждается.

Беккеру даже сделалось дурно.

— Прошу прощения?

Офицер покачал головой, словно не веря своим глазам.

— Я должен был вам рассказать... но думал, что тот тип просто псих.

— Какой тип? — Беккер хмуро взглянул на полицейского.

— Тот, что вызвал «скорую». Он болтал что-то на ужаснейшем испанском, который мне только доводилось слышать.

— Он сказал, что на руке у мистера Танкадо было кольцо?

Офицер кивнул, достал из пачки «Дукадо» сигарету, посмотрел на плакат с надписью «No fumar» — «Не курить» — и все же закурил.

— Наверное, я должен был обратить на это внимание, но тот тип показался мне настоящим психом.

Беккер нахмурился. Слова Стратмора эхом звучали в его ушах. *Мне нужно все, что было у Танкадо при себе. Все. Не упустите ничего. Даже клочка бумаги.*

— Где теперь это кольцо? — спросил Беккер.

Лейтенант глубоко затянулся.

— Долгая история.

Чутье подсказывало Беккеру, что это открытие не сулит ему ничего хорошего.

— Все равно расскажите.

ГЛАВА 15

Сьюзан Флетчер расположилась за компьютерным терминалом Третьего узла. Этот узел представлял собой звуконепроницаемую уединенную камеру, расположенную неподалеку от главного зала. Двухдюймовое искривленное стекло односторонней видимости открывало перед криптографами панораму зала, не позволяя увидеть камеру снаружи. В задней ее части располагались двенадцать терминалов, образуя совершенную окружность. Такая форма их размещения должна была способствовать интеллектуальному общению криптографов, напоминая им, что они всего лишь члены многочисленной команды — своего рода рыцари Круглого стола взломщиков кодов. По иронии судьбы в Третьем узле секреты не очень-то любили.

Нареченный «Детским манежем», Третий узел ничем не напоминал стерильную атмосферу остальной части шифровалки. Его обстановка напоминала домашнюю — мягкий ковер, высокотехнологичная звуковая система, холодильник, полный напитков и всяческой еды, маленькая кухня и даже баскетбольное кольцо. В отношении шифровалки в АНБ сложилась своеобразная философия. Нет смысла вбухивать миллиарды долларов в дешифровальный компьютер и одновременно экономить на тех, кто работает на этой превосходной технике.

Сьюзан скинула туфли на низких каблуках от Сальваторе Феррагамо и блаженно погрузила обтянутые чулками ноги в густой шерстяной ковер. Высокооплачиваемые государственные служащие старались избегать демонстрации личного благосостояния. Для Сьюзан это не составляло проблемы: она была безмерно счастлива в своей скромной двухкомнатной квартире, водила «вольво» и довольствовалась весьма консервативным гардеробом. Но вот туфли — совсем другое дело. Даже во время учебы в колледже она старалась покупать самую лучшую обувь.

«Нельзя дотянуться до звезд, если чувствуешь себя ущемленной, — сказала как-то ее тетушка. — И если уж попала туда, куда стремилась, постарайся выглядеть на все сто!»

Сьюзан сладко потянулась и взялась за дело. Она загрузила программу «Следопыт» и, приготовившись отправиться на охоту, взглянула на адрес электронной почты, который вручил ей Стратмор.

NDAKOTA@ARA.ANON.ORG

У человека, назвавшегося Северной Дакотой, анонимные учетные данные, но Сьюзан знала, что это ненадолго. «Следопыт» проникнет в ARA, отыщет Северную Дакоту и сообщит истинный адрес этого человека в Интернете.

Если все сложится нормально, она скоро выяснит местонахождение Северной Дакоты, и Стратмор конфискует ключ. Тогда дело будет только за Дэвидом. Когда он найдет копию ключа, имевшуюся у Танкадо, оба экземпляра будут уничтожены, а маленькая бомба с часовым механизмом, заложенная Танкадо, — обезврежена и превратится во взрывное устройство без детонатора.

Сьюзан еще раз прочитала адрес на клочке бумаги и ввела информацию в соответствующее поле, посмеялась про себя, вспомнив о трудностях, с которыми столкнулся Стратмор, пытаясь самолично запустить «Следопыта». Скорее всего он проделал это дважды и каждый раз получал адрес Танкадо, а не Северной Дакоты. Элементарная ошибка, подумала Сьюзан, Стратмор, по-видимому, поменял местами поля информации, и «Следопыт» искал учетные данные совсем не того пользователя.

Она завершила ввод данных и запустила «Следопыта». Затем щелкнула по кнопке «возврат». Компьютер однократно пискнул. На экране высветилось:

СЛЕДОПЫТ ОТПРАВЛЕН

Теперь надо ждать.

Сьюзан вздохнула. Она чувствовала себя виноватой из-за того, что так резко говорила с коммандером. Ведь если кто и может справиться с возникшей опасностью, да еще без посторонней помощи, так это Тревор Стратмор. Он обладал сверхъестественной способностью одерживать верх над всеми, кто бросал ему вызов.

Шесть месяцев назад, когда Фонд электронных границ обнародовал информацию о том, что подводная лодка АНБ прослушивает подводные телефонные кабели, Стратмор организовал утечку информации о том, что эта подводная лодка на самом деле занимается незаконным сбросом токсичных отходов. ФЭГ и экологи так и не смогли установить, какая из двух версий соответствует истине, и средства массовой информации в конце концов устали от всей этой истории и перешли к другим темам.

Каждый шаг Стратмора был рассчитан самым тщательным образом. Строя свои планы, Стратмор целиком полагался на собственный компьютер. Как и многие другие сотрудники АНБ, он использовал разработанную агентством программу «Мозговой штурм» — безопасный способ разыгрывать сценарий типа «Что, если?..» на защищенном от проникновения компьютере.

«Мозговой штурм» был своего рода разведывательным экспериментом, который его создатели называли «Симулятором причин и следствий». Сначала он предназначался для использования в ходе избирательных кампаний как способ создания в режиме реального времени моделей данной «политической среды». Загруженная громадным количеством информации программа создавала паутину относительных величин — гипотетическую модель взаимодействия политических переменных, включая известных политиков, их штабы, личные взаимоотношения, острые проблемы, мотивации, отягощенные такими факторами, как секс, этническая принадлежность, деньги и власть. Пользователь имел возможность создать любую гипотетическую ситуацию, и «Мозговой штурм» предсказывал, как эта ситуация повлияет на «среду».

Коммандер относился к этой программе с религиозным трепетом, но использовал ее не в политических целях: она служила ему для расчета времени, оценки информации и схематического отображения ситуации, выработки сложных стратегических решений и своевременного выявления слабых мест. Сьюзан не оставляло подозрение, что в компьютере шефа кроется нечто, чему в один прекрасный день суждено изменить весь мир.

«Да, я была с ним слишком сурова», — подумала Сьюзан.

Ее мысли были прерваны внезапным звуковым сигналом входной двери Третьего узла.

Стратмор чуть ли не вбежал в комнату.

— Сьюзан, — сказал он, — только что позвонил Дэвид. Он задерживается.

ГЛАВА 16

— Кольцо? — не веря своим ушам, переспросила Сьюзан. — С руки Танкадо исчезло кольцо?

— Да. К счастью, Дэвид это обнаружил. Он проявил редкую наблюдательность.

— Но ведь вы ищете ключ к шифру, а не ювелирное изделие.

— Конечно. Но я думаю, что одно с другим может быть связано самым непосредственным образом.

Сьюзан отказывалась его понимать.

— Это долгая история.

Она повернулась к монитору и показала на работающего «Следопыта».

— Я никуда не спешу.

Стратмор сокрушенно вздохнул и начал мерить шагами комнату.

— Очевидно, когда Танкадо умер, рядом находились свидетели. Согласно словам офицера, который отвел Дэвида в морг, некий канадский турист сегодня утром в панике позвонил в полицию и сказал, что у одного японца в парке случился сердечный приступ. Прибыв на место, офицер увидел мертвого Танкадо, рядом с которым находился упомянутый канадец, и тут же по рации вызвал «скорую». Когда санитары отвезли тело Танкадо в морг, офицер попытался расспросить канадца о том, что произошло. Единственное, что он понял из его сбивчивого рассказа, — это что перед смертью Танкадо отдал кольцо.

— Танкадо отдал кольцо? — скептически отозвалась Сьюзан.

— Да. Такое впечатление, что он его буквально всучил — канадцу показалось, будто бы он просил, чтобы кольцо взяли. Похоже, этот канадец рассмотрел его довольно внимательно. — Стратмор остановился и повернулся к Сьюзан. — Он сказал, что на кольце были выгравированы какие-то буквы.

— Буквы?

— Да, если верить ему — не английские. — Стратмор приподнял брови, точно ждал объяснений.

— Японские иероглифы?

Стратмор покачал головой.

— Это и мне сразу пришло в голову. Но послушай: канадец сказал, что буквы не складывались во что-то вразумительное. Японские иероглифы не спутаешь с латиницей. Он сказал, что выгравированные буквы выглядят так, будто кошка прошлась по клавишам пишущей машинки.

— Коммандер, не думаете же вы... — Сьюзан расхохоталась.

Но Стратмор не дал ей договорить.

— Сьюзан, это же абсолютно ясно. Танкадо выгравировал ключ «Цифровой крепости» на кольце. Золото долговечно. Что бы он ни делал — спал, стоял под душем, ел, — ключ всегда при нем, в любую минуту готовый для опубликования.

— На пальце? — усомнилась Сьюзан. — У всех на виду?

— Почему бы и нет? Испания отнюдь не криптографический центр мира. Никто даже не заподозрит, что эти буквы что-то означают. К тому же если пароль стандартный, из шестидесяти четырех знаков, то даже при свете дня никто их не прочтет, а если и прочтет, то не запомнит.

— И Танкадо отдал это кольцо совершенно незнакомому человеку за мгновение до смерти? — с недоумением спросила Сьюзан. — Почему?

Стратмор сощурил глаза.

— А ты как думаешь?

И уже мгновение спустя ее осенило. Ее глаза расширились.

Стратмор кивнул:

— Танкадо хотел от него избавиться. Он подумал, что это мы его убили. Он почувствовал, что умирает, и вполне логично предположил, что это наших рук дело. Тут все совпадает. Он решил, что мы добрались до него и, вероятно, отравили — ядом, вызывающим остановку сердца. Он понимал, что мы могли решиться на это только в одном случае — если нашли Северную Дакоту.

По спине Сьюзан пробежал холодок.

— Конечно, — чуть слышно сказала она. — Танкадо подумал, что раз мы приостановили действие его страхового полиса, то можем «приостановить» и его самого.

Постепенно она начала понимать. Время сердечного приступа настолько устраивало АНБ, что Танкадо сразу понял, чьих это рук дело, и в последние мгновения своей жизни инстинктивно подумал о мести. Энсей Танкадо отдал кольцо, надеясь обнародовать ключ. И теперь — во что просто не верится — какой-то ни о чем не подозревающий канадский турист держит в своих руках ключ к самому мощному шифровальному алгоритму в истории.

Сьюзан набрала полные легкие воздуха и задала неизбежный вопрос:

— И где же теперь этот канадец?

Стратмор нахмурился:

— В этом вся проблема.

— Офицер полиции этого не знает?

— Не имеет понятия. Рассказ канадца показался ему полным абсурдом, и он подумал, что старик еще не отошел от шока или страдает слабоумием. Тогда он посадил его на заднее сиденье своего мотоцикла, чтобы отвезти в гостиницу, где тот остановился. Но этот канадец не знал, что ему надо держаться изо всех сил, поэтому они и трех метров не проехали, как он грохнулся об асфальт, разбил себе голову и сломал запястье.

— Что? — Сьюзан не верила своим ушам.

— Офицер хотел доставить его в госпиталь, но канадец был вне себя от ярости, сказав, что скорее пойдет в Канаду пешком, чем еще раз сядет на мотоцикл. Все, что полицейский мог сделать, — это проводить его до маленькой муниципальной клиники неподалеку от парка. Там он его и оставил.

— Думаю, нет нужды спрашивать, куда направился Дэвид, — хмуро сказала она.

ГЛАВА 17

Дэвид Беккер ступил на раскаленные плиты площади Испании. Прямо перед ним над деревьями возвышалось Аюнтамьенто — старинное здание ратуши, которое окружали три акра бело-голубой мозаики азульехо. Его арабские шпили и резной фасад создавали впечатление скорее дворца — как и было задумано, — чем общественного учреждения. За свою долгую историю оно стало свидетелем переворотов, пожаров и публичных казней, однако большинство туристов приходили сюда по совершенно иной причине: туристические проспекты рекламировали его как английский военный штаб в фильме «Лоуренс Аравийский». «Коламбия пикчерз» было гораздо дешевле снять эту картину в Испании, нежели в Египте, а мавританское влияние на севильскую архитектуру с легкостью убедило кинозрителей в том, что перед их глазами Каир.

Беккер перевел свои «Сейко» на местное время — 9.10 вечера, по местным понятиям еще день: порядочный испанец никогда не обедает до заката, а ленивое андалузское солнце редко покидает небо раньше десяти.

Несмотря на то что вечер только начинался, было очень жарко, однако Беккер поймал себя на том, что идет через парк стремительным шагом. Голос Стратмора в телефонной трубке звучал еще настойчивее, чем утром. Новые инструкции не оставляли места сомнениям: необходимо во что бы то ни стало найти канадца. Ни перед чем не останавливаться, только бы заполучить кольцо.

Беккера очень удивило, что это кольцо с какой-то невразумительной надписью представляет собой такую важность. Однако Стратмор ничего не объяснил, а Беккер не решился спросить. «АНБ, — подумал он. — НБ — это, конечно, «не болтай». Вот такое агентство».

На другой стороне авениды Изабеллы он сразу же увидел клинику с изображенным на крыше обычным красным крестом на белом поле. С того момента как полицейский доставил сюда канадца, прошло уже несколько часов. Перелом запястья, разбитая голова — скорее всего ему оказали помощь и давно выписали. Беккер все же надеялся, что в клинике осталась какая-то регистрационная запись — название гостиницы, где остановился пациент, номер телефона, по которому его можно найти. Если повезет, он разыщет канадца, получит кольцо и тут же вернется домой.

«Если потребуется, заплатите за это кольцо хоть десять тысяч долларов. Я верну вам деньги», — сказал ему Стратмор.

«В этом нет необходимости», — ответил на это Беккер. Он так или иначе собирался вернуть деньги. Он поехал в Испанию не ради денег. Он сделал это из-за Сьюзан. Коммандер Тревор Стратмор — ее наставник и покровитель. Сьюзан многим ему обязана; потратить день на то, чтобы исполнить его поручение, — это самое меньшее, что он мог для нее сделать.

К сожалению, утром все сложилось не так, как он планировал. Беккер намеревался позвонить Сьюзан с борта самолета и все объяснить. Он подумал было попросить пилота радировать Стратмору, чтобы тот передал его послание Сьюзан, но не решился впутывать заместителя директора в их личные дела.

Сам он трижды пытался связаться со Сьюзан — сначала с мобильника в самолете, но тот почему-то не работал, затем из автомата в аэропорту и еще раз — из морга. Сьюзан не было дома. Он не мог понять, куда она подевалась. Всякий раз включался автоответчик, но Дэвид молчал. Он не хотел доверять машине предназначавшиеся ей слова.

Выйдя на улицу, Беккер увидел у входа в парк телефонную будку. Он чуть ли не бегом бросился к ней, схватил трубку и вставил в отверстие телефонную карту. Соединения долго не было. Наконец раздались длинные гудки.

Ну давай же. Окажись дома.

Через пять гудков он услышал ее голос.

— Здравствуйте. Это Сьюзан Флетчер. Извините, меня нет дома, но если вы оставите свое сообщение...

Беккер выслушал все до конца. *Где же она?* Наверняка Сюзан уже начала волноваться. Уж не уехала ли она в «Стоун-Мэнор» без него? Раздался сигнал, после которого надо было оставить сообщение.

— Привет, это Дэвид. — Он замолчал, не зная, что сказать дальше. Беккер терпеть не мог говорить с автоответчиком: только задумаешься, а тот уже отключился. — Прости, не мог позвонить раньше, — успел сказать он. Подумал, не рассказать ли ей все. Но решил этого не делать. — Позвони коммандеру. Он тебе все объяснит. — Сердце его колотилось. Как все это глупо, подумал он, быстро выпалил: — Я люблю тебя! — и повесил трубку.

Он стоял у края тротуара, пропуская машины. Наверное, она подумает бог знает что: он всегда звонил ей, если обещал.

Беккер зашагал по улице с четырехполосным движением и бульваром посередине. «Туда и обратно, — мысленно повторял он. — Туда и обратно». Он был настолько погружен в свои мысли, что не заметил человека в очках в тонкой металлической оправе, который следил за ним с другой стороны улицы.

ГЛАВА 18

Стоя у громадного окна во всю стену своего кабинета в токийском небоскребе, Нуматака с наслаждением дымил сигарой и улыбался. Он не мог поверить в свою необыкновенную удачу. Он снова говорил с этим американцем, и если все прошло, как было задумано, то Танкадо сейчас уже нет в живых, а ключ, который он носил с собой, изъят.

В том, что он, Нуматака, в конце концов решил приобрести ключ Энсея Танкадо, крылась определенная ирония. Токуген Нуматако познакомился с Танкадо много лет назад. Молодой программист приходил когда-то в «Нуматек», тогда он только что окончил колледж и искал работу, но Нуматака ему отказал. В том, что этот парень был блестящим программистом, сомнений не возникало, но другие обстоятельства тогда казались более важными. Хотя Япония переживала глубокие перемены, Нуматака оставался человеком старой закалки и жил в соответствии с кодексом *менбоко* — «честь и репутация». Если он примет на работу калеку, его компания *потеряет лицо*. Он выкинул его автобиографию в мусорную корзину, даже не прочитав.

Нуматака в очередной раз посмотрел на часы. Американец по кличке Северная Дакота должен был бы уже позвонить. Нуматака начал слегка нервничать. Он очень надеялся, что ничего не сорвалось.

Если ключ так хорош, как о нем говорят, он взломает самый совершенный продукт компьютерной эры — абсолютно стойкий алгоритм цифрового кодирования. Нуматака введет этот алгоритм в чипы VSLI со специальным покрытием и выбросит их на массовый рынок, где их будут покупать производители компьютеров, правительства, промышленные компания. А может быть, он даже запустит их на черный рынок... рынок международного терроризма.

Нуматака улыбнулся. Похоже, он снискал благословение — *шичигосан*. Скоро «Нуматек» станет единственным обладателем единственного экземпляра «Цифровой крепости». Другого нет и не будет. Двадцать миллионов долларов — это очень большие деньги, но если принять во внимание, за что они будут заплачены, то это сущие гроши.

ГЛАВА 19

— А вдруг кто-то еще хочет заполучить это кольцо? — спросила Сьюзан, внезапно заволновавшись. — А вдруг Дэвиду грозит опасность?

Стратмор покачал головой:

— Больше никто не знает о существовании кольца. Именно поэтому я и послал за ним Дэвида. Я хотел, чтобы никто ничего не заподозрил. Любопытным шпикам не придет в голову сесть на хвост преподавателю испанского языка.

— Он профессор, — поправила его Сьюзан и тут же пожалела об этом. У нее часто возникало чувство, что Стратмор не слишком высокого мнения о Дэвиде и считает, что она могла бы найти себе кого-то поинтереснее, чем простой преподаватель. — Коммандер, — сказала она, — если вы инструктировали Дэвида сегодня утром по телефону из машины, кто-то мог перехватить...

— Один шанс на миллион, — возразил Стратмор, стараясь ее успокоить. — Подслушивающий должен был находиться в непосредственной близости и точно знать, что надо подслушивать. — Он положил руку ей на плечо. — Я никогда не послал бы туда Дэвида, если бы считал, что это связано хоть с малейшей опасностью. — Он улыбнулся. — Поверь мне. При первых же признаках опасности я отправлю к нему профессионалов.

Слова Стратмора внезапно были прерваны постукиванием по стеклянной стене Третьего узла. Они обернулись.

Сотрудник отдела обеспечения системной безопасности Фил Чатрукьян, приникнув лицом к стеклу, отчаянно барабанил по нему, стараясь разглядеть, есть ли кто-нибудь внутри. Он что-то говорил, но сквозь звуконепроницаемую перегородку слов не было слышно. У него был такой вид, словно он только что увидел привидение.

— Какого черта здесь нужно Чатрукьяну? — недовольно поинтересовался Стратмор. — Сегодня не его дежурство.

— Похоже, что-то стряслось, — сказала Сьюзан. — Наверное, увидел включенный монитор.

— Черт возьми! — выругался коммандер. — Вчера вечером я специально позвонил дежурному лаборатории систем безопасности и попросил его сегодня не выходить на работу.

Сьюзан это не удивило. Она не могла припомнить, чтобы когда-то отменялось дежурство, но Стратмор, очевидно, не хотел присутствия непосвященных. Он и мысли не допускал о том, что кто-то из сотрудников лаборатории узнает о «Цифровой крепости».

— Наверное, стоит выключить «ТРАНСТЕКСТ», — предложила Сьюзан. — Потом мы запустим его снова, а Филу скажем, что ему все это приснилось.

Стратмор задумался над ее словами, затем покачал головой:

— Пока не стоит. «ТРАНСТЕКСТ» работает пятнадцать часов. Пусть пройдут все двадцать четыре часа — просто чтобы убедиться окончательно.

Сьюзан это показалось разумным. «Цифровая крепость» впервые запустила функцию переменного открытого текста; быть может, «ТРАНСТЕКСТ» сумеет взломать шифр за двадцать четыре часа. Но честно говоря, она в это уже почти не верила.

— Пусть «ТРАНСТЕКСТ» работает, — принял решение Стратмор. — Я хочу быть абсолютно уверен, что это абсолютно стойкий шифр.

Чатрукьян продолжал колотить по стеклу.

— Ничего не поделаешь, — вздохнул Страмор. — Поддержи меня.

Коммандер глубоко вздохнул и подошел к раздвижной стеклянной двери. Кнопка на полу привела ее в движение, и дверь, издав шипящий звук, отъехала в сторону.

Чатрукьян ввалился в комнату.

— Коммандер... сэр, я... извините за беспокойство, но монитор... я запустил антивирус и...

— Фил, Фил, — нехарактерным для него ласковым тоном сказал Стратмор. — Потише и помедленнее. Что случилось?

По голосу Стратмора, мягкому и спокойному, никто никогда не догадался бы, что мир, в котором он жил, рушится у него на глазах. Он отступил от двери и отошел чуть в сторону, пропуская Чатрукьяна в святая святых Третьего узла. Тот в нерешительности застыл в дверях, как хорошо обученная служебная собака, знающая, что ей запрещено переступать порог.

По изумлению на лице Чатрукьяна было видно, что он никогда прежде не бывал в этой комнате. Какова бы ни была причина его волнения, когда он колотил в стеклянную стену Третьего узла, она моментально улетучилась. Он разглядывал роскошную внутреннюю отделку, выстроившиеся в ряд компьютеры, диваны, книжные полки, залитые мягким светом. Увидав королеву шифровалки Сьюзан Флетчер, Чатрукьян моментально отвел глаза. Он боялся ее как огня. Ее мозги работали словно на совсем другом уровне. Она подавляла его своей красотой, и всякий раз, когда он оказывался рядом, язык у него заплетался. Сейчас она держалась подчеркнуто сдержанно, и это пугало его еще сильнее.

— Так в чем же проблема, Фил? — спросил Стратмор, открывая холодильник. — Может, чего-нибудь выпьешь?

— Нет, а-а... нет, спасибо, сэр. — Ему трудно было говорить — наверное потому, что он не был уверен, что его появлению рады. — Сэр, мне кажется... что с «ТРАНСТЕКСТОМ» какая-то проблема.

Стратмор закрыл дверцу холодильника и без тени волнения взглянул на Чатрукьяна.

— Ты имеешь в виду работающий монитор?

Чатрукьян растерялся.

— Так вы обратили внимание?

— Конечно. Он работает уже шестнадцать часов, если не ошибаюсь.

Чатрукьян не знал, что сказать.

— Да, сэр. Шестнадцать часов. Но это не все, сэр. Я запустил антивирус, и он показывает нечто очень странное.

— Неужели? — Стратмор по-прежнему оставался невозмутим. — Что показалось тебе странным?

Сьюзан восхитилась спектаклем, который на ее глазах разыгрывал коммандер.

— «ТРАНСТЕКСТ» работает с чем-то очень сложным, фильтры никогда ни с чем подобным не сталкивались. Боюсь, что в «ТРАНСТЕКСТЕ» завелся какой-то неизвестный вирус.

— Вирус? — снисходительно хмыкнул Стратмор. — Фил, я высоко ценю твою бдительность, очень высоко. Но мы с мисс Флетчер проводим диагностику особого рода. Это файл высочайшей сложности. Я должен был тебя предупредить, но не знал, что сегодня твое дежурство.

Сотрудник лаборатории систем безопасности не стал выдавать дежурного.

— Я поменялся сменой с новым сотрудником. Согласился подежурить в этот уик-энд.

Глаза Стратмора сузились.

— Странно. Я вчера говорил с ним. Велел ему сегодня не приходить. Он ничего не сказал о том, что поменялся с тобой дежурством.

У Чатрукьяна ком застрял в горле. Он молчал.

— Ну ладно, — вздохнул Стратмор. — Похоже, вышла какая-то путаница. — Он положил руку на плечо Чатрукьяна и проводил его к двери. — Тебе не нужно оставаться до конца смены. Мы с мисс Флетчер пробудем здесь весь день. Будем охранять нашу крепость. Желаю веселого уик-энда.

Чатрукьян заколебался.

— Коммандер, мне действительно кажется, что нужно проверить...

— Фил, — сказал Стратмор чуть более строго, — «ТРАНСТЕКСТ» в полном порядке. Если твоя проверка выявила нечто необычное, то лишь потому, что это сделали мы сами. А теперь, если не возражаешь... — Стратмор не договорил, но Чатрукьян понял его без слов. Ему предложили исчезнуть.

— Диагностика, черт меня дери! — бормотал Чатрукьян, направляясь в свою лабораторию. — Что же это за цикличная функция, над которой три миллиона процессоров бьются уже шестнадцать часов?

Он постоял в нерешительности, раздумывая, не следует ли поставить в известность начальника лаборатории безопасности. *Да будь они прокляты, эти криптографы. Ничего не понимают в системах безопасности!*

Присяга, которую Чатрукьян принимал, поступая на службу в АНБ, стала непроизвольно прокручиваться в его голове. Он поклялся применять все свои знания, весь опыт, всю интуицию для защиты компьютеров агентства, стоивших не один миллион долларов.

— Интуиция? — с вызовом проговорил он. *Не нужно интуиции, чтобы понять: никакая это не диагностика!*

Он решительно подошел к терминалу и запустил весь набор программ системных оценок «ТРАНСТЕКСТА».

— Твое сокровище в беде, коммандер, — пробормотал он. — Не веришь моей интуиции? Так я тебе докажу!

ГЛАВА 20

Городская больница располагалась в здании бывшей начальной школы и нисколько не была похожа на больницу. Длинное одноэтажное здание с огромными окнами и ветхое крыло, прилепившееся сзади. Беккер поднялся по растрескавшимся ступенькам.

Внутри было темно и шумно. Приемный покой представлял собой бесконечный узкий коридор с выстроившимися в ряд во всю его длину складными стульями. Установленная на треноге картонная табличка с надписью OFICINA стрелкой указывала направление.

Беккер двинулся по едва освещенному коридору. Все здесь напоминало зловещую декорацию к голливудскому фильму ужасов. В воздухе стоял тяжелый запах мочи. Лампочки в конце коридора не горели, и на протяжении последних двадцати метров можно было различать только смутные силуэты. Женщина с кровотечением... плачущая молодая пара... молящаяся маленькая девочка. Наконец Беккер дошел до конца темного коридора и толкнул чуть приоткрытую дверь слева. Комната была пуста, если не считать старой изможденной женщины на койке, пытавшейся подсунуть под себя судно.

«Хорошенькое зрелище, — подумал Беккер. — Где, черт возьми, регистратура?»

За едва заметным изгибом коридора Беккер услышал голоса. Он пошел на звук и уткнулся в стеклянную дверь, за которой, судя по доносящемуся оттуда шуму и гвалту, происходило нечто вроде драки. Преодолев отвращение, Беккер открыл дверь. Регистратура. Бедлам. Так он и думал.

Очередь из десяти человек, толкотня и крик. Испания не славится эффективностью бюрократического аппарата, и Беккер понял, что ему придется простоять здесь всю ночь, чтобы получить информацию о канадце. За конторкой сидела только одна секретарша, норовившая избавиться от назойливых пациентов. Беккер застыл в дверях, не зная, как поступить. Необходимо было срочно что-то придумать.

— Con permiso! — крикнул санитар. Мимо стремительно проплыла каталка.

Беккер успел отскочить в сторону и окликнул санитара.

— Dónde está el teléfono?

Не снижая скорости, мужчина указал Беккеру на двустворчатую дверь и скрылся за поворотом. Беккер последовал в указанном направлении.

Он очутился в огромной комнате — бывшем гимнастическом зале. Бледно-зеленый пол мерцал в сиянии ламп дневного света, то попадая в фокус, то как бы проваливаясь. Лампы зловеще гудели. На стене криво висело баскетбольное кольцо. Пол был уставлен десятками больничных коек. В дальнем углу, прямо под табло, которое когда-то показывало счет проходивших здесь матчей, он увидел слегка покосившуюся телефонную будку. Дай Бог, чтобы телефон работал, мысленно взмолился Беккер.

Двигаясь к будке, он нащупывал в кармане деньги. Нашлось 75 песет никелевыми монетками, сдача от поездки в такси, — достаточно для двух местных звонков. Он вежливо улыбнулся озабоченной медсестре и вошел в будку. Сняв трубку, набрал номер справочной службы и через тридцать секунд получил номер главного офиса больницы.

В какой бы стране вы ни находились, во всех учреждениях действует одно и то же правило: никто долго не выдерживает звонка телефонного аппарата. Не важно, сколько посетителей стоят в очереди, — секретарь всегда бросит все дела и поспешит поднять трубку.

Беккер отбил шестизначный номер. Еще пара секунд, и его соединили с больничным офисом. Наверняка сегодня к ним поступил только один канадец со сломанным запястьем и сотрясением мозга, и его карточку нетрудно будет найти. Беккер понимал, что в больнице не захотят назвать имя и адрес больного незнакомому человеку, но он хорошо подготовился к разговору.

В трубке раздались длинные гудки. Беккер решил, что трубку поднимут на пятый гудок, однако ее подняли на девятнадцатый.

— Городская больница, — буркнула зачумленная секретарша.

Беккер заговорил по-испански с сильным франко-американским акцентом:

— Меня зовут Дэвид Беккер. Я из канадского посольства. Наш гражданин был сегодня доставлен в вашу больницу. Я хотел бы получить информацию о нем, с тем чтобы посольство могло оплатить его лечение.

— Прекрасно, — прозвучал женский голос. — Я пошлю эту информацию в посольство в понедельник прямо с утра.

— Мне очень важно получить ее именно сейчас.

— Это невозможно, — раздраженно ответила женщина. — Мы очень заняты.

Беккер старался говорить как можно официальнее:

— Дело весьма срочное. Этот человек сломал запястье, у него травма головы. Он был принят сегодня утром. Его карточка должна лежать где-то сверху.

Беккер еще больше усилил акцент, но так, чтобы собеседница могла понять, что ему нужно, и говорил слегка сбивчиво, подчеркивая свою крайнюю озабоченность. Люди часто нарушают правила, когда сталкиваются с подобной настойчивостью.

Но вместо того чтобы нарушить правила, женщина выругала самоуверенного североамериканца и отсоединилась.

Расстроенный, Беккер повесил трубку. Провал. Мысль о том, что придется отстоять в очереди несколько часов, была невыносима. Время идет, старик канадец может куда-нибудь исчезнуть. Вполне вероятно, он решит поскорее вернуться в Канаду. Или надумает продать кольцо. Беккер не мог ждать. Он решительно поднял трубку, снова набрал номер и прислонился к стене. Послышались гудки. Беккер разглядывал зал. Один гудок... два... три...

Внезапно он увидел нечто, заставившее его бросить трубку. Беккер повернулся и еще раз оглядел больничную палату. В ней царила полная тишина. Прямо перед ним, откинувшись на груду старых подушек, лежал пожилой человек с ярко-белой гипсовой повязкой на правом запястье.

ГЛАВА 21

Голос американца, звонившего Нуматаке по прямой линии, казался взволнованным:

— Мистер Нуматака, в моем распоряжении не больше минуты.

— Хорошо. Полагаю, вы получили обе копии ключа?

— Вышла небольшая заминка, — сказал американец.

— Это невозможно! — рявкнул Нуматака. — Вы обещали, что они будут у меня сегодня до конца дня!

— Произошло нечто непредвиденное.

— Танкадо мертв?

— Да, — сказал голос. — Мой человек ликвидировал его, но не получил ключ. За секунду до смерти Танкадо успел отдать его какому-то туристу.

— Это возмутительно! — взорвался Нуматака. — Каким же образом вы выполните обещание об эксклюзивном...

— Не волнуйтесь, — спокойно ответил американец. — Эксклюзивные права у вас будут. Это я гарантирую. Как только найдется недостающая копия ключа, «Цифровая крепость» — ваша.

— Но с ключа могут снять копию!

— Каждый, кто к нему прикоснется, будет уничтожен.

Повисла тишина. Наконец Нуматака спросил:

— Где ключ сейчас?

— Вам нужно знать только одно: он будет найден.

— Откуда такая уверенность?

— Не я один его ищу. Американская разведка тоже идет по следу. Они, вполне естественно, хотят предотвратить распространение «Цифровой крепости», поэтому послали на поиски ключа человека по имени Дэвид Беккер.

— Откуда вам это известно?

— Это не имеет отношения к делу.

Нуматака выдержал паузу.

— А если мистер Беккер найдет ключ?

— Мой человек отнимет его.

— И что дальше?

— Какое вам дело? — холодно произнес американец. — Когда мистер Беккер найдет ключ, он будет вознагражден сполна.

ГЛАВА 22

Дэвид Беккер быстро подошел к койке и посмотрел на спящего старика. Правое запястье в гипсе. На вид за шестьдесят, может быть, около семидесяти. Белоснежные волосы аккуратно зачесаны набок, в центре лба темно-красный рубец, тянущийся к правому глазу.

«Ничего себе маленькая шишка», — подумал Беккер, вспомнив слова лейтенанта. Посмотрел на пальцы старика — никакого золотого кольца. Тогда он дотронулся до его руки.

— Сэр? — Беккер легонько потормошил спящего. — Простите, сэр...

Человек не шевельнулся.

Беккер предпринял очередную попытку:

— Сэр?

Старик заворочался.

— Qu'est-ce... quelle heure est... — Он медленно открыл глаза, посмотрел на Беккера и скорчил гримасу, недовольный тем, что его потревожили. — Qu'est-ce-que vous voulez?

Ясно, подумал Беккер с улыбкой. Канадский француз!

— Пожалуйста, уделите мне одну минуту.

Беккер отлично говорил по-французски, тем не менее обратился к этому человеку на языке, который тот, как он надеялся, должен был знать хуже. Убедить абсолютно незнакомого человека отдать вам золотое кольцо скорее всего будет весьма непросто, поэтому Беккер хотел заручиться хотя бы одним преимуществом.

Пока старик собирался с мыслями, Беккер не произнес ни слова. Тот огляделся вокруг, указательным пальцем разгладил усы и наконец заговорил:

— Что вам нужно? — Он произносил английские слова немного в нос.

— Сэр, — начал Беккер чуть громче, словно обращаясь к глуховатому человеку, — я хотел бы задать вам несколько вопросов.

Старик посмотрел на него с явным недоумением.

— У вас какие-то проблемы?

Беккер чуть нахмурился: старик говорил по-английски безукоризненно. Он поспешил избавиться от покровительственного тона.

— Извините, что я вас побеспокоил, но скажите: вы, случайно, не были сегодня на площади Испании?

Глаза старика сузились.

— Вы из муниципалитета?

— Нет, вообще-то я...

— Из туристического бюро?

— Нет, я...

— Слушайте, я знаю, зачем вы пришли! — Старик попытался сесть в кровати. — Меня не удастся запугать! Я уже говорил это и могу повторить тысячу раз — Пьер Клушар описывает мир таким, каким его видит. Некоторые ваши туристические путеводители старательно скрывают правду, обещая бесплатный ночлег в городе, но «Монреаль таймс» не продается! Ни за какие деньги!

— Простите, сэр, вы, кажется, меня не...

— Merde alors! Я отлично все понял! — Он уставил на Беккера костлявый указательный палец, и его голос загремел на всю палату. — Вы не первый. Они уже пытались сделать то же самое в «Мулен Руж», в отеле «Браунс пэлис» и в «Голфиньо» в Лагосе! Но что попало на газетную полосу? Правда! Самый гнусный Веллингтон из всех, что мне доводилось пробовать! Самая грязная ванна, какую мне доводилось видеть! И самый мерзкий пляж, покрытый острыми камнями! Этого и ждут от меня читатели!

Больные на соседних койках начали приподниматься, чтобы разглядеть, что происходит. Беккер нервно посматривал на медсестру. Пожалуй, дело кончится тем, что его выставят на улицу.

Клушар продолжал бушевать:

— И этот полицейский из вашего города тоже хорош! Заставил меня сесть на мотоцикл! Смотрите сюда! — Он попытался поднять левую руку. — Кто теперь напишет материал для моей колонки?

— Сэр, я...

— За все сорок три года путешествий я никогда еще не оказывался в таком положении! Вы только посмотрите на эту палату! Мою колонку перепечатывают издания по всему миру!

— Сэр! — Беккер поднял обе руки, точно признавая свое поражение. — Меня не интересует ваша колонка. Я из канадского консульства. Я пришел, чтобы убедиться, что с вами все в порядке!

Внезапно в гимнастическом зале, превращенном в больничную палату, повисла тишина. Старик внимательно разглядывал подозрительного посетителя.

Беккер перешел чуть ли не на шепот:

— Я здесь, чтобы узнать, не нужно ли вам чего-нибудь. — *Скажем, принести пару таблеток валиума.*

Наконец канадец опомнился.

— Из консульства? — Его тон заметно смягчился.

Беккер кивнул.

— Так, значит, вы не по поводу моей колонки?

— Нет, сэр.

Казалось, старик испытал сильнейшее разочарование. Он медленно откинулся на гору подушек. Лицо его было несчастным.

— Я думал, вы из городского... хотите заставить меня... — Он замолчал и как-то странно посмотрел на Беккера. — Если не по поводу колонки, то зачем вы пришли?

Хороший вопрос, подумал Беккер, рисуя в воображении горы Смоки-Маунтинс.

— Просто неформальная дипломатическая любезность, — солгал он.

— Дипломатическая любезность? — изумился старик.

— Да, сэр. Уверен, что человеку вашего положения хорошо известно, что канадское правительство делает все для защиты соотечественников от неприятностей, которые случаются с ними в этих... э-э... скажем так, не самых передовых странах.

Тонкие губы Клушара изогнулись в понимающей улыбке.

— Да, да, конечно... очень приятно.

— Так вы гражданин Канады?

— Разумеется. Как глупо с моей стороны. Прошу меня извинить. К человеку в моем положении часто приходят с... ну, вы понимаете.

— Да, мистер Клушар, конечно, понимаю. Это цена, которую приходится платить за известность.

— Действительно. — Клушар вздохнул с видом мученика, вынужденного терпеть всякий сброд. — Вы когда-нибудь видели что-либо более ужасное, чем это место? — Он обвел глазами палату. — Не больница, а помойка. И они еще решили оставить меня здесь на ночь.

Беккер огляделся:

— Понимаю. Это ужасно. Простите, что я так долго до вас добирался.

— Мне даже не сказали, что вы придете.

Беккер поспешил переменить тему:

— У вас на голове огромная шишка. Больно?

— Да нет вообще-то. Я грохнулся на землю — такова цена, которую приходится платить добрым самаритянам. Вот запястье в самом деле болит. Болван этот полицейский. Ну только ко подумайте! Усадить человека моих лет на мотоцикл! Просто позор.

— Могу я для вас что-нибудь сделать?

Клушар задумался, польщенный оказанным вниманием.

— Если честно... — Он вытянул шею и подвигал головой влево и вправо. — Мне не помешала бы еще одна подушка, если вас это не затруднит.

— Нисколько. — Беккер взял подушку с соседней койки и помог Клушару устроиться поудобнее. Старик умиротворенно вздохнул.

— Так гораздо лучше... спасибо вам.

— Pas du tout, — отозвался Беккер.

— О! — Старик радостно улыбнулся. — Так вы говорите на языке цивилизованного мира.

— Да вроде бы, — смущенно проговорил Беккер.

— Это не так важно, — горделиво заявил Клушар. — Мою колонку перепечатывают в Соединенных Штатах, у меня отличный английский.

— Мне говорили, — улыбнулся Беккер. Он присел на край койки. — Теперь, мистер Клушар, позвольте спросить, почему такой человек, как вы, оказался в таком месте? В Севилье есть больницы получше.

— Этот полицейский... — Клушар рассердился. — Он уронил меня с мотоцикла, бросил на улице, залитого кровью, как зарезанную свинью. Я еле добрел сюда.

— Он не предложил вам больницы поприличнее?

— На этой его чертовой тарантайке? Нет уж, увольте!

— Что же случилось утром?

— Я все рассказал лейтенанту.

— Я с ним говорил, но...

— Надеюсь, вы отчитали его как следует! — воскликнул Клушар.

Беккер кивнул:

— Самым решительным образом. Консульство этого так не оставит.

— Надеюсь.

— Месье Клушар. — Беккер улыбнулся и достал из кармана пиджака ручку. — Я хотел бы составить официальную жалобу городским властям. Вы мне поможете? Человек вашей репутации — ценнейший свидетель.

Клушару эта идея понравилась. Он сел в кровати.

— Ну да, конечно... С удовольствием.

Беккер достал блокнот.

— Итак, начнем с утра. Расскажите мне, что произошло.

Старик вздохнул.

— Очень печальная история. Одному несчастному азиату стало плохо. Я попробовал оказать ему помощь, но все было бесполезно.

— Вы делали ему искусственное дыхание?

На лице старика появилось виноватое выражение.

— Увы, я не знаю, как это делается. Я вызвал «скорую».

Беккер вспомнил синеватый шрам на груди Танкадо.

— Быть может, искусственное дыхание делали санитары?

— Да нет, конечно! — Клушар почему-то улыбнулся. — Какой смысл хлестать мертвую кобылу? Парень был уже мертв, когда прибыла «скорая». Они пощупали пульс и увезли его, оставив меня один на один с этим идиотом-полицейским.

«Странно, — подумал Беккер, — интересно, откуда же взялся шрам?» Но он тут же выбросил эту мысль из головы и перешел к главному.

— А что с кольцом? — спросил он как можно более безразличным тоном.

— Лейтенант рассказал вам про кольцо? — удивился Клушар.

— Рассказал.

— Что вы говорите! — Старик был искренне изумлен. — Я не думал, что он мне поверил. Он был так груб — словно заранее решил, что я лгу. Но я рассказал все, как было. Точность — мое правило.

— И где же это кольцо? — гнул свое Беккер.

Клушар, похоже, не расслышал. Глаза его отсутствующе смотрели в пространство.

— Странное дело, ей-богу, все эти буквы — ни на один язык не похоже.

— Может быть, японский? — предположил Беккер.

— Определенно нет.

— Так вы успели его рассмотреть?

— Господи, конечно! Когда я опустился на колени, чтобы помочь ему, этот человек стал совать мне пальцы прямо в лицо. Он хотел отдать кольцо. Какие же страшные были у него руки!

— Вот тут-то вы и рассмотрели его кольцо?

Глаза Клушара расширились.

— Так полицейский сказал вам, что это *я* взял кольцо?

Беккер смущенно подвинулся.

Клушар вдруг разбушевался.

— Я знал, что он меня не слушает! Вот так и рождаются слухи. Я сказал ему, что японец отдал свое кольцо — но не *мне*! Да я бы ничего и не взял у умирающего! О небо! Только подумайте!

Беккер встревожился:

— Так кольца у вас нет?

— Боже мой, конечно, нет!

Беккер ощутил тупую боль в желудке.

— У кого же оно?

В глазах Клушара вспыхнуло возмущение.

— У немца! Его взял немец!

Дэвид почувствовал, как пол уходит у него из-под ног.

— Немец? Какой немец?

— Тот, что был в парке! Я рассказал о нем полицейскому! Я отказался взять кольцо, а эта фашистская свинья его схватила!

Беккер убрал блокнот и ручку. Игра в шарады закончилась. Дело принимает совсем дурной оборот.

— Итак, кольцо взял немец?

— Верно.

— Куда он делся?

— Понятия не имею. Я побежал позвонить в полицию. Когда я вернулся, немца уже не было.

— Вы не знаете, кто он такой?

— Какой-то турист.

— Вы уверены?

— Туризм — моя профессия! — отрезал Клушар. — Я их сразу узнаю. Он гулял в парке с подружкой.

Беккер понял, что с каждой минутой дело все больше запутывается.

— С подружкой? Немец был не один?

Клушар кивнул:

— Со спутницей. Роскошной рыжеволосой девицей. Мой Бог! Это была настоящая красотка!

— Спутница? — бессмысленно повторил Беккер. — Проститутка, что ли?

Клушар поморщился:

— Вот именно. Если вам угодно использовать это вульгарное слово.

— Но... офицер ничего не сказал о...

— Разумеется, нет! Я не сказал ему про спутницу. — Взмахом руки Клушар величественно отверг вопрос Беккера. — Они не преступницы — глупо было бы искать их, как обычных жуликов.

Беккер все еще не мог прийти в себя от всего, что услышал.

— Может, там был кто-нибудь еще?

— Нет. Только мы трое. Было ужасно жарко.

— И вы уверены, что эта женщина — проститутка?

— Абсолютно. Такая красивая женщина пошла бы с этим типом, только если бы ей хорошо заплатили! Боже мой! Такой жирный! Крикливый, тучный, мерзкий немец! — Клушар заморгал, стараясь переменить положение, и, не обращая внимания на боль, продолжал: — Ну чистая скотина, килограмм сто двадцать, не меньше. Он вцепился в эту красотку так, словно боялся, что она сбежит, — и я бы ее отлично понял. Ей-ей! Обхватил ее своими ручищами! Да еще хвастался, что снял ее на весь уик-энд за три сотни долларов! Это он должен был упасть замертво, а не бедолага азиат. — Клушар глотал ртом воздух, и Беккер начал волноваться.

— Не знаете, как его зовут?

Клушар на мгновение задумался и покачал головой:

— Понятия не имею. — Он поморщился от боли и откинулся на подушки.

Беккер вздохнул. Кольцо словно исчезло у него из-под носа. Это совсем не обрадует коммандера Стратмора.

Клушар приложил руку ко лбу. Очевидно, волнение отняло у него все силы. Его лицо залила мертвенная бледность.

Беккер предпринял последнюю попытку:

— Мистер Клушар, я хотел бы получить показания этого немца и его спутницы. Вы не скажете, где они могли остановиться?

Клушар закрыл глаза, силы покинули его. Он едва дышал.

— Хоть что-нибудь, — настаивал Беккер. — Может, вы знаете имя этой женщины?

Клушар некоторое время молчал, потом потер правый висок. Он был очень бледен.

— Н-нет... Не думаю... — Голос его дрожал.

Беккер склонился над ним.

— Вам плохо?

Клушар едва заметно кивнул:

— Просто... я переволновался, наверное. — И замолчал.

— Подумайте, мистер Клушар, — тихо, но настойчиво сказал Беккер. — Это очень важно.

Клушар заморгал.

— Я не знаю... эта женщина... он называл ее... — Он прикрыл глаза и застонал.

— Как?

— Не могу вспомнить... — Клушар явно терял последние силы.

— Подумайте, — продолжал настаивать Беккер. — Очень важно, чтобы досье консульства было как можно более полным. Мне нужно подтвердить ваш рассказ заявлениями других свидетелей. Необходима любая информация, которая поможет мне их разыскать.

Но Клушар не слушал. Он вытирал лоб простыней.

— Простите... может быть, завтра... — Его явно мутило.

— Мистер Клушар, очень важно, чтобы вы вспомнили это сейчас. — Внезапно Беккер понял, что говорит чересчур громко. Люди на соседних койках приподнялись и внимательно наблюдали за происходящим. В дальнем конце палаты появилась медсестра и быстро направилась к ним.

— Хоть что-нибудь, — настаивал Беккер.

— Немец называл эту женщину...

Беккер слегка потряс Клушара за плечи, стараясь не дать ему провалиться в забытье. Глаза канадца на мгновение блеснули.

— Ее зовут...

Не отключайся, дружище...

— Роса... — Глаза Клушара снова закрылись. Приближающаяся медсестра прямо-таки кипела от возмущения.

— Роса? — Беккер сжал руку Клушара.

Старик застонал.

— Он называл ее... — Речь его стала невнятной и едва слышной.

Медсестра была уже совсем близко и что-то кричала Беккеру по-испански, но он ничего не слышал. Его глаза не отрывались от губ Клушара. Он еще раз сжал его руку, но тут наконец подбежала медсестра.

Она вцепилась Беккеру в плечо, заставив его подняться — как раз в тот момент, когда губы старика шевельнулись. Единственное сорвавшееся с них слово фактически не было произнесено. Оно напоминало беззвучный выдох — далекое чувственное воспоминание.

— Капля Росы...

Крик медсестры гнал его прочь.

Капля Росы? Беккер задумался. *Что это за имя такое — Капля Росы?* Он в последний раз взглянул на Клушара.

— Капля Росы? Вы уверены?

Но Пьер Клушар провалился в глубокое забытье.

ГЛАВА 23

Сьюзан, сидя в одиночестве в уютном помещении Третьего узла, пила травяной чай с лимоном и ждала результатов запуска «Следопыта».

Как старшему криптографу ей полагался терминал с самым лучшим обзором. Он был установлен на задней стороне компьютерного кольца и обращен в сторону шифровалки. Со своего места Сьюзан могла видеть всю комнату, а также сквозь стекло одностороннего обзора «ТРАНСТЕКСТ», возвышавшийся в самом центре шифровалки.

Сьюзан посмотрела на часы. Она ждет уже целый час. Очевидно, «Анонимная рассылка Америки» не слишком торопится пересылать почту Северной Дакоты. Сьюзан тяжело вздохнула. Несмотря на все попытки забыть утренний разговор с Дэвидом, он никак не выходил у нее из головы. Она понимала, что говорила с ним слишком сурово, и молила Бога, чтобы в Испании у него все прошло хорошо.

Мысли Сьюзан прервал громкий звук открываемой стеклянной двери. Она оглянулась и застонала. У входа стоял криптограф Грег Хейл.

Это был высокий мужчина крепкого сложения с густыми светлыми волосами и глубокой ямкой на подбородке. Он отличался громким голосом и безвкусно-крикливой манерой одеваться. Коллеги-криптографы прозвали его Галит — таково научное название каменной соли. Хейл же был уверен, что галит — некий драгоценный камень, поэтому считал, что это прозвище вполне соответствует его выдающимся умственным способностям и прекрасному телосложению. Будь он менее самонадеян, он, конечно же, заглянул бы в энциклопедию и обнаружил, что это не что иное, как солевой осадок, оставшийся после высыхания древних морей.

Как и все криптографы АНБ, Хейл зарабатывал огромные деньги, однако вовсе не стремился держать этот факт при себе. Он ездил на белом «лотосе» с люком на крыше и звуковой системой с мощными динамиками. Кроме того, он был фанатом всевозможных прибамбасов, и его автомобиль стал своего рода витриной: он установил в нем компьютерную систему глобального позиционирования, замки, приводящиеся в действие голосом, пятиконечный подавитель радаров и сотовый телефон/факс, благодаря которому всегда мог принимать сообщения на автоответчик. На номерном знаке авто была надпись МЕГАБАЙТ в обрамлении сиреневой неоновой трубки.

Ранняя юность Грега Хейла не была омрачена криминальными историями, поскольку он провел ее в Корпусе морской пехоты США, где и познакомился с компьютером. Он стал лучшим программистом корпуса, и перед ним замаячила перспектива отличной военной карьеры. Но за два дня до окончания третьего боевого дежурства в его будущем произошел резкий зигзаг. В пьяной драке Хейл случайно убил сослуживца. Корейское искусство самозащиты, тхеквондо, оказалось в большей мере смертоносным, нежели оборонительным. Военной службе пришел конец.

Отсидев некоторое время в тюрьме, Хейл занялся поисками места программиста в частных компаниях. Он не скрывал от нанимателей того, что случилось с ним во время службы в морской пехоте, и стремился завоевать их расположение, предлагая работать без оплаты в течение месяца, чтобы они узнали ему цену. В желающих принять его на работу не было недостатка, а увидав, что он может творить на компьютере, они уже не хотели его отпускать.

Профессионализм Хейла достиг высокого уровня, и у него появились знакомые среди интернет-пользователей по всему миру. Он был представителем новой породы киберпсихов и общался с такими же ненормальными в других странах, посещая непристойные сайты и просиживая в европейских чатах. Его дважды увольняли за использование счета фирмы для рассылки порнографических снимков своим дружкам.

— Что ты здесь делаешь? — спросил Хейл, остановившись в дверях и с недоумением глядя на Сьюзан. Скорее всего он надеялся, что никого не застанет в Третьем узле.

Сьюзан постаралась сохранить спокойствие.

— Сегодня суббота, Грег. Могу задать тебе точно такой же вопрос.

Однако она отлично знала, чем занимался Хейл. Он был законченным компьютерным маньяком. Вопреки правилам он часто проникал в шифровалку в уик-энд, чтобы на мощнейших компьютерах погонять программу, над которой работал.

— Вот хочу попробовать сделать кое-какую перенастройку да проверить электронную почту, — сказал Хейл. Он смотрел на нее с нескрываемым любопытством. — Что ты сказала? Чем ты занята?

— Я ничего не говорила, — ответила Сьюзан.

Хейл удивленно поднял брови.

— Ах какие мы скрытные. А ведь у нас в Третьем узле нет друг от друга секретов. Один за всех и все за одного.

Сьюзан отпила глоток чая и промолчала. Хейл пожал плечами и направился к буфету. Буфет всегда был его первой остановкой. Попутно он бросил жадный взгляд на ноги Сьюзан, которые та вытянула под рабочим столом, и тяжело вздохнул. Сьюзан, не поднимая глаз, поджала ноги и продолжала следить за монитором. Хейл хмыкнул.

Сьюзан уже привыкла к агрессивному поведению Хейла. Его любимым развлечением было подключаться к ее компьютеру, якобы для того, чтобы проверить совместимость оборудования. Сьюзан это выводило из себя, однако она была слишком самолюбива, чтобы пожаловаться на него Стратмору. Проще было его игнорировать.

Хейл подошел к буфету, с грохотом открыл решетчатую дверцу, достал из холодильника пластиковую упаковку тофу, соевого творога, и сунул в рот несколько кусочков белой студенистой массы. Затем облокотился о плиту, поправил широкие серые брюки и крахмальную рубашку.

— И долго ты собираешься здесь сидеть?

— Всю ночь, — безучастно ответила Сьюзан.

— Хм-м... — пробурчал Хейл с набитым ртом. — Милая ночка вдвоем в Детском манеже.

— Втроем, — поправила Сьюзан. — Коммандер Стратмор у себя. Советую исчезнуть, пока он тебя не засек.

Хейл пожал плечами:

— Зато он не имеет ничего против *твоего* присутствия. Тебе он всегда рад.

Сьюзан заставила себя промолчать.

Хейл хмыкнул себе под нос и убрал упаковку тофу. Затем взял бутылку оливкового масла и прямо из горлышка отпил несколько глотков. Он считал себя большим знатоком всего, что способствовало укреплению здоровья, и утверждал, что оливковое масло очищает кишечник. Он вечно навязывал что-то коллегам, например морковный сок, и убеждал их, что нет ничего важнее безукоризненного состояния кишечника.

Хейл поставил масло на место и направился к своему компьютеру, располагавшемуся прямо напротив рабочего места Сьюзан. Даже за широким кольцом терминалов она почувствовала резкий запах одеколона и поморщилась.

— Замечательный одеколон, Грег. Вылил целую бутылку?

Хейл включил свой компьютер.

— Специально для тебя, дорогая.

Он стал ждать, когда его компьютер разогреется, и Сьюзан занервничала. Что, если Хейл захочет взглянуть на включенный монитор «ТРАНСТЕКСТА»? Вообще-то ему это ни к чему, но Сьюзан знала, что его не удовлетворит скороспелая ложь о диагностической программе, над которой машина бьется уже шестнадцать часов. Хейл потребует, чтобы ему сказали правду. Но именно правду она не имела ни малейшего намерения ему открывать. Она не доверяла Грегу Хейлу. Он был из другого теста — не их фирменной закваски. Она с самого начала возражала против его кандидатуры, но АНБ посчитало, что другого выхода нет. Хейл появился в порядке возмещения ущерба.

После фиаско «Попрыгунчика».

Четыре года назад конгресс, стремясь создать новый стандарт шифрования, поручил лучшим математикам страны, иными словами — сотрудникам АНБ, написать новый супералгоритм. Конгресс собирался принять закон, объявляющий этот новый алгоритм национальным стандартом, что должно было решить проблему несовместимости, с которой сталкивались корпорации, использующие разные алгоритмы.

Конечно, просить АНБ приложить руку к совершенствованию системы общего пользования — это все равно что предложить приговоренному к смертной казни самому сколотить себе гроб. «ТРАНСТЕКСТ» тогда еще не был создан, и принятие стандарта лишь облегчило бы процесс шифрования и значительно затруднило АНБ выполнение его и без того нелегкой задачи.

Фонд электронных границ сразу увидел в этом конфликт интересов и всячески пытался доказать, что АНБ намеренно создаст несовершенный алгоритм — такой, какой ему будет нетрудно взломать. Чтобы развеять эти опасения, конгресс объявил, что, когда алгоритм будет создан, его передадут для ознакомления лучшим математикам мира, которые должны будут оценить его качество.

Команда криптографов АНБ под руководством Стратмора без особого энтузиазма создала алгоритм, который окрестила «Попрыгунчиком», и представила его в конгресс для одобрения. Зарубежные ученые-математики проверили «Попрыгунчика» и единодушно подтвердили его высокое качество. Они заявляли, что это сильный, чистый алгоритм, который может стать отличным стандартом шифрования. Но за три дня до голосования в конгрессе, который наверняка бы дал «добро» новому стандарту, молодой программист из лаборатории «Белл» по имени Грег Хейл потряс мир, заявив, что нашел «черный ход», глубоко запрятанный в этом алгоритме.

«Черный ход» представлял собой несколько строк хитроумной программы, которые вставил в алгоритм коммандер

Стратмор. Они были вмонтированы так хитро, что никто, кроме Грега Хейла, их не заметил, и практически означали, что любой код, созданный с помощью Попрыгунчика, может быть взломан секретным паролем, известным только АНБ. Стратмору едва не удалось сделать предлагаемый стандарт шифрования величайшим достижением АНБ: если бы он был принят, у агентства появился бы ключ для взлома любого шифра в Америке.

Люди, знающие толк в компьютерах, пришли в неистовство. Фонд электронных границ, воспользовавшись вспыхнувшим скандалом, поносил конгресс за проявленную наивность и назвал АНБ величайшей угрозой свободному миру со времен Гитлера. Новый стандарт шифрования приказал долго жить.

Никому не показалось удивительным, что два дня спустя АНБ приняло Грега Хейла на работу. Стратмор решил, что лучше взять его к себе и заставить трудиться на благо АНБ, чем позволить противодействовать агентству извне.

Стратмор мужественно перенес разразившийся скандал, горячо защищая свои действия перед конгрессом. Он утверждал, что стремление граждан к неприкосновенности частной переписки обернется для Америки большими неприятностями. Он доказывал, что кто-то должен присматривать за обществом, что взлом шифров агентством — вынужденная необходимость, залог мира. Но общественные организации типа Фонда электронных границ считали иначе. И развязали против Стратмора непримиримую войну.

ГЛАВА 24

Дэвид Беккер стоял в телефонной будке на противоположной стороне улицы, прямо напротив городской больницы, откуда его только что выставили за причинение беспокойства пациенту под номером 104, месье Клушару.

Все внезапно осложнилось, пошло совсем не так, как он рассчитывал. Мелкая любезность, которую он оказал Стратмору, забрав личные вещи Танкадо, вылилась в поиски таинственного кольца, как в известной игре, где нужно находить спрятанные предметы.

Дэвид только что позвонил Стратмору и рассказал о немецком туристе. Новость не обрадовала коммандера. Выслушав подробности, он долго молчал.

«Дэвид, — сказал наконец Стратмор мрачным голосом, — обнаружение этого кольца — вопрос национальной безопасности. Я возлагаю эту задачу на вас. Не подведите меня». И положил трубку.

Дэвид, задержавшись в будке, тяжко вздохнул. Взял потрепанный справочник Guía Telefónica и начал листать желтые страницы.

— Ничего не выйдет, — пробормотал он.

В разделе «Служба сопровождения» в справочнике было только три строчки; впрочем, ничего иного все равно не оставалось. Беккер знал лишь, что немец был с рыжеволосой спутницей, а в Испании это само по себе большая редкость. Клушар вспомнил, что ее звали Капля Росы. Беккер скорчил гримасу: что это за имя? Скорее кличка коровы, чем имя красавицы. Разве так могут назвать католичку? Должно быть, Клушар ослышался.

Беккер набрал первый из трех номеров.

— Servicio Social de Sevilla, — прозвучал приятный женский голос.

Беккер постарался придать своему испанскому тяжелый немецкий акцент:

— Hola, hablas Aleman?

— Нет, но я говорю по-английски, — последовал ответ.

Беккер перешел на ломаный английский:

— Спасибо. Не могли бы вы мне помочь?

— О да, конечно, — медленно проговорила женщина, готовая прийти на помощь потенциальному клиенту. — Вам нужна сопровождающая?

— Да-да, именно. Сегодня мой брат Клаус нанял девушку, очень красивую. С рыжими волосами. Я тоже хочу. На завтрашний день, пожалуйста.

— Ваш брат Клаус приходил к нам? — Женщина вдруг оживилась, словно говорила со старым знакомым.

— Да. Он очень толстый. Вы его запомнили?

— Вы сказали, что он приходил сегодня?

Беккер услышал, как его собеседница листает книгу заказов. Там не окажется никакого Клауса, но Беккер понимал, что клиенты далеко не всегда указывают свои подлинные имена.

— Хм-м, извините, — произнесла женщина. — Не нахожу такого. Как, вы сказали, имя девушки, которую нанял ваш брат?

— Рыжеволосая, — сказал Беккер, уклоняясь от ответа.

— Рыжеволосая? — переспросила она. Пауза. — Это Servicio Social de Sevilla. Вы уверены, что ваш брат приходил именно к нам?

— Да-да, конечно.

— Сеньор, у нас нет рыжеволосых. У нас только настоящие андалузские красавицы.

— Рыжие волосы, — повторил Беккер, понимая, как глупо выглядит.

— Простите, у нас нет ни одной рыжеволосой, но если вы...

— Ее зовут Капля Росы, — сказал Беккер, отлично сознавая, что это звучит совсем уж абсурдно.

Это странное имя, по-видимому, не вызвало у женщины каких-либо ассоциаций. Она извинилась, предположила, что Беккер перепутал агентство, и, наконец, положила трубку.

Первая попытка закончилась неудачей.

Нахмурившись, Беккер набрал второй номер. И на другом конце сразу же сняли трубку.

— Buenas noches, Mujeres España. Чем могу служить?

Беккер держался той же версии: он — немецкий турист, готовый заплатить хорошие деньги за рыжеволосую, которую сегодня нанял его брат.

На этот раз ему очень вежливо ответили по-немецки, но снова сказали, что рыжих девочек у них нет.

— Keine Rotköpfe, простите. — Женщина положила трубку.

Вторая попытка также ни к чему не привела.

Беккер заглянул в телефонный справочник. Оставался последний номер. Конец веревочки.

Он набрал номер.

— Escortes Belén, — ответил мужчина.

И снова Беккер изложил свою проблему:

— Sí, sí, señor. Меня зовут сеньор Ролдан. Буду рад вам помочь. У нас две рыжеволосые. Обе хорошенькие.

Сердце Беккера подпрыгнуло.

— Очень хорошенькие? — повторил он с нарочитым немецким акцентом. — Рыженькие?

— Да, а как зовут вашего брата? Я скажу вам, кто его сегодня сопровождает, и мы сможем прислать ее к вам завтра.

— Клаус Шмидт, — выпалил Беккер имя из старого учебника немецкого.

Долгая пауза.

— Сэр... я не нахожу Клауса Шмидта в книге заказов, но, быть может, ваш брат хотел сохранить инкогнито, — наверное, дома его ждет жена? — Он непристойно захохотал.

— Да, Клаус женат. Но он очень толстый. Жена отказывает ему... ну, вы понимаете. — Беккер не мог поверить, что это говорит он сам. «Если бы Сьюзан слышала меня сейчас», — подумал он. — Я тоже толстый и одинокий. Я тоже хотел бы с ней покувыркаться. Заплачу кучу денег.

Хотя спектакль и показался достаточно убедительным, но Беккер зашел слишком далеко. Проституция в Испании запрещена, а сеньор Ролдан был человеком осторожным. Он уже не один раз обжигался, когда полицейские чиновники выдавали себя за похотливых туристов. *Я хотел бы с ней покувыркаться*. Ролдан сразу решил, что это подстава. Если он скажет «да», его подвергнут большому штрафу, да к тому же заставят предоставить одну из лучших сопровождающих полицейскому комиссару на весь уик-энд за здорово живешь.

Когда Ролдан заговорил, голос его звучал уже не так любезно, как прежде:

— Сэр, это Агентство услуг сопровождения «Белен». Могу я поинтересоваться, кто со мной говорит?

— А-а... Зигмунд Шмидт, — с трудом нашелся Беккер.

— Кто вам дал наш номер?

— La Guía Telefónica — желтые страницы.

— Да, сэр, мы внесены туда как агентство сопровождения.

— Да-да, я и ищу спутницу. — Беккер понял, что совершил какой-то промах.

— Да, наше агентство предоставляет сопровождающих бизнесменам для обедов и ужинов. Вот почему мы внесены в телефонный справочник. Мы занимаемся легальным бизнесом. А вы ищете проститутку. — Слово прозвучало как удар хлыста.

— Но мой брат...

— Сэр, если ваш брат целый день целовался в парке с девчонкой, то это значит, что она работает не в нашем агентстве. У нас очень строгие правила относительно контактов клиента и сопровождающего.

— Но...

— Вы спутали нас с кем-то другим. У нас всего две рыженькие, Иммакулада и Росио, и ни та ни другая не станут ни с кем спать за деньги. Потому что это проституция, а она в Испании строжайше запрещена. Доброй ночи, сэр.

— Но...

Послышался щелчок положенной на рычаг трубки.

Беккер беззвучно выругался и повесил трубку. Третья попытка провалилась. Он помнил, что сказал Клушар: немец нанял девушку на весь уик-энд.

Беккер вышел из телефонной будки на перекрестке калле Саладо и авениды Асунсьон. Несмотря на интенсивное движение, воздух был наполнен сладким ароматом севильских апельсиновых деревьев. Спустились сумерки — самое романтическое время суток. Он подумал о Сьюзан. Но тут же в голову пришли слова Стратмора: *Найдите кольцо.* Беккер в отчаянии плюхнулся на скамейку и задумался о том, что делать дальше.

Что же предпринять?

ГЛАВА 25

Городская больница закрылась для посетителей. Свет в бывшем гимнастическом зале выключили. Пьер Клушар спал глубоким сном и не видел склонившегося над ним человека. Игла похищенного у медсестры шприца блеснула в темноте и погрузилась в вену чуть выше запястья Клушара. Шприц был наполнен тридцатью кубиками моющего средства, взятого с тележки уборщицы. Сильный палец нажал на плунжер, вытолкнув синеватую жидкость в старческую вену.

Клушар проснулся лишь на несколько секунд. Он успел бы вскрикнуть от боли, если бы сильная рука не зажала ему рот. Старик не мог даже пошевелиться. Он почувствовал неимоверный жар, бегущий вверх по руке. Нестерпимая боль пронзила плечо, сдавила грудь и, подобно миллиону осколков, вонзилась в мозг. Клушар увидел яркую вспышку света... и черную бездну.

Человек ослабил нажим, еще раз взглянул на прикрепленную к спинке кровати табличку с именем больного и беззвучно выскользнул из палаты.

Оказавшись на улице, человек в очках в тонкой металлической оправе достал крошечный прибор, закрепленный на брючном ремне, — квадратную коробочку размером с кредитную карту. Это был опытный образец нового компьютера «Монокль», разработанного ВМС США для проверки напряжения аккумуляторов в труднодоступных отделениях подводных лодок — миниатюрный аппарат, совмещенный с сотовым модемом, последнее достижение микротехнологии. Его визуальный монитор — дисплей на жидких кристаллах — был вмонтирован в левую линзу очков. «Монокль» явился провозвестником новой эры персональных компьютеров: благодаря ему пользователь имел возможность просматривать поступающую информацию и одновременно контактировать с окружающим миром.

Кардинальное отличие «Монокля» заключалось не в его миниатюрном дисплее, а в системе ввода информации. Пользователь вводил информацию с помощью крошечных контактов, закрепленных на пальцах. Контакты соединялись в определенной последовательности, которую компьютер затем расшифровывал и переводил на нормальный английский.

Киллер щелкнул миниатюрным тумблером, и очки превратились в дисплей. Опустив руки, он незаметными быстрыми движениями соединял кончики пальцев. Перед его глазами появилось сообщение, которое он должен был отправить.

ТЕМА СООБЩЕНИЯ:
П. КЛУШАР — ЛИКВИДИРОВАН

Он улыбнулся. Часть задания заключалась в немедленном уведомлении. Но сообщать имена жертв... с точки зрения человека в очках в металлической оправе, это было признаком особой элегантности стиля. Его пальцы снова задвигались, приводя в действие сотовый модем, и перед глазами появилось:

СООБЩЕНИЕ ОТПРАВЛЕНО

ГЛАВА 26

Сидя на скамейке напротив городской больницы, Беккер думал о том, что делать дальше. Звонки в агентства услуг сопровождения ничего не дали. Коммандер, недовольный необходимостью говорить по линии, не защищенной от прослушивания, попросил Дэвида не звонить, пока кольцо не окажется в его руках. Он решил было обратиться в полицию — может быть, у них есть данные о рыжеволосых проститутках, — но Стратмор на этот счет выразился недвусмысленно: *Вы должны оставаться невидимым. Никто не должен знать о существовании кольца.*

Может быть, стоит побродить по Триане, кварталу развлечений, и поискать там эту рыжую девицу. Или же обойти все рестораны — вдруг этот тучный немец окажется там. Но и то и другое вряд ли к чему-то приведет.

В его мозгу все время прокручивались слова Стратмора: *Обнаружение этого кольца — вопрос национальной безопасности.*

Внутренний голос подсказывал Беккеру, что он что-то упустил — нечто очень важное, но он никак не мог сообразить, что именно. *Я преподаватель, а не тайный агент, черт возьми!* И тут же он понял, почему все-таки Стратмор не послал в Севилью профессионала.

Беккер встал и бесцельно побрел по калле Делисиас, раздумывая на ходу, что бы предпринять. Мощенный брусчаткой тротуар под ногами постепенно сливался в одну темную гладкую полосу. Быстро опускалась ночь.

Капля Росы.

Что-то в этом абсурдном имени тревожно сверлило его мозг. *Капля Росы.* Он слышал приятный голос сеньора Ролдана из агентства сопровождения «Белена». *У нас только две рыжеволосые... Две рыжеволосые, Иммакулада и Росио... Росио... Росио...*

Беккер остановился как вкопанный. *А еще считаюсь лингвистом!* Он не мог понять, как до него не дошло сразу.

Росио — одно из самых популярных женских имен в Испании. В нем заключено все, что ассоциируется с представлением о молодой католичке: чистота, невинность, природная красота. Чистота заключена в буквальном значении имени — *Капля Росы!*

В ушах зазвучал голос старого канадца. *Капля Росы.* Очевидно, она перевела свое имя на единственный язык, равно доступный ей и ее клиенту, — английский. Возбужденный, Беккер ускорил шаги в поисках телефона.

По другой стороне улицы, оставаясь невидимым, шел человек в очках в тонкой металлической оправе.

ГЛАВА 27

Тени в зале шифровалки начали удлиняться и терять четкость. Автоматическое освещение постепенно становилось ярче. Сьюзан по-прежнему молча сидела за компьютером, ожидая вестей от «Следопыта». Поиск занял больше времени, чем она рассчитывала.

Мысли ее мешались: она тосковала по Дэвиду и страстно желала, чтобы Грег Хейл отправился домой. Но Хейл сидел на месте и помалкивал, поглощенный своим занятием. Ей было безразлично, чем именно он занят, лишь бы не заинтересовался включенным «ТРАНСТЕКСТОМ». Пока этого, по-видимому, не случилось: цифра 16 в окне отсчета часов заставила бы его завопить от изумления.

Сьюзан допивала уже третью чашку чая, когда это наконец произошло: компьютер пискнул. Пульс ее участился. На мониторе появилось символическое изображение конверта — это значило, что пришло сообщение по электронной почте. Сьюзан бросила быстрый взгляд на Хейла, но тот был всецело поглощен своим компьютером. Затаив дыхание, Сьюзан дважды щелкнула по конверту.

— Северная Дакота, — прошептала она еле слышно. — Посмотрим, кто ты такой.

Сьюзан прочитала открывшееся сообщение, которое состояло из одной строчки, потом прочитала его еще раз.

ПООБЕДАЕМ У АЛЬФРЕДА? В 8 ВЕЧЕРА?

В другом конце комнаты Хейл еле слышно засмеялся. Сьюзан взглянула на адресную строку сообщения.

FROM: GHALE@CRYPTO.NSA.GOV

Гнев захлестнул ее, но она сдержалась и спокойно стерла сообщение.

— Очень умно, Грег.

— Там подают отличный карпаччо. — Хейл улыбнулся. — Что скажешь? А потом мы могли бы...

— Выкинь это из головы.

— Сколько в тебе снобизма. — Хейл вздохнул и повернулся к своему компьютеру.

В этом вся ее сущность. Блестящий криптограф — и давнишнее разочарование Хейла. Он часто представлял, как занимается с ней сексом: прижимает ее к овальной поверхности «ТРАНСТЕКСТА» и берет прямо там, на теплом кафеле черного пола. Но Сьюзан не желала иметь с ним никакого дела. И, что, на взгляд Хейла, было еще хуже, влюбилась в университетского профессора, который к тому же зарабатывал сущие гроши. Очень жаль, если она истратит свой превосходный генетический заряд, произведя потомство от этого выродка, — а ведь могла бы предпочесть его, Грега. «У нас были бы красивые дети», — подумал он.

— Чем ты занята? — спросил Хейл, пробуя иной подход.

Сьюзан ничего не ответила.

— Я вижу, ты выдающийся командный игрок. Может быть, можно взглянуть? — Он встал и начал обходить круг терминалов, двигаясь по направлению к ней.

Сьюзан понимала, что сегодня любопытство Хейла может привести к большим неприятностям, поэтому быстро приняла решение.

— Это диагностика, — сказала она, взяв на вооружение версию коммандера.

Хейл остановился:

— Диагностика? — В голосе его слышалось недоверие. — Ты тратишь на это субботу, вместо того чтобы развлекаться с профессором?

— Его зовут Дэвид.

— Какая разница?..

— Тебе больше нечем заняться? — Сьюзан метнула на него недовольный взгляд.

— Хочешь от меня избавиться? — надулся Хейл.

— Если честно — да.

— Не надо так, Сью. Ты меня оскорбляешь.

Глаза Сьюзан сузились. Она терпеть не могла, когда он называл ее Сью. Вообще-то она ничего не имела против этого имени, но Хейл был единственным, кто его использовал, и это было ей неприятно.

— Почему бы мне не помочь тебе? — предложил Хейл. Он подошел ближе. — Я опытный диагност. К тому же умираю от любопытства узнать, какая диагностика могла заставить Сьюзан Флетчер выйти на работу в субботний день.

Сьюзан почувствовала прилив адреналина и бросила взгляд на «Следопыта». Она понимала, что не может допустить, чтобы Хейл его увидел, — последует слишком много вопросов.

— Я хочу сохранить это в тайне, — сказала она.

Но Хейл продолжал приближаться. Когда он был уже почти рядом, Сьюзан поняла, что должна действовать. Хейл находился всего в метре от нее, когда она встала и преградила ему дорогу. Его массивная фигура буквально нависла над ней, запах одеколона ударил в ноздри.

— Я сказала «нет». — Она смотрела ему прямо в глаза.

Хейл наклонил голову набок, явно заинтригованный такой скрытностью. И, как бы желая обратить все в игру, сделал еще один шаг вперед. Но он не был готов к тому, что произошло в следующее мгновение.

Сохраняя ледяное спокойствие, Сьюзан ткнула указательным пальцем в твердокаменную грудь Хейла и заставила его остановиться.

Хейл в шоке отпрянул, поняв, что она не шутит: Сьюзан Флетчер *никогда еще* до него не дотрагивалась, даже руки не коснулась. Правда, это было не то прикосновение, какое он рисовал в воображении, представляя себе их первый физический контакт, но все же... Хейл долго с изумлением смотрел на нее, затем медленно повернулся и направился к своему терминалу. Одно ему было абсолютно ясно: распрекрасная Сьюзан Флетчер бьется над чем-то очень важным, и можно поклясться, что это никакая не диагностика.

ГЛАВА 28

Сеньор Ролдан восседал за своим столом в агентстве сопровождения «Белена», чрезвычайно довольный тем, как умело обошел глупую полицейскую ловушку. Немецкий акцент и просьба снять девушку на ночь — это же очевидная подстава. Интересно, что они еще придумают?

Телефон на столе громко зазвонил. Сеньор Ролдан поднял трубку с обычной для него самоуверенностью.

— Buenas noches, — произнес мужской голос на беглом испанском; звонивший выговаривал слова чуточку в нос, словно был немного простужен. — Это гостиница?

— Нет, сэр. Какой номер вы набираете? — Сеньор Ролдан не потерпит сегодня больше никаких трюков.

— 34-62-10, — ответили на другом конце провода.

Ролдан нахмурился. Голос показался ему отдаленно знакомым. Он попытался определить акцент — может быть, Бургос?

— Вы набрали правильно, — сказал он осторожно, — но это служба сопровождения.

Звонивший некоторое время молчал.

— О... понимаю. Прошу прощения. Кто-то записал его, и я подумал, что это гостиница. Я здесь проездом, из Бургоса. Прошу прощения за беспокойство, доброй вам но...

— Espére! Подождите! — Сеньор Ролдан был коммерсантом до мозга костей. А вдруг это клиент? Новый клиент с севера? Он не допустит, чтобы какие-то страхи лишили его потенциального клиента.

— Друг мой, — промурлыкал он в трубку. — Мне показалось, что я уловил в вашей речи бургосский акцент. Сам я из Валенсии. Что привело вас в Севилью?

— Я торговец ювелирными изделиями. Жемчугами из Майорки.

— Неужели из Майорки! Вы, должно быть, много путешествуете.

Голос болезненно кашлянул.

— Да. Немало.

— В Севилью — по делам? — настаивал Ролдан. Ясно, конечно, что это никакой не полицейский, это Клиент с большой буквы. — Дайте мне угадать: наш номер вам дал приятель? Сказал, чтобы вы обязательно нам позвонили. Я прав?

Сеньор Ролдан уловил некоторое замешательство на другом конце провода.

— Ну, на самом деле нет. Все было совсем не так.

— Да вы не стесняйтесь, сеньор. Мы служба сопровождения, нас нечего стесняться. Красивые девушки, спутницы для обеда и приемов и все такое прочее. Кто дал вам наш номер? Уверен, наш постоянный клиент. Мы можем обслужить вас по особому тарифу.

— Ну... вообще-то никто не давал мне ваш номер специально. — В голосе мужчины чувствовалось какая-то озабоченность. — Я нашел его в паспорте и хочу разыскать владельца.

Сердце Ролдана упало. Выходит, это не клиент.

— Вы хотите сказать, что нашли этот номер?

— Да, я сегодня нашел в парке чей-то паспорт. Ваш номер был записан на клочке бумаги и вложен в паспорт. Я было подумал, что это номер гостиницы, где тот человек остановился, и хотел отдать ему паспорт. Но вышла ошибка. Я, пожалуй, занесу его в полицейский участок по пути в...

— Perdón, — прервал его Ролдан, занервничав. — Я мог бы предложить вам более привлекательную идею. — Ролдан был человек осторожный, а визит в полицию мог превратить его клиентов в бывших клиентов. — Подумайте, — предложил он. — Раз у человека в паспорте был наш номер, то скорее всего он наш клиент. Поэтому я мог бы избавить вас от хлопот с полицией.

— Не знаю... — В голосе слышалась нерешительность. — Я бы только...

— Не надо спешить, друг мой. Мне стыдно это говорить, но полиция у нас в Севилье далеко не так эффективна, как на севере. Паспорт этому человеку вернут только через несколько дней. Если вы назовете мне его имя, я сделаю все, чтобы он получил свой паспорт немедленно.

— Да что вы... Мне кажется, что... — Зашелестели перелистываемые страницы. — Имя немецкое. Не знаю, как оно правильно произносится... Густа... Густафсон?

Ролдан слышал имя впервые, но у него были клиенты из самых разных уголков мира, и они никогда не пользовались настоящими именами.

— Как он выглядит — на фото? Быть может, я смогу его узнать.

— Ну... — произнес голос. — Он очень, очень полный.

Ролдан сразу понял. Он хорошо запомнил это обрюзгшее лицо. Человек, к которому он направил Росио. Странно, подумал он, что сегодня вечером уже второй человек интересуется этим немцем.

— Мистер Густафсон? — не удержался от смешка Ролдан. — Ну конечно! Я хорошо его знаю. Если вы принесете мне его паспорт, я позабочусь, чтобы он его получил.

— Видите ли, я в центре города, без машины, — ответил голос. — Может быть, вы могли бы подойти?

— Понимаете, я не могу отойти от телефона, — уклончиво отозвался Ролдан. — Но если вы в центре, то это совсем недалеко от нас.

— Извините, но для прогулок час слишком поздний. Тут рядом полицейский участок. Я занесу им, а вы, когда увидите мистера Густафсона, скажете ему, где его паспорт.

— Подождите! — закричал Ролдан. — Не надо впутывать сюда полицию. Вы говорите, что находитесь в центре, верно? Вы знаете отель «Альфонсо Тринадцатый»? Один из лучших в городе.

— Да, — произнес голос. — Я знаю эту гостиницу. Она совсем рядом.

— Вот и прекрасно! Мистер Густафсон остановился там. Наверное, он сейчас у себя.

— Понимаю. — В голосе звонившего по-прежнему чувствовалась нерешительность. — Ну, тогда... надеюсь, хлопот не будет.

— Отлично! Он обедает там сегодня с одной из наших сопровождающих. — Ролдан понимал, что сейчас они скорее всего лежат в постели, но ему не хотелось оскорблять чувства звонившего. — Оставьте паспорт у администратора, его зовут Мануэль. Скажите, что вы от меня. Попросите его передать паспорт Росио. Росио сопровождает мистера Густафсона сегодня вечером. Она непременно передаст ему паспорт. Можете оставить свое имя и адрес — наверняка мистер Густафсон захочет вас поблагодарить.

— Прекрасная мысль! «Альфонсо Тринадцатый». Очень хорошо, прямо сейчас туда загляну. Спасибо, что помогли мне.

Дэвид Беккер повесил трубку. «Альфонсо XIII»! Он усмехнулся. Просто надо уметь задавать вопросы...

Минуту спустя незаметная фигура проследовала за Беккером по калле Делисиас в сгущающейся темноте андалузской ночи.

ГЛАВА 29

Все еще нервничая из-за столкновения с Хейлом, Сьюзан вглядывалась в стеклянную стену Третьего узла. В шифровалке не было ни души. Хейл замолк, уставившись в свой компьютер. Она мечтала, чтобы он поскорее ушел.

Сьюзан подумала, не позвонить ли ей Стратмору. Коммандер в два счета выставит Хейла — все-таки сегодня суббота. Но она отдавала себе отчет в том, что, если Хейла отправят домой, он сразу же заподозрит неладное, начнет обзванивать коллег-криптографов, спрашивать, что они об этом думают. В конце концов Сьюзан решила, что будет лучше, если Хейл останется. Он и так скоро уйдет.

Код, не поддающийся взлому. Сьюзан вздохнула, мысли ее вернулись к «Цифровой крепости». Она не могла поверить, что такой алгоритм может быть создан, но ведь доказательство налицо — у нее перед глазами. «ТРАНСТЕКСТ» не может с ним справиться.

Сьюзан подумала о Стратморе, о том, как мужественно он переносит тяжесть этого испытания, делая все необходимое, сохраняя спокойствие во время крушения.

Иногда она видела в нем что-то от Дэвида. У них было много общего: настойчивость, увлеченность своим делом, ум. Иногда ей казалось, что Стратмор без нее пропадет; ее любовь к криптографии помогала коммандеру отвлечься от завихрений политики, напоминая о молодости, отданной взламыванию шифров.

Но и она тоже многим была обязана Стратмору: он стал ее защитником в мире рвущихся к власти мужчин, помогал ей делать карьеру, оберегал ее и, как сам часто шутил, делал ее сны явью. Хотя и ненамеренно, именно Стратмор привел Дэвида Беккера в АНБ в тот памятный день, позвонив ему по телефону. Мысли Сьюзан перенеслись в прошлое, и глаза ее непроизвольно упали на листок бумаги возле клавиатуры с напечатанным на нем шутливым стишком, полученным по факсу:

МНЕ ЯВНО НЕ ХВАТАЕТ ЛОСКА,
ЗАТО МОЯ ЛЮБОВЬ БЕЗ ВОСКА.

Дэвид прислал его после какой-то мелкой размолвки. Несколько месяцев она добивалась, чтобы он объяснил, что это значит, но Дэвид молчал. *Моя любовь без воска.* Это было его местью. Она посвятила Дэвида в некоторые секреты криптографии и, желая держать его в состоянии полной готовности к неожиданностям, посылала ему записки, зашифрованные не слишком сложным образом. Список необходимых покупок, любовные признания — все приходило к нему в зашифрованном виде. Это была игра, и со временем Дэвид стал неплохим шифровальщиком. А потом решил отплатить ей той же монетой. Он начал подписывать свои записки «Любовь без воска, Дэвид». Таких посланий она получила больше двух десятков. И все был подписаны одинаково: «Любовь без воска».

Она просила его открыть скрытый смысл этих слов, но Дэвид отказывался и только улыбался: «Из нас двоих *ты* криптограф».

Главный криптограф АНБ испробовала все — подмену букв, шифровальные квадраты, даже анаграммы. Она пропустила эти слова через компьютер и поставила перед ним задачу переставить буквы в новую фразу. Выходила только абракадабра. Похоже, не один Танкадо умел создавать абсолютно стойкие шифры.

Ее мысли прервал шипящий звук открываемой пневматической двери. В Третий узел заглянул Стратмор.

— Какие-нибудь новости, Сьюзан? — спросил Стратмор и тут же замолчал, увидав Грега Хейла. — Добрый вечер, мистер Хейл. — Он нахмурился, глаза его сузились. — Сегодня суббота. Чем мы обязаны?

Хейл невинно улыбнулся:

— Просто хотел убедиться, что ноги меня еще носят.

— Понимаю. — Стратмор хмыкнул, раздумывая, как поступить, потом, по-видимому, также решил не раскачивать лодку и произнес: — Мисс Флетчер, можно поговорить с вами минутку? *За дверью?*

— Да, конечно... сэр. — Сьюзан не знала, как быть. Бросила взгляд на монитор, потом посмотрела на Грега Хейла. — Сейчас.

Несколькими быстрыми нажатиями клавиш она вызвала программу, именуемую «Экранный замок», которая давала возможность скрыть работу от посторонних глаз. Она была установлена на каждом терминале в Третьем узле. Поскольку компьютеры находились во включенном состоянии круглые сутки, замок позволял криптографам покидать рабочее место, зная, что никто не будет рыться в их файлах. Сьюзан ввела личный код из пяти знаков, и экран потемнел. Он будет оставаться в таком состоянии, пока она не вернется и вновь не введет пароль.

Затем Сьюзан сунула ноги в туфли и последовала за коммандером.

— Какого черта ему здесь надо? — спросил Стратмор, как только они с Сьюзан оказались за дверью Третьего узла.

— Как всегда, валяет дурака, — сказала Сьюзан.

Стратмор не скрывал недовольства.

— Он ничего не спрашивал про «ТРАНСТЕКСТ»?

— Нет. Но если он посмотрит на монитор и увидит в окне отсчета значение «семнадцать часов», то, будьте уверены, не промолчит.

Стратмор задумался.

— С какой стати он должен на него смотреть? — спросил он.

Сьюзан взглянула ему в глаза.

— Вы хотите отправить его домой?

— Нет. Пусть остается. — Стратмор кивнул в сторону лаборатории систем безопасности. — Чатрукьян уже, надеюсь, ушел?

— Не знаю, я его не видела.

— Господи Иисусе, — простонал Стратмор. — Ну прямо цирк. — Он провел рукой по подбородку, на котором темнела полуторасуточная щетина. — А что «Следопыт»? Я сижу у себя точно на раскаленных углях.

— Пока ничего. Есть вести от Дэвида?

Стратмор покачал головой.

— Я попросил его не звонить мне, пока он не найдет кольцо.

— Почему? — удивилась Сьюзан. — А если ему нужна помощь?

Стратмор пожал плечами.

— Отсюда я не в состоянии ему помочь — ему придется полагаться лишь на себя. А потом, я не хочу говорить по линии, не защищенной от прослушивания.

Глаза Сьюзан расширились.

— Как прикажете это понимать?

На лице Стратмора тут же появилось виноватое выражение. Он улыбнулся, стараясь ее успокоить.

— С Дэвидом все в порядке. Просто мне приходится быть крайне осторожным.

В тридцати футах от них, скрытый за стеклом односторонней видимости Грег Хейл стоял у терминала Сьюзан. Черный экран. Хейл бросил взгляд на коммандера и Сьюзан, затем достал из кармана бумажник, извлек из него крохотную каталожную карточку и прочитал то, что было на ней написано.

Еще раз убедившись, что Сьюзан и коммандер поглощены беседой, Хейл аккуратно нажал пять клавиш на клавиатуре ее компьютера, и через секунду монитор вернулся к жизни.

— Порядок, — усмехнулся он.

Завладеть персональными кодами компьютеров Третьего узла было проще простого. У всех терминалов были совершенно одинаковые клавиатуры. Как-то вечером Хейл захватил свою клавиатуру домой и вставил в нее чип, регистрирующий все удары по клавишам. На следующее утро, придя пораньше, он подменил чужую клавиатуру на свою, модифицированную, а в конце дня вновь поменял их местами и просмотрел информацию, записанную чипом. И хотя в обычных обстоятельствах пришлось бы проверять миллионы вариантов, обнаружить личный код оказалось довольно просто: приступая к работе, криптограф первым делом вводил пароль, «отпирающий» терминал. Поэтому от Хейла не потребовалось вообще никаких усилий: личные коды соответствовали первым пяти ударам по клавиатуре.

Какая ирония, думал он, глядя в монитор Сьюзан. Хейл похитил пароли просто так, ради забавы. Теперь же он был рад, что проделал это, потому что на мониторе Сьюзан скрывалось что-то очень важное.

Задействованная ею программа была написана на языке программирования Лимбо, который не был его специальностью. Но ему хватило одного взгляда, чтобы понять: никакая это не диагностика. Хейл мог понять смысл лишь двух слов. Но этого было достаточно.

«СЛЕДОПЫТ» ИЩЕТ...

— «Следопыт»? — произнес он. — *Что* он ищет? — Мгновение он испытывал неловкость, всматриваясь в экран, а потом принял решение.

Хейл достаточно понимал язык программирования Лимбо, чтобы знать, что он очень похож на языки Си и Паскаль, которые были его стихией. Убедившись еще раз, что Сьюзан и Стратмор продолжают разговаривать, Хейл начал импровизировать. Введя несколько модифицированных команд на языке Паскаль, он нажал команду ВОЗВРАТ. Окно местоположения «Следопыта» откликнулось именно так, как он рассчитывал.

ОТОЗВАТЬ «СЛЕДОПЫТА»?

Он быстро нажал «Да».

ВЫ УВЕРЕНЫ?

Он снова ответил «Да».

Мгновение спустя компьютер подал звуковой сигнал.

«СЛЕДОПЫТ» ОТОЗВАН

Хейл улыбнулся. Компьютер только что отдал ее «Следопыту» команду самоуничтожиться раньше времени, так что ей не удастся найти то, что она ищет.

Помня, что не должен оставлять следов, Хейл вошел в систему регистрации действий и удалил все свои команды, после чего вновь ввел личный пароль Сьюзан. Монитор погас.

Когда Сьюзан вернулась в Третий узел, Грег Хейл как ни в чем не бывало тихо сидел за своим терминалом.

ГЛАВА 30

«Альфонсо XIII» оказался небольшим четырехзвездочным отелем, расположенным в некотором отдалении от Пуэрта-де-Хереса и окруженным кованой чугунной оградой и кустами сирени. Поднявшись по мраморным ступенькам, Дэвид подошел к двери, и она точно по волшебству открылась. Привратник проводил его в фойе.

— Багаж, сеньор? Я могу вам помочь?

— Спасибо, не надо. Мне нужен консьерж.

На лице привратника появилась обиженная гримаса, словно Беккер чем-то его оскорбил.

— Por aquí, señor. — Он проводил Беккера в фойе, показал, где находится консьерж, и поспешил исчезнуть.

Фойе оказалось помещением с изысканной отделкой и элегантной обстановкой. Испанский Золотой век давным-давно миновал, но какое-то время в середине 1600-х годов этот небольшой народ был властелином мира. Комната служила гордым напоминанием о тех временах: доспехи, гравюры на военные сюжеты и золотые слитки из Нового Света за стеклом.

За конторкой с надписью КОНСЬЕРЖ сидел вежливый подтянутый мужчина, улыбающийся так приветливо, словно всю жизнь ждал минуты, когда сможет оказать любезность посетителю.

— En qué puedo servile, señor? Чем могу служить, сеньор? — Он говорил нарочито шепеляво, а глаза его внимательно осматривали лицо и фигуру Беккера.

Беккер ответил по-испански:

— Мне нужно поговорить с Мануэлем.

Загорелое лицо консьержа расплылось еще шире.

— Sí, sí, señor. Мануэль — это я. Чего желаете?

— Сеньор Ролдан из агентства сопровождения «Белена» сказал мне, что вы...

Взмахом руки консьерж заставил Беккера остановиться и нервно оглядел фойе.

— Почему бы нам не пройти сюда? — Он подвел Беккера к конторке. — А теперь, — продолжал он, перейдя на шепот, — чем я могу вам помочь?

Беккер тоже понизил голос:

— Мне нужно поговорить с одной из сопровождающих, которая, по-видимому, приглашена сегодня к вам на обед. Ее зовут Росио.

Консьерж шумно выдохнул, словно сбросив с плеч тяжесть.

— А-а, Росио — прелестное создание.

— Мне нужно немедленно ее увидеть.

— Но, сеньор, она занята с клиентом.

— Это очень важно, — извиняющимся тоном сказал Беккер. *Вопрос национальной безопасности.*

Консьерж покачал головой:

— Невозможно. Быть может, вы оставите...

— Всего на одну минуту. Она в столовой?

Консьерж снова покачал головой:

— Ресторан закрылся полчаса назад. Полагаю, Росио и ее гость ушли на вечернюю прогулку. Если вы оставите для нее записку, она получит ее прямо с утра. — Он направился к полке с ячейками для ключей и почты.

— Быть может, я мог бы позвонить в номер и...

— Простите, — сказал консьерж, и вся его любезность мгновенно улетучилась. — В «Альфонсо Тринадцатом» строгие правила охраны приватности постояльцев.

Беккера не устраивала перспектива ждать десять часов, пока тучный немец со своей спутницей спустятся к завтраку.

— Я понимаю, — сказал он. — Извините за беспокойство.

Повернувшись, он направился через фойе к выходу, где находилось вишневое бюро, которое привлекло его внимание, когда он входил. На нем располагался щедрый набор фирменных открыток отеля, почтовая бумага, конверты и ручки. Беккер вложил в конверт чистый листок бумаги, надписал его всего одним словом: «Росио» — и вернулся к консьержу.

— Извините, что я снова вас беспокою, — сказал он застенчиво. — Я вел себя довольно глупо. Я хотел лично сказать Росио, какое удовольствие получил от общения с ней несколько дней назад. Но я уезжаю сегодня вечером. Пожалуй, я все же оставлю ей записку. — И он положил конверт на стойку.

Консьерж взглянул на конверт и что-то грустно пробормотал себе под нос. «Еще один любитель молоденьких девочек», — подумал он.

— Ну конечно. Сеньор?..

— Буисан, — сказал Беккер. — Мигель Буисан.

— Понятно. Она получит ваше письмо утром.

— Спасибо, — улыбнулся Беккер и повернулся, собираясь уходить.

Консьерж бросил внимательный взгляд в его спину, взял конверт со стойки и повернулся к полке с номерными ячейками. Когда он клал конверт в одну из ячеек, Беккер повернулся, чтобы задать последний вопрос:

— Как мне вызвать такси?

Консьерж повернул голову и ответил. Но Беккер не слушал, что тот говорил. Он рассчитал все точно. Рука консьержа только что покинула ячейку под номером 301.

Беккер поблагодарил его и быстро зашагал, ища глазами лифт.

«Туда и обратно», — повторил он мысленно.

ГЛАВА 31

Сьюзан вернулась в Третий узел. После разговора со Стратмором она начала беспокоиться о безопасности Дэвида, а ее воображение рисовало страшные картины.

— Ну, — послышался голос Хейла, склонившегося над своим компьютером, — и чего же хотел Стратмор? Провести романтический вечер в обществе своего главного криптографа?

Сьюзан проигнорировала его вопрос и села за свой терминал. Ввела личный код, и экран тотчас ожил, показав, что «Следопыт» работает, хотя и не дал пока никакой информации о Северной Дакоте.

«Черт возьми, — подумала Сьюзан. — Почему же так долго?»

— Ты явно не в себе, — как ни в чем не бывало сказал Хейл. — Какие-нибудь проблемы с диагностикой?

— Ничего серьезного, — ответила Сьюзан, хотя вовсе не была в этом уверена. «Следопыт» задерживается. Она подумала, не ошиблась ли где-то. Начала просматривать длинные строки символов на экране, пытаясь найти то, что вызвало задержку.

Хейл посматривал на нее с самодовольным видом.

— Слушай, я хотел спросить, — заговорил он. — Что ты думаешь об этом не поддающемся взлому алгоритме, который, по словам Танкадо, он хотел создать?

У Сьюзан свело желудок. Она подняла голову.

— Не поддающийся взлому алгоритм? — Она выдержала паузу. — Ах да... Я, кажется, что-то такое читала.

— Не очень правдоподобное заявление.

— Согласна, — сказала Сьюзан, удивившись, почему вдруг Хейл заговорил об этом. — Я в это не верю. Всем известно, что невзламываемый алгоритм — математическая бессмыслица.

Хейл улыбнулся:

— Ну конечно... Принцип Бергофского.

— А также здравый смысл! — отрезала она.

— Кто знает... — Хейл театрально вздохнул. — Есть множество такого... что и не снилось нашим мудрецам.

— Прошу прощения?

— Шекспир, — уточнил Хейл. — Гамлет.

— Самообразование за тюремной решеткой?

Хейл засмеялся.

— Нет, серьезно, Сьюзан, тебе никогда не приходило в голову, что это все-таки возможно и что Танкадо действительно придумал невзламываемый алгоритм?

Этот разговор был ей неприятен.

— Ну, мы не сумели этого сделать.

— А вдруг Танкадо умнее нас?

— Может быть. — Сьюзан пожала плечами, демонстрируя равнодушие.

— Мы с ним какое-то время переписывались, — как бы невзначай сказал Хейл. — С Танкадо. Ты знала об этом?

Сьюзан посмотрела на него, стараясь не показать свое изумление.

— Неужели?

— Да. После того как я вскрыл алгоритм «Попрыгунчика», он написал мне, что мы с ним братья по борьбе за неприкосновенность частной переписки.

Сьюзан не могла поверить своим ушам. *Хейл лично знаком с Танкадо!* И снова постаралась держаться с подчеркнутым безразличием.

— Он поздравил меня с обнаружением «черного хода» в «Попрыгунчике», — продолжал Хейл. — И назвал это победой в борьбе за личные права граждан всего мира. Ты должна признать, Сьюзан, что этот «черный ход» был придуман для того, чтобы ввести мир в заблуждение и преспокойно читать электронную почту. По мне, так поделом Стратмору.

— Грег, — сказала Сьюзан, стараясь не показать своего возмущения, — этот «черный ход» позволял АНБ расшифровывать электронную почту, представляющую угрозу нашей безопасности.

— Что ты говоришь? — Хейл невинно вздохнул. — И в качестве милого побочного развлечения читать переписку простых граждан?

— Мы не шпионим за простыми гражданами, и ты это отлично знаешь. ФБР имеет возможность прослушивать телефонные разговоры, но это вовсе не значит, что оно прослушивает всех.

— Будь у них штат побольше, прослушивали бы.

Сьюзан оставила это замечание без ответа.

— У правительств должно быть право собирать информацию, в которой может содержаться угроза общественной безопасности.

— Господи Иисусе! — шумно вздохнул Хейл. — Похоже, Стратмор здорово промыл тебе мозги. Ты отлично знаешь, что ФБР не может прослушивать телефонные разговоры произвольно: для этого они должны получить ордер. Этот новый стандарт шифрования означал бы, что АНБ может прослушивать *кого угодно, где угодно и когда угодно*.

— Ты прав — *и так и должно быть!* — сурово отрезала Сьюзан. — Если бы ты не нашел «черный ход» в «Попрыгунчике», мы могли бы взломать любой шифр, вместо того чтобы полагаться на «ТРАНСТЕКСТ».

— Если бы я не нашел «черный ход», — сказал Хейл, — это сделал бы кто-то другой. Я спас вас, сделав это заранее. Можешь представить себе последствия, если бы это обнаружилось, когда «Попрыгунчик» был бы уже внедрен?

— Так или иначе, — парировала Сьюзан, — теперь мы имеем параноиков из Фонда электронных границ, уверенных, что «черный ход» есть во всех наших алгоритмах.

— А это не так? — язвительно заметил Хейл.

Сьюзан холодно на него посмотрела.

— Да будет тебе. — Хейл вроде бы затрубил отбой. — Теперь это не имеет значения. У вас есть «ТРАНСТЕКСТ». У вас есть возможность мгновенно получать информацию. Вы можете читать все, что пожелаете, — без всяких вопросов и запросов. Вы выиграли.

— Почему бы не сказать — *мы* выиграли? Насколько мне известно, ты сотрудник АНБ.

— Ненадолго, — буркнул Хейл.

— Не зарекайся.

— Я серьезно. Рано или поздно я отсюда смоюсь.

— Я этого не переживу.

В этот момент Сьюзан поймала себя на том, что готова взвалить на Хейла вину за все свои неприятности. За «Цифровую крепость», волнения из-за Дэвида, за то, что не поехала в Смоуки-Маунтинс, — хотя он был ко всему этому не причастен. Единственная его вина заключалась в том, что она испытывала к нему неприязнь. Сьюзан важно было ощущать свое старшинство. В ее обязанности в качестве главного криптографа входило поддерживать в шифровалке мирную атмосферу — воспитывать других. Особенно таких, как Хейл, — зеленых и наивных.

Сьюзан посмотрела на него и подумала о том, как жаль, что этот человек, талантливый и очень ценный для АНБ, не понимает важности дела, которым занимается агентство.

— Грег, — сказала она, и голос ее зазвучал мягче, хотя далось ей это нелегко. — Сегодня я не в духе. Меня огорчают твои разговоры о нашем агентстве как каком-то соглядатае, оснащенном современной техникой. Эта организация создавалась с единственной целью — обеспечивать безопасность страны. При этом дерево иногда приходится потрясти, чтобы собрать подгнившие плоды. И я уверена, что большинство наших граждан готовы поступиться некоторыми правами, но знать, что негодяи не разгуливают на свободе.

Хейл промолчал.

— Рано или поздно, — продолжала она, — народ должен вверить кому-то свою судьбу. В нашей стране происходит много хорошего, но немало и плохого. Кто-то должен иметь возможность оценивать и отделять одно от другого. В этом и заключается наша работа. Это наш долг. Нравится нам это или нет, но демократию от анархии отделяет не очень-то прочная дверь, и АНБ ее охраняет.

Хейл задумчиво кивнул:

— Quis custodiet ipsos custodes?

Сьюзан была озадачена.

— Это по-латыни, — объяснил Хейл. — Из сатир Ювенала. Это значит — «Кто будет охранять охранников?».

— Не понимаю. Кто будет охранять охранников?

— Вот именно. Если мы — охранники общества, то кто будет следить за нами, чтобы мы не стали угрозой обществу?

Сьюзан покачала головой, не зная, что на это возразить.

Хейл улыбнулся:

— Так заканчивал Танкадо все свои письма ко мне. Это было его любимое изречение.

ГЛАВА 32

Дэвид Беккер остановился в коридоре у номера 301. Он знал, что где-то за этой витиеватой резной дверью находится кольцо. *Вопрос национальной безопасности.*

За дверью послышалось движение, раздались голоса. Он постучал. Послышался голос с сильным немецким акцентом:

— Ja?

Беккер молчал.

— Ja?

Дверь слегка приоткрылась, и на него уставилось круглое немецкое лицо.

Дэвид приветливо улыбнулся. Он не знал, как зовут этого человека.

— Deutscher, ja? Вы немец, да?

Мужчина нерешительно кивнул.

Беккер заговорил на чистейшем немецком:

— Мне нужно с вами поговорить.

Мужчина смотрел на него недовольно.

— Was wollen Sie? Что вам нужно?

Беккер понял, что ему следовало заранее отрепетировать разговор, прежде чем колотить в дверь. Он искал нужные слова.

— У вас есть кое-что, что я должен получить.

Эти слова оказались не самыми подходящими. Глаза немца сузились.

— Ein Ring, — сказал Беккер. — Du hast einen Ring. У вас есть кольцо.

— Проваливайте! — зарычал немец и начал закрывать дверь. Беккер не раздумывая просунул ногу в щель и открыл дверь. Но сразу же об этом пожалел.

Глаза немца расширились.

— Was tust du? Что вы делаете?

Беккер понял, что перегнул палку. Он нервно оглядел коридор. Его уже выставили сегодня из больницы, и он не хотел, чтобы это случилось еще раз.

— Nimm deinen Fuß weg! — прорычал немец. — Уберите ногу!

Взгляд Беккера упал на пухлые пальцы мужчины. Никакого кольца. «Я так близок к цели», — подумал он.

— Ein Ring! — повторил Беккер, но дверь закрылась перед его носом.

Он долго стоял в роскошно убранном коридоре, глядя на копию Сальватора Дали на стене. «Очень уместно, — мысленно застонал он. — Сюрреализм. Я в плену абсурдного сна». Проснувшись утром в своей постели, Беккер заканчивал день тем, что ломился в гостиничный номер незнакомого человека в Испании в поисках какого-то магического кольца.

Суровый голос Стратмора вернул его к действительности. *Вы должны найти это кольцо.*

Беккер глубоко вздохнул и перестал жаловаться на судьбу. Ему хотелось домой. Он посмотрел на дверь с номером 301. Там, за ней, его обратный билет. Остается только заполнить его.

Беккер снова вздохнул, решительно подошел к двери и громко постучал. Пора переходить к решительным действиям.

Немец рывком открыл дверь и собрался было закричать, но Беккер его опередил. Помахав карточкой теннисного клуба Мериленда, он рявкнул:

— Полиция!

После чего вошел в номер и включил свет.

Немец не ожидал такого оборота.

— Was machst...

— Помолчите! — Беккер перешел на английский. — У вас в номере проститутка? — Он оглядел комнату. Роскошная обстановка, как в лучших отелях. Розы, шампанское, широченная кровать с балдахином. Росио нигде не видно. Дверь, ведущая в ванную, закрыта.

— Prostituiert? — Немец бросил боязливый взгляд на дверь в ванную. Он был крупнее, чем ожидал Беккер. Волосатая грудь начиналась сразу под тройным подбородком и выпячивалась ничуть не меньше, чем живот необъятного размера, на котором едва сходился пояс купального халата с фирменным знаком отеля.

Беккер старался придать своему лицу как можно более угрожающее выражение.

— Ваше имя?

Красное лицо немца исказилось от страха.

— Was willst du? Чего вы хотите?

— Я из отдела испанской полиции по надзору за иностранными туристами. В вашем номере проститутка?

Немец нервно посмотрел на дверь в ванную. Он явно колебался.

— Ja, — признался он наконец.

— Вам известно, что в Испании это противозаконно?

— Nein, — солгал немец. — Я не знал. Я сейчас же отправлю ее домой.

— Боюсь, вы опоздали, — внушительно заявил Беккер и прошелся по номеру. — У меня к вам предложение.

— Ein Vorschlag? — У немца перехватило дыхание. — Предложение?

— Да. Я могу прямо сейчас отвести вас в участок... — Беккер выразительно замолчал и прищелкнул пальцами.

— Или?.. — спросил немец с расширившимися от страха глазами.

— Или мы придем к соглашению.

— Какому соглашению? — Немец слышал рассказы о коррупции в испанской полиции.

— У вас есть кое-что, что мне очень нужно, — сказал Беккер.

— Да-да, конечно, — быстро проговорил немец, натужно улыбаясь. Он подошел к туалетному столику, где лежал бумажник. — Сколько?

Беккер изобразил крайнюю степень негодования.

— Вы хотите дать взятку представителю закона? — зарычал он.

— Нет, конечно, нет! Я просто подумал... — Толстяк быстро убрал бумажник. — Я... я... — Совсем растерявшись, он сел на край постели и сжал руки. Кровать застонала под его весом. — Простите.

Беккер вытащил из вазы, стоявшей на столике в центре комнаты, розу и небрежно поднес ее к носу, потом резко повернулся к немцу, выпустив розу из рук.

— Что вы можете рассказать про убийство?

Немец побелел.

— Mord? Убийство?

— Да. Убийство азиата сегодня утром. В парке. Это было убийство — Ermordung. — Беккеру нравилось это немецкое слово, означающее «убийство». От него так и веяло холодом.

— Ermordung? Он... он был?..

— Да, убит.

— Но... но это невозможно! — У немца перехватило дыхание. — Я там был. У него случился инфаркт. Я сам видел. Никакой крови. Никакой пули.

Беккер снисходительно покачал головой:

— Иногда все выглядит не так, как есть на самом деле.

Лицо немца стало белым как полотно.

Беккер был доволен собой. Ложь подействовала: бедняга даже вспотел.

— Че-че-го же вы хотите? — выдавил он заикаясь. — Я ничего не знаю.

Беккер зашагал по комнате.

— На руке умершего было золотое кольцо. Я хочу его забрать.

— У м-меня его нет.

Беккер покровительственно улыбнулся и перевел взгляд на дверь в ванную.

— А у Росио? Капельки Росы?

Лицо мужчины из мертвенно-бледного стало красным.

— Вы знаете Капельку Росы? — Вытерев пот со лба рукавом халата, он собирался что-то сказать, но тут отворилась дверь в ванную.

Мужчины оглянулись.

В дверях стояла Росио Ева Гранада. Это было впечатляющее зрелище. Длинные ниспадающие рыжие волосы, идеальная иберийская кожа, темно-карие глаза, высокий ровный лоб. На девушке был такой же, как на немце, белый махровый халат с поясом, свободно лежащим на ее широких бедрах, распахнутый ворот открывал загорелую ложбинку между грудями. Росио уверенно, по-хозяйски вошла в спальню.

— Чем могу помочь? — спросила она на гортанном английском.

Беккер не мигая смотрел на эту восхитительную женщину.

— Мне нужно кольцо, — холодно сказал он.

— Кто вы такой? — потребовала она.

Беккер перешел на испанский с ярко выраженным андалузским акцентом:

— Guardia Civil.

Росио засмеялась.

— Не может быть! — сказала она по-испански.

У Беккера застрял комок в горле. Росио была куда смелее своего клиента.

— Не может быть? — повторил он, сохраняя ледяной тон. — Может, пройдем, чтобы я смог вам это доказать?

— Не стану вас затруднять, — ухмыльнулась она, — благодарю за предложение. Но все же кто вы?

Беккер держался своей легенды:

— Я из севильской полиции.

Росио угрожающе приблизилась.

— Я знаю всех полицейских в этом городе. Они мои лучшие клиенты.

Беккер чувствовал, как ее глаза буквально впиваются в него. Он решил сменить тактику:

— Я из специальной группы, занимающейся туристами. Отдайте кольцо, или мне придется отвести вас в участок и...

— И что? — спросила она, подняв брови в притворном ужасе.

Беккер замолчал. Он опять перегнул палку. Его план не сработал. *Почему она не хочет ему поверить?*

Росио подошла к нему еще ближе.

— Я не знаю, кто вы такой и чего хотите, но если вы не-медленно отсюда не уйдете, я вызову службу безопасности отеля и *настоящая* полиция арестует вас за попытку выдать себя за полицейского офицера.

Беккер знал, что Стратмор в пять минут вызволит его из тюрьмы, но понимал, что это дело надо завершить совершен-но иначе. Арест никак не вписывался в его планы.

Росио подошла еще ближе и изучающе смотрела на него.

— Хорошо, — вздохнул он, всем своим видом призна-вая поражение. Его испанский тут же потерял нарочитый акцент. — Я не из севильской полиции. Меня прислала сюда американская правительственная организация, с тем чтобы я нашел кольцо. Это все, что я могу вам сказать. Я уполномочен заплатить вам за него.

На мгновение в комнате повисла тишина, затем Росио приоткрыла губы в хитрой улыбке.

— Ну видите, все не так страшно, правда? — Она села в кресло и скрестила ноги. — И сколько вы заплатите?

Вздох облегчения вырвался из груди Беккера. Он сразу же перешел к делу:

— Я могу заплатить вам семьсот пятьдесят тысяч песет. Пять тысяч американских долларов. — Это составляло поло-вину того, что у него было, и раз в десять больше настоящей стоимости кольца.

Росио подняла брови.

— Это очень большие деньги.

— Конечно. Договорились?

Девушка покачала головой.

— Как бы я хотела сказать «да».

— Миллион песет? — предложил Беккер. — Это все, что у меня есть.

— Боже мой! — Она улыбнулась. — Вы, американцы, совсем не умеете торговаться. На нашем рынке вы бы и дня не продержались.

— Наличными, прямо сейчас, — сказал Беккер, доставая из кармана пиджака конверт. «Я очень хочу домой».

Росио покачала головой:

— Не могу.

— Почему? — рассердился Беккер.

— У меня его уже нет, — сказала она виноватым тоном. — Я его продала.

ГЛАВА 33

Токуген Нуматака смотрел в окно и ходил по кабинету взад-вперед как зверь в клетке. Человек, с которым он вступил в контакт, Северная Дакота, не звонил. *Проклятые американцы! Никакого представления о пунктуальности!*

Он позвонил бы Северной Дакоте сам, но у него не было номера его телефона. Нуматака терпеть не мог вести дела подобным образом, он ненавидел, когда хозяином положения был кто-то другой.

С самого начала его преследовала мысль, что звонки Северной Дакоты — это западня, попытка японских конкурентов выставить его дураком. Теперь его снова одолевали те же подозрения. Нуматака решил, что ему необходима дополнительная информация.

Выскочив из кабинета, он повернул налево по главному коридору здания «Нуматек». Сотрудники почтительно кланялись, когда он проходил мимо. Нуматака хорошо понимал, что эти поклоны вовсе не свидетельствует об их любви к нему, они — всего лишь знак вежливости, которую японские служащие проявляют по отношению даже к самым ненавистным начальникам.

Нуматака проследовал прямо на коммутатор компании. Все звонки принимались единственным оператором на двенадцатиканальный терминал «Коренсо-2000». Телефонистка, державшая трубку у уха, мгновенно поднялась и поклонилась, увидев босса.

— Садитесь! — рявкнул Нуматака.

Она опустилась на стул.

— В четыре сорок пять ко мне на личный телефон поступил звонок. Вы можете сказать, откуда звонили? — Он проклинал себя за то, что не выяснил этого раньше.

Телефонистка нервно проглотила слюну.

— На этой машине нет автоматического определителя номера, сэр. Я позвоню в телефонную компанию. Я уверена, что они смогут сказать.

Нуматака тоже был уверен, что компания это сделает. В эпоху цифровой связи понятие неприкосновенности частной жизни ушло в прошлое. Записывается все. Телефонные компании могут сообщить, кто вам звонил и как долго вы говорили.

— Сделайте это, — приказал он. — И тут же доложите мне.

ГЛАВА 34

Сьюзан сидела одна в помещении Третьего узла, ожидая возвращения «Следопыта». Хейл решил выйти подышать воздухом, за что она была ему безмерно благодарна. Однако одиночество не принесло ей успокоения. В голове у Сьюзан беспрестанно крутилась мысль о контактах Танкадо с Хейлом.

«Кто будет охранять охранников?» — подумала она. Quis custodiet ipsos custodes? Эти слова буквально преследовали ее. Она попыталась выбросить их из головы.

Мысли ее вернулись к Дэвиду. Сьюзен надеялась, что с ним все в порядке. Ей трудно было поверить, что он в Испании. Чем скорее будет найден ключ и все закончится, тем лучше для всех.

Сьюзан потеряла счет времени, потраченного на ожидание «Следопыта». Два часа? Три? Она перевела взгляд на пустую шифровалку. Скорее бы просигналил ее терминал. Но тот молчал. Конец лета. Солнце уже зашло. Над головой автоматически зажглись лампы дневного света. Сьюзан нервничала: прошло уже слишком много времени.

Взглянув на «Следопыта», она нахмурилась.

— Ну давай же, — пробормотала она. — У тебя было много времени.

Сьюзан положила руку на мышку и вывела окно состояния «Следопыта». Сколько времени он уже занят поиском?

Открылось окно — такие же цифровые часы, как на «ТРАНСТЕКСТЕ», которые должны были показывать часы и минуты работы «Следопыта». Однако вместо этого Сьюзан увидела нечто совершенно иное, от чего кровь застыла в жилах.

«СЛЕДОПЫТ» ОТКЛЮЧЕН

«Следопыт» отключен! У нее даже перехватило дыхание. *Почему?*

Сьюзан охватила паника. Она быстро проверила отчет программы в поисках команды, которая могла отозвать «Следопыта», но ничего не обнаружила. Складывалось впечатление, что он отключился сам по себе. Сьюзан знала, что такое могло произойти только по одной причине — если бы в «Следопыте» завелся вирус.

Вирусы были самой большой неприятностью, с которой сталкивались в своей работе программисты. Поскольку компьютеры должны были выполнять операции в абсолютно точном порядке, самая мелкая ошибка могла иметь колоссальные последствия. Простая синтаксическая ошибка — если бы, например, программист по ошибке ввел вместо точки запятую — могла обрушить всю систему. Происхождение термина «вирус» всегда казалось Сьюзан весьма забавным.

Этот термин возник еще во времена первого в мире компьютера «Марк-1» — агрегата размером с комнату, построенного в 1944 году в лаборатории Гарвардского университета. Однажды в компьютере случился сбой, причину которого никто не мог установить. После многочасовых поисков ее обнаружил младший лаборант. То была моль, севшая на одну из плат, в результате чего произошло короткое замыкание. Тогда-то виновников компьютерных сбоев и стали называть вирусами.

«У меня нет на это времени», — сказала себе Сьюзан.

На поиски вируса может уйти несколько дней. Придется проверить тысячи строк программы, чтобы обнаружить крохотную ошибку, — это все равно что найти единственную опечатку в толстенной энциклопедии.

Сьюзан понимала, что ей ничего не остается, как запустить «Следопыта» повторно. На поиски вируса нужно время, которого нет ни у нее, ни у коммандера.

Но, вглядываясь в строки программы и думая, какую ошибку она могла допустить, Сьюзан чувствовала, что тут что-то не так. Она запускала «Следопыта» месяц назад, и никаких проблем не возникло. Мог ли сбой произойти внезапно, сам по себе?

Размышляя об этом, Сьюзан вдруг вспомнила фразу, сказанную Стратмором: *Я попытался запустить «Следопыта» самостоятельно, но информация, которую он выдал, оказалась бессмысленной.*

Сьюзан задумалась над этими словами. *Информация, которую он выдал...*

Она резко подняла голову. Возможно ли это? Информация, которую он выдал?

Если Стратмор получил от «Следопыта» информацию, значит, тот работал. Она оказалась бессмысленной, потому что он ввел задание в неверной последовательности, но ведь «Следопыт» работал!

Но Сьюзан тут же сообразила, что могла быть еще одна причина отключения «Следопыта». Внутренние ошибки программы не являлись единственными причинами сбоя, потому что иногда в действие вступали *внешние* силы — скачки напряжения, попавшие на платы частички пыли, повреждение проводов. Поскольку за техникой Третьего узла следили самым тщательным образом, она даже не рассматривала такую возможность.

Сьюзан встала и быстро подошла к громадному книжному шкафу с техническими руководствами, взяла с полки справочник с прошитым проволочной спиралью корешком и принялась его листать. Она нашла то, что искала, вернулась со справочником к своему терминалу, ввела несколько команд и подождала, пока компьютер проверит список команд, отданных за последние три часа. Сьюзан надеялась обнаружить внешнее воздействие — команду отключения, вызванную сбоем электропитания или дефектным чипом.

Через несколько мгновений компьютер подал звуковой сигнал. Сердце ее заколотилось. Затаив дыхание, она вглядывалась в экран.

КОД ОШИБКИ 22

Сьюзан вздохнула с облегчением. Это была хорошая весть: проверка показала код ошибки, и это означало, что «Следопыт» исправен. Вероятно, он отключился в результате какой-то внешней аномалии, которая не должна повториться.

Код ошибки 22. Она попыталась вспомнить, что это значит. Сбои техники в Третьем узле были такой редкостью, что номера ошибок в ее памяти не задерживалось.

Сьюзан пролистала справочник и нашла нужный список.

19: ОШИБКА В СИСТЕМНОМ РАЗДЕЛЕ
20: СКАЧОК НАПРЯЖЕНИЯ
21: СБОЙ СИСТЕМЫ ХРАНЕНИЯ ДАННЫХ

Наконец она дошла до пункта 22 и, замерев, долго всматривалась в написанное. Потом, озадаченная, снова взглянула на монитор.

КОД ОШИБКИ 22

Сьюзан нахмурилась и снова посмотрела в справочник. То, что она увидела, казалось лишенным всякого смысла.

22: РУЧНОЕ ОТКЛЮЧЕНИЕ

ГЛАВА 35

Беккер в шоке смотрел на Росио.

— Вы продали кольцо?

Девушка кивнула, и рыжие шелковистые волосы скользнули по ее плечам.

Беккер молил Бога, чтобы это оказалось неправдой.

— Pero... Но...

Она пожала плечами и произнесла по-испански:

— Девушке возле парка.

Беккер почувствовал, что у него подкашиваются ноги.

Этого не может быть!

Росио игриво улыбнулась и кивнула на немца.

— El quería que lo guardará. Он хотел его оставить, но я сказала «нет». Во мне течет цыганская кровь, мы, цыганки, не только рыжеволосые, но еще и очень суеверные. Кольцо, которое отдает умирающий, — дурная примета.

— Вы знаете эту девушку? — Беккер приступил к допросу.

Брови Росио выгнулись.

— О! Я вижу, вам действительно очень нужно это кольцо, да?

Беккер мрачно кивнул.

— Кому вы его продали?

Тучный немец в полном недоумении сидел на кровати. Надежды на романтический вечер рушились по непонятной причине.

— Was passiert? — нервно спросил он. — Что происходит?

Беккер не удостоил его ответом.

— На самом деле я его не продала, — сказала Росио. — Хотела это сделать, но она совсем еще ребенок, да и денег у нее не было. Вот я его и отдала. Но если бы знала, сколько вы мне за него предложите, то сохранила бы это кольцо для вас.

— Почему вы ушли из парка? — спросил Беккер. — Умер человек. Почему вы не дождались полицейских? И не отдали кольцо *им*?

— Мне много чего нужно, мистер Беккер, но неприятности точно не нужны. Кроме того, тот старик вроде бы обо всем позаботился.

— Канадец?

— Да. Он вызвал «скорую». Мы решили уйти. Я не видела смысла впутывать моего спутника, да и самой впутываться в дела, связанные с полицией.

Беккер рассеянно кивнул, стараясь осмыслить этот жестокий поворот судьбы. *Она отдала это чертово кольцо!*

— Я пыталась помочь умирающему, — объясняла Росио. — Но сам он, похоже, этого не хотел. Он... это кольцо... он совал его нам в лицо, тыкал своими изуродованными пальцами. Он все протягивал к нам руку — чтобы мы взяли кольцо. Я не хотела брать, но мой спутник в конце концов его взял. А потом этот парень умер.

— А вы пробовали сделать ему искусственное дыхание? — предположил Беккер.

— Нет. Мы к нему не прикасались. Мой друг испугался. Он хоть и крупный, но слабак. — Она кокетливо улыбнулась Беккеру. — Не волнуйтесь, он ни слова не понимает по-испански.

Беккер нахмурился. Он вспомнил кровоподтеки на груди Танкадо.

— Искусственное дыхание делали санитары?

— Понятия не имею. Я уже говорила, что мы ушли до их прибытия.

— Вы хотите сказать — после того как стащили кольцо?

— Мы его не украли, — искренне удивилась Росио. — Человек умирал, и у него было одно желание. Мы просто исполнили его последнюю волю.

Беккер смягчился. В конце концов, Росио права, он сам, наверное, поступил бы точно так же.

— А потом вы отдали кольцо какой-то девушке?

— Я же говорила. От этого кольца мне было не по себе. На девушке было много украшений, и я подумала, что ей это кольцо понравится.

— А она не увидела в этом ничего странного? В том, что вы просто так отдали ей кольцо?

— Нет. Я сказала, что нашла его в парке. Я думала, что она мне заплатит, но ничего не вышло. Ну, мне было все равно. Я просто хотела от него избавиться.

— Когда вы отдали ей кольцо?

Росио пожала плечами.

— Сегодня днем. Примерно через час после того, как его получила.

Беккер посмотрел на часы — 11.48. За восемь часов след остыл. *Какого черта я здесь делаю? Я должен был сейчас отдыхать в Смоуки-Маунтинс.* Он вздохнул и задал единственный вопрос, который пришел ему в голову:

— Как выглядит эта девушка?

— Era un punqui, — ответила Росио.

Беккер изумился.

— Un punqui?

— Sí. Punqui.

— Панк?

— Да, панк, — сказала Росио на плохом английском и тотчас снова перешла на испанский. — Mucha joyería. Вся в украшениях. В одном ухе странная серьга, кажется, в виде черепа.

— В Севилье есть панки и рокеры?

Росио улыбнулась:

— Todo bajo el sol. Чего только нет под солнцем. — Это был девиз туристского бюро Севильи.

— Она назвала вам свое имя?

— Нет.

— Может быть, сказала, куда идет?

— Нет. По-испански говорила очень плохо.

— Она не испанка? — спросил Беккер.

— Нет. Думаю, англичанка. И с какими-то дикими волосами — красно-бело-синими.

Беккер усмехнулся, представив это зрелище.

— Может быть, американка? — предположил он.

— Не думаю, — сказала Росио. — На ней была майка с британским флагом.

Беккер рассеянно кивнул:

— Хорошо. Бело-красно-синие волосы, майка, серьга с черепом в ухе. Что еще?

— Больше ничего. Панк да и только.

Панк да и только.

Беккер принадлежал к миру людей, носивших университетские свитера и консервативные стрижки, — он просто не мог представить себе образ, который нарисовала Росио.

— Попробуйте припомнить что-нибудь еще.

Росио задумалась.

— Нет, больше ничего.

В этот момент кровать громко заскрипела: клиент Росио попытался переменить позу. Беккер повернулся к нему и заговорил на беглом немецком:

— Noch etwas? Что-нибудь еще? Что помогло бы мне найти девушку, которая взяла кольцо?

Повисло молчание. Казалось, эта туша собирается что-то сказать, но не может подобрать слов. Его нижняя губа на мгновение оттопырилась, но заговорил он не сразу. Слова, сорвавшиеся с его языка, были определенно произнесены на английском, но настолько искажены сильным немецким акцентом, что их смысл не сразу дошел до Беккера.

— Проваливай и умри.

Дэвид даже вздрогнул от неожиданности.

— Простите?

— Проваливай и умри, — повторил немец, приложив левую ладонь к жирному правому локтю, имитируя итальянский жест, символизирующий грязное ругательство.

Но Беккер слишком устал, чтобы обращать внимание на оскорбления. *Проваливай и умри?* Он повернулся к Росио и заговорил с ней по-испански:

— Похоже, я злоупотребил вашим гостеприимством.

— Не обращайте на него внимания, — засмеялась она. — Он просто расстроен. Но он получит то, что ему причитается. — Она встряхнула волосами и подмигнула ему.

— Может быть, все-таки скажете что-нибудь еще? Что помогло бы мне? — сказал Беккер.

Росио покачала головой:

— Это все. Но вам ее не найти. Севилья — город большой и очень обманчивый.

— Я постараюсь. — *Вопрос национальной безопасности...*

— Если вам не повезет, — сказала Росио, бросив взгляд на пухлый конверт, выпирающий в кармане Беккера, — пожалуйста, заходите. Мой дружок скоро заснет как убитый. Постучите тихонько. Я найду свободную комнату и покажу вам Испанию с такой стороны, что вам будет что вспомнить. — И она сладко причмокнула губами.

Беккер изобразил улыбку.

— Я должен идти.

Он извинился перед немцем за вторжение, в ответ на что тот скромно улыбнулся.

— Keine Ursache.

Беккер вышел в коридор. *Нет проблем? А как же «проваливай и умри»?*

ГЛАВА 36

Ручное отключение? Сьюзан отказывалась что-либо понимать.

Она была абсолютно уверена, что не вводила такой команды — во всяком случае, намеренно. Подумала, что, может быть, спутала последовательность нажатия клавиш.

«Немыслимо», — подумала она. Согласно информации, появившейся в окне, команда была подана менее двадцати минут назад. Сьюзан помнила, что за последние двадцать минут вводила только свой персональный код, когда выходила переговорить со Стратмором. Невозможно представить, что машина могла спутать пароль с командой отключения «Следопыта».

Понимая, что теряет время, Сьюзан вызвала на экран регистр замка и проверила, верно ли был введен персональный код. Все было сделано как положено.

«Тогда *откуда же* пришла команда на ручное отключение?» — рассердилась она.

Недовольно поморщившись, Сьюзан закрыла окно экранного замка, но в ту долю секунды, когда оно исчезало с экрана, она заметила нечто необычное. Снова открыв окно, Сьюзан изучила содержащуюся в нем информацию. Какая-то бессмыслица. Вначале был зарегистрирован нормальный ввод замка, в тот момент, когда она выходила из помещения Третьего узла, однако время следующей команды «отпирания» показалось Сьюзан странным. Две эти команды разделяло меньше одной минуты, но она была уверена, что разговаривала с коммандером больше минуты.

Сьюзан просмотрела все команды. То, что она увидела, привело ее в ужас. С интервалом в три минуты была зарегистрирована *вторая* серия команд запирания-отпирания. Согласно регистру, кто-то открывал ее компьютер, пока ее не было в комнате.

Но это невозможно! У нее перехватило дыхание. Единственным кандидатом в подозреваемые был Грег Хейл, но Сьюзан могла поклясться, что никогда не давала ему свой персональный код. Следуя классической криптографической процедуре, она выбрала пароль произвольно и не стала его записывать. То, что Хейл мог его угадать, было исключено: число комбинаций составляло тридцать шесть в пятой степени, или свыше шестидесяти миллионов.

Однако в том, что команда на отпирание действительно вводилась, не было никаких сомнений. Сьюзан в изумлении смотрела на монитор. Хейл влез в ее компьютер, когда она выходила. Именно он и подал ручную команду на отзыв «Следопыта».

Вопрос *«насколько быстро?»* уступил место другому — *«с какой целью?»*. У Хейла не было мотивов для вторжения в ее компьютер. Он ведь даже не знал, что она задействовала «Следопыта». А если и знал, подумала Сьюзан, то зачем ему мешать ее поискам парня по имени Северная Дакота?

Вопросы, не имеющие ответов, множились в голове. «А теперь все по порядку», — произнесла она вслух. К Хейлу можно вернуться чуть позже. Сосредоточившись, Сьюзан перезагрузила «Следопыта» и нажала клавишу «ВВОД». Терминал пискнул.

«СЛЕДОПЫТ» ЗАПУЩЕН

Сьюзан знала, что пройдет несколько часов, прежде чем «Следопыт» вернется. Она проклинала Хейла, недоумевая, каким образом ему удалось заполучить ее персональный код и с чего это вдруг его заинтересовал ее «Следопыт».

Встав, Сьюзан решительно направилась подошла к терминалу Хейла. Экран монитора был погашен, но она понимала, что он не заперт: по краям экрана было видно свечение. Криптографы редко запирали свои компьютеры, разве что покидая Третий узел на ночь. Обычно они лишь уменьшали их яркость; кодекс чести гарантировал, что никто в их отсутствие к терминалу не прикоснется.

«К черту кодекс чести, — сказала она себе. — Посмотрим, чем ты тут занимаешься».

Окинув быстрым взглядом находящееся за стеклом помещение шифровалки, Сьюзан включила кнопку яркости. Вспыхнувший экран был совершенно пуст. Несколько этим озадаченная, она вызвала команду поиска и напечатала:

НАЙТИ: «СЛЕДОПЫТ»

Это был дальний прицел, но если в компьютере Хейла найдутся следы ее программы, то они будут обнаружены. Тогда станет понятно, почему он вручную отключил «Следопыта». Через несколько секунд на экране показалась надпись:

ОБЪЕКТ НЕ НАЙДЕН

Не зная, что искать дальше, она ненадолго задумалась и решила зайти с другой стороны.

НАЙТИ: «ЗАМОК ЭКРАНА»

Монитор показал десяток невинных находок — и ни одного намека на копию ее персонального кода в компьютере Хейла.

Сьюзан шумно вздохнула. *Какими же программами он пользовался сегодня?* Открыв меню последних программ, она обнаружила, что это был сервер электронной почты. Сьюзан обшарила весь жесткий диск и в конце концов нашла папку электронной почты, тщательно запрятанную среди других директорий. Открыв ее, она увидела несколько дополнительных папок; создавалось впечатление, что у Хейла было множество почтовых адресов. Один из них, к ее удивлению, был адресом анонимного провайдера. Сьюзан открыла одно из старых входящих сообщений, и у нее тотчас же перехватило дыхание.

TO: NDAKOTA@ARA.ANON.ORG
FROM: ET@DOSHISHA.EDU

И далее текст сообщения:

ГРОМАДНЫЙ ПРОГРЕСС! «ЦИФРОВАЯ КРЕПОСТЬ» ПОЧТИ ГОТОВА. ОНА ОТБРОСИТ АНБ НАЗАД НА ДЕСЯТИЛЕТИЯ!

Сьюзан как во сне читала и перечитывала эти строки. Затем дрожащими руками открыла следующее сообщение.

TO: NDAKOTA@ARA.ANON.ORG
FROM: ET@DOSHISHA.EDU

МЕНЯЮЩИЙСЯ ОТКРЫТЫЙ ТЕКСТ ДЕЙСТВУЕТ! ВСЯ ХИТ-РОСТЬ В МЕНЯЮЩЕЙСЯ ПОСЛЕДОВАТЕЛЬНОСТИ!

В это трудно было поверить, но она видела эти строки своими глазами. Электронная почта от Энсея Танкадо, адресованная Грегу Хейлу. Они работали вместе. Сьюзан буквально онемела, когда эта страшная правда дошла до ее сознания.

Северная Дакота — это Грег Хейл?

Глаза ее не отрывались от экрана. Мозг лихорадочно искал какое-то другое объяснение, но не находил. Перед ее глазами было внезапно появившееся доказательство: Танкадо использовал меняющуюся последовательность для создания функции меняющегося открытого текста, а Хейл вступил с ним в сговор с целью свалить Агентство национальной безопасности.

— Это н-не... — заикаясь, произнесла она вслух, — невероятно!

И, словно возражая ей, в ее мозгу эхом прозвучали слова Хейла, сказанные чуть раньше: *Танкадо не раз мне писал...*

Стратмор сильно рисковал, взяв меня в АНБ... Рано или поздно я отсюда слиняю.

Но Сьюзан физически не могла примириться с тем, что увидела. Да, Грег Хейл противный и наглый, но он же не предатель. Зная, чем грозит агентству «Цифровая крепость», не мог же он участвовать в заговоре по ее созданию!

И все же Сьюзан понимала, что остановить Хейла могут только его представления о чести и честности. Она вспомнила об алгоритме «Попрыгунчик». Один раз Грег Хейл уже разрушил планы АНБ. Что мешает ему сделать это еще раз?

«Но Танкадо... — размышляла она. — С какой стати такой параноик, как Танкадо, доверился столь ненадежному типу, как Хейл?»

Сьюзан понимала, что теперь это не имеет никакого значения. Нужно немедленно доложить обо всем Стратмору. Ирония ситуации заключалась в том, что партнер Танкадо находился здесь, прямо у них под носом. Ей в голову пришла и другая мысль — известно ли Хейлу, что Танкадо уже нет в живых?

Сьюзан стала быстро закрывать файлы электронной почты Хейла, уничтожая следы своего посещения. Хейл ничего не должен заподозрить — пока. Ключ к «Цифровой крепости», внезапно осенило ее, прячется где-то в глубинах этого компьютера.

Когда Сьюзан закрывала последний файл, за стеклом Третьего узла мелькнула тень. Она быстро подняла глаза и увидела возвращающегося Грега Хейла. Он приближался к двери.

— Черт его дери! — почти беззвучно выругалась Сьюзан, оценивая расстояние до своего места и понимая, что не успеет до него добежать. Хейл был уже слишком близко.

Она метнулась к буфету в тот момент, когда дверь со звуковым сигналом открылась, и, остановившись у холодильника, рванула на себя дверцу. Стеклянный графин на верхней полке угрожающе подпрыгнул и звонко опустился на место.

— Проголодалась? — спросил Хейл, подходя к ней. Голос его звучал спокойно и чуточку игриво. — Откроем пачку тофу?

— Нет, спасибо. — Сьюзан шумно выдохнула и повернулась к нему. — Я думаю, — начала она, — что я только... — но слова застряли у нее в горле. Она побледнела.

— Что с тобой? — удивленно спросил Хейл.

Сьюзан встретилась с ним взглядом и прикусила губу.

— Ничего, — выдавила она.

Но это было не так. Терминал Хейла ярко светился. Она забыла его отключить.

ГЛАВА 37

Спустившись вниз, Беккер подошел к бару. Он совсем выбился из сил. Похожий на карлика бармен тотчас положил перед ним салфетку.

— Qué bebe usted? Чего-нибудь выпьете?

— Спасибо, нет. Я лишь хотел спросить, есть ли в городе клубы, где собираются молодые люди — панки?

— Клубы? Для панков? — переспросил бармен, странно посмотрев на Беккера.

— Да. Есть ли в Севилье такое место, где тусуются панки?

— No lo sé, señor. Не знаю. Но уж определенно не здесь! — Он улыбнулся. — Может, все-таки чего-нибудь выпьете?

Беккер понимал, что, по мнению бармена, ведет себя странно.

— Quiere Vd. Algo? — настаивал бармен. — Fino? Jerez?

Откуда-то сверху накатывали приглушенные волны классической музыки. «Бранденбургский концерт, — подумал Беккер. — Номер четыре». Они со Сьюзан слушали этот концерт в прошлом году в университете в исполнении оркестра Академии Святого Мартина. Ему вдруг страшно захотелось увидеть ее — сейчас же. Прохладный ветерок кондиционера напомнил ему о жаре на улице. Он представил себе, как бредет, обливаясь потом, по душным, пропитанным запахом наркотиков улицам Трианы, пытаясь разыскать девчонку-панка в майке с британским флагом на груди, и снова подумал о Сьюзан.

— Zumo de arándano, — с удивлением услышал он собственный голос. — Клюквенный сок.

Бармен смотрел на него озадаченно.

— Solo? — Клюквенный сок популярен в Испании, но пить его в чистом виде — неслыханное дело.

— Sí, — сказал Беккер. — Solo.

— Echo un poco de Smirnoff? — настаивал бармен. — Плеснуть чуточку водки?

— No, gracias.

— Gratis? — по-прежнему увещевал бармен. — За счет заведения?

Превозмогая шум в голове, Беккер представил себе грязные улицы Трианы, удушающую жару, безнадежные поиски в долгой нескончаемой ночи. *Какого черта!* Он кивнул.

— Sí, échame un poco de vodka.

Бармен с видимым облегчением приготовил ему напиток.

Беккер оглядел затейливое убранство бара и подумал, что все, что с ним происходит, похоже на сон. В любой другой реальности было бы куда больше здравого смысла. «Я, университетский профессор, — подумал он, — выполняю секретную миссию».

Бармен с любезной улыбкой протянул Беккеру стакан:

— A su gusto, señor. Клюквенный сок и капелька водки.

Беккер поблагодарил его. Отпил глоток и чуть не поперхнулся. *Ничего себе капелька!*

ГЛАВА 38

Хейл остановился в центре комнаты и пристально посмотрел на Сьюзан.

— Что случилось, Сью? У тебя ужасный вид.

Сьюзан подавила поднимающуюся волну страха. В нескольких метрах от нее ярко светился экран Хейла.

— Со мной... все в порядке, — выдавила она. Сердце ее готово было выскочить из груди.

Было видно, что Хейл ей не поверил.

— Может быть, хочешь воды?

Она не нашлась что ответить. И проклинала себя. *Как я могла не выключить монитор?* Сьюзан понимала: как только Хейл заподозрит, что она искала что-то в его компьютере, то сразу же поймет, что подлинное лицо Северной Дакоты раскрыто. И пойдет на все, лишь бы эта информация не вышла из стен Третьего узла.

А что, подумала Сьюзен, если броситься мимо него и побежать к двери? Но осуществить это намерение ей не пришлось. Внезапно кто-то начал колотить кулаком по стеклянной стене. Оба они — Хейл и Сьюзан — даже подпрыгнули от неожиданности. Это был Чатрукьян. Он снова постучал. У него был такой вид, будто он только что увидел Армагеддон.

Хейл сердито посмотрел на обезумевшего сотрудника лаборатории систем безопасности и обратился к Сьюзан:

— Я сейчас вернусь. Выпей воды. Ты очень бледна. — Затем повернулся и вышел из комнаты.

Сьюзан взяла себя в руки и быстро подошла к монитору Хейла. Протянула руку и нажала на кнопку. Экран погас.

В голове у нее стучало. Повернувшись, она увидела, как за стеной, в шифровалке, Чатрукьян что-то говорит Хейлу. Понятно, домой он так и не ушел и теперь в панике пытается что-то внушить Хейлу. Она понимала, что это больше не имеет значения: Хейл и без того знал все, что можно было знать.

«Мне нужно доложить об этом Стратмору, — подумала она, — и как можно скорее».

ГЛАВА 39

Росио Ева Гранада стояла перед зеркалом в ванной номера 301, скинув с себя одежду. Наступил момент, которого она с ужасом ждала весь этот день. Немец лежит в постели и ждет ее. Самый крупный мужчина из всех, с кем ей приходилось иметь дело.

Нарочито медленно она взяла из ведерка кубик льда и начала тереть им соски. Они сразу же затвердели. Это было одной из ее многочисленных хитростей: мужчинам казалось, что она сгорает от страсти, поэтому они стремились прийти к ней снова и снова. Росио погладила руками свои пышные загорелые формы — дай Бог, чтобы они сохраняли свою привлекательность еще лет пять-шесть, пока она не накопит достаточно денег. Сеньор Ролдан забирал большую часть ее заработка себе, но без него ей пришлось бы присоединиться к бесчисленным шлюхам, что пытаются подцепить пьяных туристов в Триане. А у ее клиентов по крайней мере есть деньги. Они ее не бьют, им легко угодить. Росио натянула ночную рубашку, глубоко вздохнула и открыла дверь в комнату.

Когда она вошла, глаза немца чуть не вывалились из орбит. На ней была черная ночная рубашка; загорелая, орехового оттенка кожа светилась в мягком свете ночника, соски призывно выделялись под тонкой прозрачной тканью.

— Komm doch hierher, — сказал немец сдавленным голосом, сбрасывая с себя пижаму и поворачиваясь на спину.

Росио через силу улыбнулась и подошла к постели. Но, посмотрев на распростертую на простынях громадную тушу, почувствовала облегчение. То, что она увидела пониже его живота, оказалось совсем крошечным.

Немец схватил ее и нетерпеливо стянул с нее рубашку. Его толстые пальцы принялись методично, сантиметр за сантиметром, ощупывать ее тело. Росио упала на него сверху и начала стонать и извиваться в поддельном экстазе. Когда он перевернул ее на спину и взгромоздился сверху, она подумала, что сейчас он ее раздавит. Его массивная шея зажала ей рот, и Росио чуть не задохнулась. Боже, поскорей бы все это закончилось, взмолилась она про себя.

— Sí! Sí! — вскрикивала она в интервалах между его рывками и впивалась ногтями ему в спину, стараясь ускорить его движения.

Все смешалось в ее голове — лица бесчисленных мужчин, склонявшиеся над ней, потолки гостиничных номеров, в которые она смотрела, мечты о том, что когда-нибудь все это кончится и она заведет детей...

Внезапно, без всякого предупреждения, тело немца выгнулось, замерло и тут же рухнуло на нее. «Это все?» — подумала она удивленно и с облегчением и попыталась выскользнуть из-под него.

— Милый, — глухо прошептала она. — Позволь, я переберусь наверх. — Но немец даже не шевельнулся.

Росио изо всех сил уперлась руками в его массивные плечи.

— Милый, я... я сейчас задохнусь! — Ей стало дурно. Все ее внутренности сдавило этой немыслимой тяжестью. — Despiértate! — Ее пальцы инстинктивно вцепились ему в волосы. *Просыпайся!*

И в этот момент Росио почувствовала под пальцами что-то теплое и липкое. Густая жидкость текла по его волосам, капала ей на лицо, попадала в рот. Она почувствовала соленый привкус и из последних сил попыталась выбраться из-под немца. В неизвестно откуда взявшейся полоске света она увидела его искаженное судорогой лицо. Из пулевого отверстия в виске хлестала кровь — прямо на нее. Росио попробовала закричать, но в легких не было воздуха. Он вот-вот задавит ее. Уже теряя сознание, она рванулась к свету, который пробивался из приоткрытой двери гостиничного номера, и успела увидеть руку, сжимающую пистолет с глушителем. Яркая вспышка — и все поглотила черная бездна.

ГЛАВА 40

Стоя у двери Третьего узла, Чатрукьян с безумным видом отчаянно пытался убедить Хейла в том, что с «ТРАНСТЕК-СТОМ» стряслась беда. Сьюзан пробежала мимо них с одной только мыслью — как можно скорее предупредить Стратмора.

Сотрудник лаборатории систем безопасности схватил ее за руку.

— Мисс Флетчер! У нас вирус! Я уверен! Вы должны...

Сьюзан вырвала руку и посмотрела на него с возмущением.

— Мне кажется, коммандер приказал вам уйти.

— Но монитор! Она показывает восемнадцать...

— Коммандер Стратмор велел вам уйти!

— Плевал я на Стратмора! — закричал Чатрукьян, и его слова громким эхом разнеслись по шифровалке.

— Мистер Чатрукьян? — послышался сверху звучный возглас.

Все трое замерли.

Над ними, опираясь на перила площадки перед своим кабинетом, стоял Стратмор.

Какое-то время в здании слышался только неровный гул расположенных далеко внизу генераторов. Сьюзан отчаянно пыталась встретиться взглядом со Стратмором. *Коммандер! Северная Дакота — это Хейл!*

Но Стратмор смотрел на молодого сотрудника лаборатории систем безопасности. Коммандер спускался по лестнице, ни на мгновение не сводя с него глаз. Он быстро подошел к ним и остановился в нескольких сантиметрах от дрожащего Чатрукьяна.

— Вы что-то сказали?

— Сэр, — задыхаясь проговорил Чатрукьян. — «ТРАНС-ТЕКСТ» вышел из строя!

— Коммандер, — вмешалась Сьюзан, — я хотела бы поговорить...

Стратмор жестом заставил ее замолчать. Глаза его неотрывно смотрели на Чатрукьяна.

— В него попал зараженный файл, сэр. Я абсолютно в этом уверен!

Лицо Стратмора побагровело.

— Мистер Чатрукьян, такое уже случалось. Нет никакого файла, который мог бы заразить «ТРАНСТЕКСТ»!

— Вы ошибаетесь, сэр! — вскричал Чатрукьян. — И если он проникнет в главную базу данных...

— Что еще за файл, черт возьми? Покажите мне его!

Чатрукьян заколебался.

— Я не могу.

— Разумеется, не можете! Его же не существует.

— Коммандер, я должна... — попробовала вставить слово Сьюзан.

И снова Стратмор нетерпеливым взмахом руки заставил ее замолчать.

Сьюзан в испуге взглянула на Хейла. Он стоял с безучастным видом, словно происходящее его никак не касалось. «И это понятно, — подумала она. — Никакой вирус Хейла не волнует, он ведь отлично знает, что происходит с «ТРАНСТЕКСТОМ»».

Но Чатрукьян стоял на своем.

— Зараженный файл существует, сэр. Но он прошел «Сквозь строй»!

— Если эта система его не перехватила, то откуда вы знаете, что вирус существует?

Чатрукьян вдруг обрел прежнюю уверенность.

— Цепная мутация, сэр. Я проделал анализ и получил именно такой результат — цепную мутацию!

Теперь Сьюзан поняла, почему сотрудник систем безопасности так взволнован. *Цепная мутация*. Она знала, что цепная мутация представляет собой последовательность программирования, которая сложнейшим образом искажает данные. Это обычное явление для компьютерных вирусов, особенно таких, которые поражают крупные блоки информации. Из почты Танкадо Сьюзан знала также, что цепные мутации, обнаруженные Чатрукьяном, безвредны: они являются элементом «Цифровой крепости».

— Когда я впервые увидел эти цепи, сэр, — говорил Чатрукьян, — я подумал, что фильтры системы «Сквозь строй» неисправны. Но затем я сделал несколько тестов и обнаружил... — Он остановился, вдруг почувствовав себя не в своей тарелке. — Я обнаружил, что кто-то *обошел* систему фильтров вручную.

Эти слова были встречены полным молчанием. Лицо Стратмора из багрового стало пунцовым. Сомнений в том, кого именно обвиняет Чатрукьян, не было. Единственный терминал в шифровалке, с которого разрешалось обходить фильтры «Сквозь строй», принадлежал Стратмору.

Когда коммандер заговорил, в его голосе звучали ледяные нотки:

— Мистер Чатрукьян, я не хочу сказать, что вас это не касается, но фильтры обошел я. — Очевидно, что Стратмор с трудом сдерживает гнев. — Я уже раньше объяснял вам, что занят диагностикой особого рода. Цепная мутация, которую вы обнаружили в «ТРАНСТЕКСТЕ», является частью этой диагностики. Она там, потому что я ее туда запустил. «Сквозь строй» не позволял мне загрузить этот файл, поэтому я обошел фильтры. — Глаза коммандера, сузившись, пристально смотрели на Чатрукьяна. — Ну, что еще — до того как вы отправитесь домой?

В одно мгновение Сьюзан все стало ясно. Когда Стратмор загрузил взятый из Интернета алгоритм закодированной «Цифровой крепости» и попытался прогнать его через «ТРАНСТЕКСТ», цепная мутация наткнулась на фильтры системы «Сквозь строй». Горя желанием выяснить, поддается ли «Цифровая крепость» взлому, Стратмор принял решения обойти фильтры.

В обычных условиях такое действие считалось бы недопустимым. Но в сложившейся ситуации никакой опасности в загрузке в «ТРАНСТЕКСТ» этой программы не было, потому что коммандер точно знал, что это за файл и откуда он появился.

— Несмотря на все мое уважение к вам, сэр, — продолжал настаивать Чатрукьян, — мне никогда еще не доводилось слышать о диагностике, в которой использовалась бы мутация...

— Коммандер, — перебила его Сьюзан, которая не могла больше ждать. — Мне действительно нужно...

На этот раз ее слова прервал резкий звонок мобильного телефона Стратмора. Коммандер поднес его к уху.

— В чем дело? — рявкнул он и замолчал, внимательно слушая собеседника.

Сьюзан на какое-то время забыла про Хейла. Она молила Бога, чтобы Стратмору звонил Дэвид. «Скажи мне скорей, что с ним все в порядке, — думала она. — Скажи, что он нашел кольцо!» Но коммандер поймал ее взгляд и нахмурился. Значит, это не Дэвид.

Сьюзан почувствовала, что у нее перехватило дыхание. Она лишь хотела знать, что человек, которого она любит, в безопасности. Стратмор, в свою очередь, тоже сгорал от нетерпения, но по другой причине. Если Дэвид и дальше задержится, придется послать ему на помощь кого-то из полевых агентов АНБ, а это было связано с риском, которого коммандер всеми силами хотел избежать.

— Коммандер, — сказал Чатрукьян, — я уверен, что нам надо проверить...

— Подождите минутку, — сказал Стратмор в трубку, извинившись перед собеседником. Он прикрыл микрофон телефона рукой и гневно посмотрел на своего молодого сотрудника. — Мистер Чатрукьян, — буквально прорычал он, — дискуссия закончена! Вы должны немедленно покинуть шифровалку. *Немедленно*. Это приказ.

Чатрукьян замер от неожиданности.

— Но, сэр, мутация...

— Немедленно! — крикнул Стратмор.

Чатрукьян некоторое время смотрел на него, лишившись дара речи, а потом бегом направился прочь из шифровалки.

Стратмор повернулся и с удивлением увидел Хейла. Сьюзан поняла, в чем дело: все это время Хейл вел себя тихо, подозрительно тихо, поскольку отлично знал, что нет такой диагностики, в которой использовалась бы цепная мутация, тем более такая, которая занимала «ТРАНСТЕКСТ» уже восемнадцать часов. Хейл не проронил ни слова. Казалось, вспыхнувшая на его глазах перепалка абсолютно его не касается. Очевидно, Стратмор вдруг задумался: *почему?* У Сьюзан имелся на это ответ.

— Коммандер, — она снова попыталась настоять на своем, — нам нужно поговорить.

— Минутку! — отрезал Стратмор, вопросительно глядя на Хейла. — Мне нужно закончить разговор. — Он повернулся и направился к своему кабинету.

Сьюзан открыла рот, но слова застряли у нее в горле. *Хейл — Северная Дакота!* Она замерла и непроизвольно задержала дыхание, чувствуя на себе взгляд Хейла. Сьюзан повернулась, и Хейл, пропуская ее вперед, сделал широкий взмах рукой, точно приветствуя ее возвращение в Третий узел.

— После вас, Сью, — сказал он.

ГЛАВА 41

В кладовке третьего этажа отеля «Альфонсо XIII» на полу без сознания лежала горничная. Человек в очках в железной оправе положил в карман ее халата связку ключей. Он не услышал ее крика, когда ударил ее, он даже не знал, кричала ли она вообще: он оглох, когда ему было всего двенадцать лет от роду.

Человек благоговейно потянулся к закрепленной на брючном ремне батарее: эта машинка, подарок одного из клиентов, подарила ему новую жизнь. Теперь он мог принимать заказы в любой точке мира. Сообщения поступали мгновенно, и их нельзя было отследить.

Он торопливо повернул выключатель. Стекла очков блеснули, и его пальцы снова задвигались в воздухе. Он, как обычно, записал имена жертв. Контакты на кончиках пальцев замкнулись, и на линзах очков, подобно бестелесным духам, замелькали буквы.

ОБЪЕКТ: РОСИО ЕВА ГРАНАДА — ЛИКВИДИРОВАНА
ОБЪЕКТ: ГАНС ХУБЕР — ЛИКВИДИРОВАН

Тремя этажами ниже Дэвид Беккер заплатил по счету и со стаканом в руке направился через холл на открытую террасу гостиницы.

— Туда и обратно, — пробормотал он.

Все складывалось совсем не так, как он рассчитывал. Теперь предстояло принять решение. Бросить все и ехать в аэропорт? *Вопрос национальной безопасности.* Он тихо выругался.

Тогда почему они послали не профессионального агента, а университетского преподавателя?

Выйдя из зоны видимости бармена, Беккер вылил остатки напитка в цветочный горшок. От водки у него появилось легкое головокружение. Сьюзан, подшучивая над ним, часто говорила, что напоить его не составляет никакого труда. Наполнив тяжелый хрустальный стакан водой из фонтанчика, Беккер сделал несколько жадных глотков, потянулся и расправил плечи, стараясь сбросить алкогольное оцепенение, после чего поставил стакан на столик и направился к выходу. Когда он проходил мимо лифта, дверцы открылись. В кабине стоял какой-то мужчина. Беккер успел заметить лишь очки в железной оправе. Мужчина поднес к носу платок. Беккер вежливо улыбнулся и вышел на улицу — в душную севильскую ночь.

ГЛАВА 42

Вернувшись в комнату, Сьюзан, не находя себе места, нервно ходила из угла в угол, терзаясь мыслью о том, что так и не выбрала момент, чтобы разоблачить Хейла.

А тот спокойно сидел за своим терминалом.

— Стресс — это убийца, Сью. Что тебя тревожит?

Сьюзан заставила себя сесть. Она полагала, что Стратмор уже закончил телефонный разговор и сейчас придет и выслушает ее, но он все не появлялся. Пытаясь успокоиться, она посмотрела на экран своего компьютера. Запущенный во второй раз «Следопыт» все еще продолжал поиск, но теперь это уже не имело значения. Сьюзан знала, что он принесет ей в зубах:

GHALE@crypto.nsa.dov

Переведя взгляд на рабочий кабинет Стратмора, она поняла, что больше не может ждать, пусть даже помешает его разговору по телефону. Она встала и направилась к двери.

Хейл внезапно почувствовал беспокойство — скорее всего из-за необычного поведения Сьюзан. Он быстро пересек комнату и преградил ей дорогу, скрестив на груди руки.

— Скажи мне, что происходит, — потребовал он. — Сегодня здесь все идет кувырком. В чем дело?

— Пусти меня, — сказала Сьюзан, стараясь говорить как можно спокойнее. Внезапно ее охватило ощущение опасности.

— Ну, давай же, — настаивал Хейл. — Стратмор практически выгнал Чатрукьяна за то, что тот скрупулезно выполняет свои обязанности. Что случилось с «ТРАНСТЕКСТОМ»?

Не бывает такой диагностики, которая длилась бы восемнадцать часов. Все это вранье, и ты это отлично знаешь. Скажи мне, что происходит?

Сьюзен прищурилась. *Ты сам отлично знаешь, что происходит!*

— А ну-ка пропусти меня, Грег, — сказала она. — Мне нужно в туалет.

Хейл ухмыльнулся, но, подождав еще минуту, отошел в сторону.

— Извини, Сью, я пошутил.

Сьюзан быстро проскочила мимо него и вышла из комнаты. Проходя вдоль стеклянной стены, она ощутила на себе сверлящий взгляд Хейла.

Сьюзан пришлось сделать крюк, притворившись, что она направляется в туалет. Нельзя, чтобы Хейл что-то заподозрил.

ГЛАВА 43

В свои сорок пять Чед Бринкерхофф отличался тем, что носил тщательно отутюженные костюмы, был всегда аккуратно причесан и прекрасно информирован. На легком летнем костюме, как и на загорелой коже, не было ни морщинки. Его густые волосы имели натуральный песочный оттенок, а глаза отливали яркой голубизной, которая только усиливалась слегка тонированными контактными линзами.

Оглядывая свой роскошно меблированный кабинет, он думал о том, что достиг потолка в структуре АНБ. Его кабинет находился на девятом этаже — в так называемом Коридоре красного дерева. Кабинет номер 9А197. Директорские апартаменты.

В этот субботний вечер в Коридоре красного дерева было пусто, все служащие давно разошлись по домам, чтобы предаться излюбленным развлечениям влиятельных людей. Хотя Бринкерхофф всегда мечтал о «настоящей» карьере в агентстве, он вынужден был довольствоваться положением «личного помощника» — бюрократическим тупиком, в который его загнала политическая крысиная возня. Тот факт, что он работал рядом с самым влиятельным человеком во всем американском разведывательном сообществе, служил ему малым утешением. Он с отличием окончил теологическую школу Андовер и колледж Уильямса и, дожив до средних лет, не получил никакой власти, не достиг никакого значимого рубежа. Все свои дни он посвящал организации распорядка чужой жизни.

***

В положении личного помощника директора имелись и определенные преимущества: роскошный кабинет в директорских апартаментах, свободный доступ в любой отдел АНБ и ощущение собственной исключительности, объяснявшееся обществом, среди которого ему приходилось вращаться. Выполняя поручения людей из высшего эшелона власти, Бринкерхофф в глубине души знал, что он — прирожденный личный помощник: достаточно сообразительный, чтобы все правильно записать, достаточно импозантный, чтобы устраивать пресс-конференции, и достаточно ленивый, чтобы не стремиться к большему.

Приторно-сладкий перезвон каминных часов возвестил об окончании еще одного дня его унылого существования. «Какого черта! — подумал он. — Что я делаю здесь в пять вечера в субботу?»

— Чед? — В дверях его кабинета возникла Мидж Милкен, эксперт внутренней безопасности Фонтейна. В свои шестьдесят она была немного тяжеловатой, но все еще весьма привлекательной женщиной, чем не переставала изумлять Бринкерхоффа. Кокетка до мозга костей, трижды разведенная, Мидж двигалась по шестикомнатным директорским апартаментам с вызывающей самоуверенностью. Она отличалась острым умом, хорошей интуицией, частенько засиживалась допоздна и, как говорили, знала о внутренних делах АНБ куда больше самого Господа Бога.

«Черт возьми, — подумал Бринкерхофф, разглядывая ее серое кашемировое платье, — или я старею, или она молодеет».

— Еженедельные отчеты. — Мидж улыбнулась, помахивая пачкой документов. — Вам нужно проверить, как это выглядит.

Бринкерхофф окинул взглядом ее фигуру.

— Отсюда выглядит просто отлично.

— Да ну тебя, Чед, — засмеялась она. — Я гожусь тебе в матери.

«Могла бы не напоминать», — подумал он.

Мидж подошла к его столу.

— Я ухожу, но директору эти цифры нужны к его возвращению из Южной Америки. То есть к понедельнику, с самого утра. — Она бросила пачку компьютерных распечаток ему на стол.

— Я что, бухгалтер?

— Нет, милый, ты директорский автопилот. Надеюсь, не забыл.

— Ну и что мне, прожевать все эти цифры?

Она поправила прическу.

— Ты же всегда стремился к большей ответственности. Вот она.

Он печально на нее посмотрел.

— Мидж... у меня нет никакой жизни.

Она постучала пальцем по кипе документов:

— Вот твоя жизнь, Чед Бринкерхофф. — Но, посмотрев на него, смягчилась. — Могу я чем-нибудь тебе помочь, прежде чем уйду?

Он посмотрел на нее умоляюще и покрутил затекшей шеей.

— У меня затекли плечи.

Мидж не поддалась.

— Прими аспирин.

— Не помассируешь мне спину? — Он надулся.

Мидж покачала головой.

— В «Космополитене» пишут, что две трети просьб потереть спинку кончаются сексом.

Бринкерхофф возмутился.

— У нас ничего такого не случалось.

— Вот именно. — Она едва заметно подмигнула. — В этом все и дело.

— Мидж...

— Доброй ночи, Чед. — Она направилась к двери.

— Ты уходишь?

— Ты же знаешь, что я бы осталась, — сказала она, задержавшись в дверях, — но у меня все же есть кое-какая гордость. Я просто не желаю играть вторую скрипку — тем более по отношению к подростку.

— Моя жена вовсе не подросток, — возмутился Бринкерхофф. — Она просто так себя ведет.

Мидж посмотрела на него с удивлением.

— Я вовсе не имела в виду твою жену. — Она невинно захлопала ресницами. — Я имела в виду *Кармен.* — Это имя она произнесла с нарочитым пуэрто-риканским акцентом.

— Кого? — спросил он чуть осипшим голосом.

— Кармен. Ту, что работает в столовой.

Бринкерхофф почувствовал, как его лицо заливается краской. Двадцатисемилетняя Кармен Хуэрта была поваром-кондитером в столовой АНБ. Бринкерхофф провел с ней наедине несколько приятных и, как ему казалось, тайных встреч в кладовке.

Мидж злорадно подмигнула.

— Никогда не забывай, Чед, что «Большой Брат» знает все.

Большой Брат? Бринкерхофф отказывался в это поверить. *Неужели Большой Брат следит за тем, что делается в кладовке?*

«Большой Брат», или «Брат», как его обычно называла Мидж, — это аппарат «Сентрекс-333», размещавшийся в крохотном, похожем на подсобку кабинетике рядом с директорскими апартаментами. «Большой Брат» был частью мира, в котором царила Мидж. Он получал информацию со 148 камер кабельного телевидения, 399 электронных дверей, 377 устройств прослушивания телефонов и еще 212 «жучков», установленных по всему комплексу АНБ.

Директора АНБ дорого заплатили за осознание того факта, что двадцать шесть тысяч сотрудников не только огромная ценность, но и источник больших неприятностей. Все крупные провалы в сфере безопасности в истории агентства происходили внутри этого здания. В обязанности Мидж как эксперта по обеспечению внутренней безопасности входило наблюдение за всем, что творилось в стенах АНБ... в том числе и в кладовке столовой агентства.

Бринкерхофф поднялся со своего места, словно стоя ему было легче защищаться, но Мидж уже выходила из его кабинета.

— Руки на стол, — бросила она через плечо. — Когда я уйду, пожалуйста, никаких глупостей. И у стен есть глаза.

Бринкерхофф опустился на стул, слушая, как стук ее каблуков затихает в конце коридора. По крайней мере Мидж не станет болтать. У нее есть и свои слабости. Она ведь и сама кое-что себе позволяла: время от времени они массировали друг другу спину.

Мысли его вернулись к Кармен. Перед глазами возникло ее гибкое тело, темные загорелые бедра, приемник, который она включала на всю громкость, слушая томную карибскую музыку. Он улыбнулся. «Может, заскочить на секунду, когда просмотрю эти отчеты?»

Бринкерхофф взял первую распечатку.

ШИФРОВАЛКА – ПРОИЗВОДИТЕЛЬНОСТЬ/РАСХОДЫ

Настроение его сразу же улучшилось. Мидж оказала ему настоящую услугу: обработка отчета шифровалки, как правило, не представляла собой никаких трудностей. Конечно, он должен был проверить все показатели, но единственная цифра, которая по-настоящему всегда интересовала директора, — это СЦР, средняя цена одной расшифровки. Иными словами, СЦР представляла собой оценочную стоимость вскрытия «ТРАНСТЕКСТОМ» одного шифра. Если цена не превышала тысячи долларов, Фонтейн никак не реагировал. Тысчонка за сеанс. Бринкерхофф ухмыльнулся. Деньги налогоплательщиков в действии.

Когда он начал просматривать отчет и проверять ежедневную СЦР, в голове у него вдруг возник образ Кармен, обмазывающей себя медом и посыпающей сахарной пудрой. Через тридцать секунд с отчетом было покончено. С шифровалкой все в полном порядке — как всегда.

Бринкерхофф хотел было уже взять следующий документ, но что-то задержало его внимание. В самом низу страницы отсутствовала последняя СЦР. В ней оказалось такое количество знаков, что ее пришлось перенести в следующую колонку. Увидев эту цифру, Бринкерхофф испытал настоящий шок. 999 999 999? Он ахнул. Миллиард долларов? Соблазнительный образ Кармен тут же улетучился. Код ценой в один миллиард долларов?

Некоторое время он сидел словно парализованный, затем в панике выбежал в коридор.

— Мидж! Скорее сюда!

ГЛАВА 44

Фил Чатрукьян, кипя от злости, вернулся в лабораторию систем безопасности. Слова Стратмора эхом отдавались в его голове: *Уходите немедленно! Это приказ!* Чатрукьян пнул ногой урну и выругался вслух — благо лаборатория была пуста:

— Диагностика, черт ее дери! С каких это пор заместитель директора начал действовать в обход фильтров?!

Сотрудникам лаборатории платили хорошие деньги, чтобы они охраняли компьютерные системы АНБ, и Чатрукьян давно понял, что от него требуются две вещи: высочайший профессионализм и подозрительность, граничащая с паранойей.

«Черт возьми! — снова мысленно выругался он. — Никакая это не паранойя! Этот чертов компьютер бьется над чем-то уже восемнадцать часов!»

Конечно же, все дело в вирусе. Чатрукьян это чувствовал. У него не было сомнений относительно того, что произошло: Стратмор совершил ошибку, обойдя фильтры, и теперь пытался скрыть этот факт глупой версией о диагностике.

Чатрукьян не был бы так раздражен, если бы «ТРАНС-ТЕКСТ» был его единственной заботой. Однако это было не так. Несмотря на свой внушительный вид, дешифровальное чудовище отнюдь не было островом в океане. Хотя криптографы были убеждены, что система фильтров «Сквозь строй» предназначалась исключительно для защиты этого криптографического декодирующего шедевра, сотрудники лаборатории систем безопасности знали правду. Фильтры служили куда более высокой цели — защите главной базы данных АНБ.

Чатрукьяну была известна история ее создания. Несмотря на все предпринятые в конце 1970-х годов усилия министерства обороны сохранить Интернет для себя, этот инструмент оказался настолько соблазнительным, что не мог не привлечь к себе внимания всего общества. Со временем им заинтересовались университеты, а вскоре после этого появились и коммерческие серверы. Шлюзы открылись — в Интернет хлынула публика. К началу 1990-х годов некогда тщательно охраняемый правительством Интернет превратился в перенаселенное пространство, заполненное общедоступными почтовыми серверами и порнографическими сайтами.

Вскоре после не получившего огласки, но причинившего колоссальный ущерб государственной безопасности проникновения в базы данных Военно-морского флота стало абсолютно очевидно, что секретная информация, хранящаяся на компьютерах, подключенных к Интернету, перестала быть тайной. По предложению министерства обороны президент подписал тайное распоряжение о создании новой, абсолютно безопасной правительственной сети, которая должна была заменить скомпрометировавший себя Интернет и стать средством связи разведывательных агентств США. Чтобы предотвратить дальнейшее проникновение в государственные секреты, вся наиболее важная информация была сосредоточена в одном в высшей степени безопасном месте — новой базе данных АНБ, своего рода форте Нокс разведывательной информации страны.

Без преувеличения многие миллионы наиболее секретных фотографий, магнитофонных записей, документов и видеофильмов были записаны на электронные носители и отправлены в колоссальное по размерам хранилище, а твердые копии этих материалов были уничтожены. Базу данных защищали трехуровневое реле мощности и многослойная система цифровой поддержки. Она была спрятана под землей на глубине 214 футов для защиты от взрывов и воздействия магнитных полей. Вся деятельность в комнате управления относилась к категории «Совершенно секретно. УМБРА», что было высшим уровнем секретности в стране.

Никогда еще государственные секреты США не были так хорошо защищены. В этой недоступной для посторонних базе данных хранились чертежи ультрасовременного оружия, списки подлежащих охране свидетелей, данные полевых агентов, подробные предложения по разработке тайных операций. Перечень этой бесценной информации был нескончаем. Всяческие вторжения, способные повредить американской разведке, абсолютно исключались.

Конечно, офицеры АНБ прекрасно понимали, что вся информация имеет смысл только в том случае, если она используется тем, кто испытывает в ней необходимость по роду работы. Главное достижение заключалось не в том, что секретная информация стала недоступной для широкой публики, а в том, что к ней имели доступ определенные люди. Каждой единице информации присваивался уровень секретности, и, в зависимости от этого уровня, она использовалась правительственными чиновниками по профилю их деятельности. Командир подводной лодки мог получить последние спутниковые фотографии российских портов, но не имел доступа к планам действий подразделений по борьбе с распространением наркотиков в Южной Америке. Эксперты ЦРУ могли ознакомиться со всеми данными об известных убийцах, но не с кодами запуска ракет с ядерным оружием, которые оставались доступны лишь для президента.

Сотрудники лаборатории систем безопасности, разумеется, не имели доступа к информации, содержащейся в этой базе данных, но они несли ответственность за ее безопасность. Как и все другие крупные базы данных — от страховых компаний до университетов, — хранилище АНБ постоянно подвергалось атакам компьютерных хакеров, пытающих проникнуть в эту святая святых. Но система безопасности АНБ была лучшей в мире. Никому даже близко не удалось подойти к базе АНБ, и у агентства не было оснований полагать, что это когда-нибудь случится в будущем.

Вернувшись в лабораторию, Чатрукьян никак не мог решить, должен ли он идти домой. Неисправность «ТРАНС-

ТЕКСТА» угрожала и базе данных, а легкомыслие Стратмора не имело оправданий.

Всем известно, что «ТРАНСТЕКСТ» и главная база данных АНБ тесно связаны между собой. Каждый новый шифр после его вскрытия переводится на безопасное хранение из шифровалки в главную базу данных АНБ по оптико-волоконному кабелю длиной 450 ярдов. В это святилище существует очень мало входов, и «ТРАНСТЕКСТ» — один из них. Система «Сквозь строй» должна служить его верным часовым, а Стратмору вздумалось ее обойти.

Чатрукьян слышал гулкие удары своего сердца. *«ТРАНСТЕКСТ» заклинило на восемнадцать часов!* Мысль о компьютерном вирусе, проникшем в «ТРАНСТЕКСТ» и теперь свободно разгуливающем по подвалам АНБ, была непереносима.

— Я обязан об этом доложить, — сказал он вслух.

В подобной ситуации надо известить только одного человека — старшего администратора систем безопасности АНБ, одышливого, весящего четыреста фунтов компьютерного гуру, придумавшего систему фильтров «Сквозь строй». В АНБ он получил кличку Джабба и приобрел репутацию полубога. Он бродил по коридорам шифровалки, тушил бесконечные виртуальные пожары и проклинал слабоумие нерадивых невежд. Чатрукьян знал: как только Джабба узнает, что Стратмор обошел фильтры, разразится скандал. «Какая разница? — подумал он. — Я должен выполнять свои обязанности». Он поднял телефонную трубку и набрал номер круглосуточно включенного мобильника Джаббы.

ГЛАВА 45

Дэвид Беккер бесцельно брел по авенида дель Сид, тщетно пытаясь собраться с мыслями. На брусчатке под ногами мелькали смутные тени, водка еще не выветрилась из головы. Все происходящее напомнило ему нечеткую фотографию. Мысли его то и дело возвращались к Сьюзан: он надеялся, что она уже прослушала его голос на автоответчике.

Чуть впереди, у остановки, притормозил городской автобус. Беккер поднял глаза. Дверцы автобуса открылись, но из него никто не вышел. Дизельный двигатель взревел, набирая обороты, и в тот момент, когда автобус уже готов был тронуться, из соседнего бара выскочили трое молодых людей. Они бежали за уже движущимся автобусом, крича и размахивая руками. Водитель, наверное, снял ногу с педали газа, рев двигателя поутих, и молодые люди поравнялись с автобусом.

Шедший сзади, метрах в десяти, Беккер смотрел на них, не веря своим глазам. Фотография внезапно обрела резкость, но он понимал, что увиденное слишком невероятно. Один шанс к миллиону.

«У меня галлюцинация».

Когда двери автобуса открылись, молодые люди быстро вскочили внутрь. Беккер напряг зрение. Сомнений не было. В ярком свете уличного фонаря на углу Беккер увидел ее.

Молодые люди поднялись по ступенькам, и двигатель автобуса снова взревел. Беккер вдруг понял, что непроизвольно рванулся вперед, перед его глазами маячил только один образ — черная помада на губах, жуткие тени под глазами и эти волосы... заплетенные в три торчащие в разные стороны косички. Красную, белую и синюю.

Автобус тронулся, а Беккер бежал за ним в черном облаке окиси углерода.

— Espera! — крикнул он ему вдогонку.

Его туфли кордовской кожи стучали по асфальту, но его обычная реакция теннисиста ему изменила: он чувствовал, что теряет равновесие. Мозг как бы не поспевал за ногами. Беккер в очередной раз послал бармену проклятие за коктейль, выбивший его из колеи.

Это был один из старых потрепанных севильских автобусов, и первая передача включилась не сразу. Расстояние между Беккером и ним сокращалось. Нужно было во что бы то ни стало догнать его, пока не включилась следующая передача.

Сдвоенная труба глушителя выбросила очередное густое облако, перед тем как водитель включил вторую передачу. Беккер увеличил скорость. Поравнявшись с задним бампером, он взял немного правее. Ему была видна задняя дверца: как это принято в Севилье, она оставалась открытой — экономичный способ кондиционирования.

Все внимание Беккера сосредоточилось на открытой двери, и он забыл о жгучей боли в ногах. Задние колеса уже остались за спиной — огромные, доходящие ему до плеч скаты, вращающиеся все быстрее и быстрее. Беккер рванулся к двери, рука его опустилась мимо поручня, и он чуть не упал. Еще одно усилие. Где-то под брюхом автобуса клацнуло сцепление: сейчас водитель переключит рычаг скоростей.

«Сейчас переключит! Мне не успеть!»

Но когда шестерни разомкнулись, чтобы включилась другая их пара, автобус слегка притормозил, и Беккер прыгнул. Шестерни сцепились, и как раз в этот момент его пальцы схватились за дверную ручку. Руку чуть не вырвало из плечевого сустава, когда двигатель набрал полную мощность, буквально вбросив его на ступеньки.

Беккер грохнулся на пол возле двери. Мостовая стремительно убегала назад в нескольких дюймах внизу. Он окончательно протрезвел. Ноги и плечо ныли от боли. Беккер с трудом поднялся на ноги, выпрямился и заглянул в темное нутро салона. Среди неясных силуэтов впереди он увидел три торчащие косички.

«Красная, белая и синяя! Я нашел ее!»

В его голове смешались мысли о кольце, о самолете «Лирджет-60», который ждал его в ангаре, и, разумеется, о Сьюзан.

В тот момент, когда он поравнялся с сиденьем, на котором сидела девушка, и подумал, что именно ей скажет, автобус проехал под уличным фонарем, на мгновение осветившим лицо обладателя трехцветной шевелюры.

Беккер смотрел на него, охваченный ужасом. Под густым слоем краски он увидел не гладкие девичьи щеки, а густую щетину. Это был молодой человек. В верхней губе у него торчала серебряная запонка, на нем была черная кожаная куртка, надетая на голое тело.

— Какого черта тебе надо? — прорычал он хриплым голосом — с явным нью-йоркским акцентом.

Сдерживая подступившую к горлу тошноту, Беккер успел заметить, что все пассажиры повернулись и смотрят на него. Все как один были панки. И, наверное, у половины из них — красно-бело-синие волосы.

— Siéntate! — услышал он крик водителя. — Сядьте!

Однако Беккер был слишком ошеломлен, чтобы понять смысл этих слов.

— Siéntate! — снова крикнул водитель.

Беккер увидел в зеркале заднего вида разъяренное лицо, но словно оцепенел.

Раздраженный водитель резко нажал на педаль тормоза, и Беккер почувствовал, как перемещается куда-то вес его тела. Он попробовал плюхнуться на заднее сиденье, но промахнулся. Тело его сначала оказалось в воздухе, а потом — на жестком полу.

Из тени на авенида дель Сид появилась фигура человека. Поправив очки в железной оправе, человек посмотрел вслед удаляющемуся автобусу. Дэвид Беккер исчез, но это ненадолго. Из всех севильских автобусов мистер Беккер выбрал пользующийся дурной славой 27-й маршрут.

Автобус номер 27 следует к хорошо известной конечной остановке.

ГЛАВА 46

Фил Чатрукьян швырнул трубку на рычаг. Линия Джаббы оказалась занята, а службу ожидания соединения Джабба отвергал как хитрый трюк корпорации «Америкэн телефон энд телеграф», рассчитанный на то, чтобы увеличить прибыль: простая фраза «Я говорю по другому телефону, я вам перезвоню» приносила телефонным компаниям миллионы дополнительных долларов ежегодно. Отказ Джаббы использовать данную услугу был его личным ответом на требование АНБ о том, чтобы он всегда был доступен по мобильному телефону.

Чатрукьян повернулся и посмотрел в пустой зал шифровалки. Шум генераторов внизу с каждой минутой становился все громче. Фил физически ощущал, что времени остается все меньше. Он знал: все уверены, что он ушел. В шуме, доносившемся из-под пола шифровалки, в его голове звучал девиз лаборатории систем безопасности: *Действуй, объясняться будешь потом.*

В мире высоких ставок, в котором от компьютерной безопасности зависело слишком многое, минуты зачастую означали спасение системы или ее гибель. Трудно было найти время для предварительного обоснования защитных мер. Сотрудникам службы безопасности платили за их техническое мастерство... а также за чутье.

Действуй, объясняться будешь потом. Чатрукьян знал, что ему делать. Знал он и то, что, когда пыль осядет, он либо станет героем АНБ, либо пополнит ряды тех, кто ищет работу.

В огромной дешифровальной машине завелся вирус — в этом он был абсолютно уверен. Существовал только один разумный путь — выключить ее.

Чатрукьян знал и то, что выключить «ТРАНСТЕКСТ» можно двумя способами. Первый — с личного терминала коммандера, запертого в его кабинете, и он, конечно, исключался. Второй — с помощью ручного выключателя, расположенного в одном из ярусов под помещением шифровалки.

Чатрукьян тяжело сглотнул. Он терпеть не мог эти ярусы. Он был там только один раз, когда проходил подготовку. Этот враждебный мир заполняли рабочие мостки, фреоновые трубки и пропасть глубиной 136 футов, на дне которой располагались генераторы питания «ТРАНСТЕКСТА»...

Чатрукьяну страшно не хотелось погружаться в этот мир, да и вставать на пути Стратмора было далеко не безопасно, но долг есть долг. «Завтра они скажут мне спасибо», — подумал он, так и не решив, правильно ли поступает.

Набрав полные легкие воздуха, Чатрукьян открыл металлический шкафчик старшего сотрудника лаборатории систем безопасности. На полке с компьютерными деталями, спрятанными за накопителем носителей информации, лежала кружка выпускника Стэнфордского университета и тестер. Не коснувшись краев, он вытащил из нее ключ Медеко.

— Поразительно, — пробурчал он, — что сотрудникам лаборатории систем безопасности ничего об этом не известно.

ГЛАВА 47

— Шифр ценой в миллиард долларов? — усмехнулась Мидж, столкнувшись с Бринкерхоффом в коридоре. — Ничего себе.

— Клянусь, — сказал он.

Она смотрела на него с недоумением.

— Надеюсь, это не уловка с целью заставить меня скинуть платье.

— Мидж, я бы никогда... — начал он с фальшивым смирением.

— Знаю, Чед. Мне не нужно напоминать.

Через тридцать секунд она уже сидела за его столом и изучала отчет шифровалки.

— Видишь? — спросил Бринкерхофф, наклоняясь над ней и показывая цифру. — Это СЦР? Миллиард долларов!

Мидж хмыкнула.

— Кажется, чуточку дороговато, не правда ли?

— Да уж, — застонал он. — Чуточку.

— Это как будто деление на ноль.

— Что?

— Деление на ноль, — сказала она, пробегая глазами остальные данные. — Средняя цена определяется как дробь — общая стоимость, деленная на число расшифровок.

— Конечно. — Бринкерхофф рассеянно кивнул, стараясь не смотреть на лиф ее платья.

— Когда знаменатель равняется нулю, — объясняла Мидж, — результат уходит в бесконечность. Компьютеры терпеть не могут бесконечности, поэтому выдают девятки. — Она показала ему другую колонку. — Видишь?

— Вижу, — сказал Бринкерхофф, стараясь сосредоточиться на документе.

— Это данные о сегодняшней производительности. Взгляни на число дешифровок.

Бринкерхофф послушно следил за движениями ее пальца.

КОЛИЧЕСТВО ДЕШИФРОВОК = 0

Мидж постучала пальцем по этой цифре.

— Я так и думала. Деление на ноль.

Бринкерхофф высоко поднял брови.

— Выходит, все в порядке?

— Это лишь означает, — сказала она, пожимая плечами, — что сегодня мы не взломали ни одного шифра. «ТРАНСТЕКСТ» устроил себе перерыв.

— Перерыв? — Бринкерхофф не был в этом уверен. Он достаточно долго проработал бок о бок с директором и знал, что «перерыв» не относился к числу поощряемых им действий — особенно когда дело касалось «ТРАНСТЕКСТА». Фонтейн заплатил за этого бегемота дешифровки два миллиарда и хотел, чтобы эти деньги окупились сполна. Каждая минута простоя «ТРАНСТЕКСТА» означала доллары, спущенные в канализацию.

— Но, Мидж... — сказал Бринкерхофф. — «ТРАНСТЕКСТ» не устраивает перерывов. Он трудится день и ночь. Тебе это отлично известно.

Она пожала плечами:

— Быть может, Стратмору не хотелось задерживаться здесь вчера вечером для подготовки отчета. Он же знал, что Фонтейн в отъезде, и решил уйти пораньше и отправиться на рыбалку.

— Да будет тебе, Мидж. — Бринкерхофф посмотрел на нее осуждающе. — Дай парню передохнуть.

Ни для кого не было секретом, что Мидж Милкен недолюбливала Тревора Стратмора. Стратмор придумал хитроумный ход, чтобы приспособить «Попрыгунчика» к нуждам агентства, но его схватили за руку. Несмотря ни на что, АНБ это стоило больших денег. Фонд электронных границ усилил свое влияние, доверие к Фонтейну в конгрессе резко упало, и, что еще хуже, агентство перестало быть анонимным. Внезапно домохозяйки штата Миннесота начали жаловаться компаниям «Америка онлайн» и «Вундеркинд», что АНБ, возможно, читает их электронную почту, — хотя агентству, конечно, не было дела до рецептов приготовления сладкого картофеля.

Провал Стратмора дорого стоил агентству, и Мидж чувствовала свою вину — не потому, что могла бы предвидеть неудачу коммандера, а потому, что эти действия были предприняты за спиной директора Фонтейна, а Мидж платили именно за то, чтобы она эту спину прикрывала. Директор старался в такие дела не вмешиваться, и это делало его уязвимым, а Мидж постоянно нервничала по этому поводу. Но директор давным-давно взял за правило умывать руки, позволяя своим умным сотрудникам заниматься своим делом, — именно так он вел себя по отношению к Тревору Стратмору.

— Мидж, тебе отлично известно, что Стратмор всего себя отдает работе. Он относится к «ТРАНСТЕКСТУ» как к священной корове.

Мидж кивнула. В глубине души она понимала, что абсурдно обвинять в нерадивости Стратмора, который был беззаветно предан своему делу и воспринимал все зло мира как свое личное дело. «Попрыгунчик» был любимым детищем коммандера, смелой попыткой изменить мир. Увы, как и большинство других поисков божества, она закончилась распятием.

— Хорошо, — сказала она. — Я немного погорячилась.

— Немного? — Глаза Бринкерхоффа сузились. — У Стратмора стол ломится от заказов. Вряд ли он позволил бы «ТРАНСТЕКСТУ» простаивать целый уик-энд.

— Хорошо, хорошо. — Мидж вздохнула. — Я ошиблась. — Она сдвинула брови, задумавшись, почему «ТРАНСТЕКСТ» за весь день не взломал ни единого шифра. — Позволь мне кое-что проверить, — сказала она, перелистывая отчет. Найдя то, что искала, Мидж пробежала глазами цифры и минуту спустя кивнула: — Ты прав, Чед. «ТРАНСТЕКСТ» работал на полную мощность. Расход энергии даже чуть выше обычного: более полумиллиона киловатт-часов с полуночи вчерашнего дня.

— И что все это значит?

— Не знаю. Все это выглядит довольно странно.

— Думаешь, надо вернуть им отчет?

Она посмотрела на него недовольно. В том, что касалось Мидж Милкен, существовали две вещи, которые никому не позволялось ставить под сомнение. Первой из них были предоставляемые ею данные. Бринкерхофф терпеливо ждал, пока она изучала цифры.

— Хм-м, — наконец произнесла она. — Вчерашняя статистика безукоризненна: вскрыто двести тридцать семь кодов, средняя стоимость — восемьсот семьдесят четыре доллара. Среднее время, потраченное на один шифр, — чуть более шести минут. Потребление энергии на среднем уровне. Последний шифр, введенный в «ТРАНСТЕКСТ»... — Она замолчала.

— Что такое?

— Забавно, — сказала она. — Последний файл из намеченных на вчера был загружен в одиннадцать сорок пять.

— И что?

— Итак, «ТРАНСТЕКСТ» вскрывает один шифр в среднем за шесть минут. Последний файл обычно попадает в машину около полуночи. И не похоже, что...

— Что? — Бринкерхофф даже подпрыгнул.

Мидж смотрела на цифры, не веря своим глазам.

— Этот файл, тот, что загрузили вчера вечером...

— Ну же!

— Шифр еще не вскрыт. Время ввода — двадцать три тридцать семь и восемь секунд, однако время завершения дешифровки не указано. — Мидж полистала страницы. — Ни вчера, ни *сегодня*!

Бринкерхофф пожал плечами:

— Быть может, ребята заняты сложной диагностикой.

Мидж покачала головой:

— Настолько сложной, *что она длится уже восемнадцать часов*? — Она выдержала паузу. — Маловероятно. Помимо всего прочего, в списке очередности указано, что это посторонний файл. Надо звонить Стратмору.

— Домой? — ужаснулся Бринкерхофф. — Вечером в субботу?

— Нет, — сказала Мидж. — Насколько я знаю Стратмора, это его дела. Готова спорить на любые деньги, что он здесь. Чутье мне подсказывает. — Второе, что никогда не ставилось под сомнение, — это чутье Мидж. — Идем, — сказала она, вставая. — Выясним, права ли я.

Бринкерхофф проследовал за Мидж в ее кабинет. Она села и начала, подобно пианисту-виртуозу, перебирать клавиши «Большого Брата».

Бринкерхофф посмотрел на мониторы, занимавшие едва ли не всю стену перед ее столом. На каждом из них красовалась печать АНБ.

— Хочешь посмотреть, чем занимаются люди в шифровалке? — спросил он, заметно нервничая.

— Вовсе нет, — ответила Мидж. — Хотела бы, но шифровалка недоступна взору «Большого Брата». Ни звука, ни картинки. Приказ Стратмора. Все, что я могу, — это проверить статистику, посмотреть, чем загружен «ТРАНСТЕКСТ». Слава Богу, разрешено хоть это. Стратмор требовал запретить всяческий доступ, но Фонтейн настоял на своем.

— В шифровалке нет камер слежения? — удивился Бринкерхофф.

— А что, — спросила она, не отрываясь от монитора, — вам с Кармен нужно укромное местечко?

Бринкерхофф выдавил из себя нечто невразумительное.

Мидж нажала несколько клавиш.

— Я просматриваю регистратор лифта Стратмора. — Мидж посмотрела в монитор и постучала костяшками пальцев по столу. — Он здесь, — сказала она как о чем-то само собой разумеющемся. — Сейчас находится в шифровалке. Смотри. Стратмор пришел вчера с самого утра, и с тех пор его лифт не сдвинулся с места. Не видно, чтобы он пользовался электронной картой у главного входа. Поэтому он определенно здесь.

Бринкерхофф с облегчением вздохнул:

— Ну, если он здесь, то нет проблем, верно?

Мидж задумалась.

— Может быть.

— Может быть?

— Мы должны позвонить ему и проверить.

— Мидж, он же заместитель директора, — застонал Бринкерхофф. — Я уверен, у него все под контролем. Давай не...

— Перестань, Чед, не будь ребенком. Мы выполняем свою работу. Мы обнаружили статистический сбой и хотим выяснить, в чем дело. Кроме того, — добавила она, — я хотела бы напомнить Стратмору, что «Большой Брат» не спускает с него глаз. Пусть хорошенько подумает, прежде чем затевать очередную авантюру с целью спасения мира. — Она подняла телефонную трубку и начала набирать номер.

Бринкерхофф сидел как на иголках.

— Ты уверена, что мы должны его беспокоить?

— Я не собираюсь его беспокоить, — сказала Мидж, протягивая ему трубку. — Это сделаешь ты.

ГЛАВА 48

— Что? — воскликнула Мидж, не веря своим ушам. — Стратмор говорит, что у нас неверные данные?

Бринкерхофф кивнул и положил трубку.

— Стратмор отрицает, что «ТРАНСТЕКСТ» бьется над каким-то файлом восемнадцать часов?

— Он был крайне со мной любезен, — просияв, сказал Бринкерхофф, довольный тем, что ему удалось остаться в живых после телефонного разговора. — Он заверил меня, что «ТРАНСТЕКСТ» в полной исправности. Сказал, что он взламывает коды каждые шесть минут и делал это даже пока мы с ним говорили. Поблагодарил меня за то, что я решил позвонить ему.

— Он лжет, — фыркнула Мидж. — Я два года проверяю отчеты шифровалки. У них всегда все было в полном порядке.

— Все когда-то бывает в первый раз, — бесстрастно ответил Бринкерхофф.

Она встретила эти слова с явным неодобрением.

— Я все проверяю дважды.

— Ну... ты знаешь, как они говорят о компьютерах. Когда их машины выдают полную чушь, они все равно на них молятся.

Мидж повернулась к нему на своем стуле.

— Это не смешно, Чед! Заместитель директора только что солгал директорской канцелярии. Я хочу знать почему!

Бринкерхофф уже пожалел, что не дал ей спокойно уйти домой. Телефонный разговор со Стратмором взбесил ее. После истории с «Попрыгунчиком» всякий раз, когда Мидж казалось, что происходит что-то подозрительное, она сразу же превращалась из кокетки в дьявола, и, пока не выясняла все досконально, ничто не могло ее остановить.

— Мидж, скорее всего это наши данные неточны, — решительно заявил Бринкерхофф. — Ты только подумай: «ТРАНС-ТЕКСТ» бьется над одним-единственным файлом целых восемнадцать часов! Слыханное ли это дело? Отправляйся домой, уже поздно.

Она окинула его высокомерным взглядом и швырнула отчет на стол.

— Я верю этим данным. Чутье подсказывает мне, что здесь все верно.

Бринкерхофф нахмурился. Даже директор не ставил под сомнение чутье Мидж Милкен — у нее была странная особенность всегда оказываться правой.

— Что-то затевается, — заявила Мидж. — И я намерена узнать, что именно.

ГЛАВА 49

Беккер с трудом поднялся и рухнул на пустое сиденье.

— Ну и полет, придурок, — издевательски хмыкнул парень с тремя косичками. Беккер прищурился от внезапной вспышки яркого света. Это был тот самый парень, за которым он гнался от автобусной остановки. Беккер мрачно оглядел море красно-бело-синих причесок.

— Что у них с волосами? — превозмогая боль, спросил он, показывая рукой на остальных пассажиров. — Они все...

— Красно-бело-синие? — подсказал парень.

Беккер кивнул, стараясь не смотреть на серебряную дужку в верхней губе парня.

— Табу Иуда, — произнес тот как ни в чем не бывало.

Беккер посмотрел на него с недоумением.

Панк сплюнул в проход, явно раздраженный невежеством собеседника.

— Табу Иуда. Самый великий панк со времен Злого Сида. Ровно год назад он разбил здесь себе голову. Сегодня годовщина.

Беккер кивнул, плохо соображая, какая тут связь.

— Такая прическа была у Табу в день гибели. — Парень снова сплюнул. — Поэтому все его последователи, достойные этого названия, соорудили себе точно такие же.

Беккер долго молчал. Медленно, словно после укола транквилизатора, он поднял голову и начал внимательно рассматривать пассажиров. Все до единого — панки. И все внимательно смотрели на него.

У всех сегодня красно-бело-синие прически.

Беккер потянулся и дернул шнурок вызова водителя. Пора было отсюда вылезать. Дернул еще. Никакой реакции. Он дернул шнурок в третий раз, более резко. И снова ничего.

— На маршруте двадцать семь их отсоединяют. — Панк снова сплюнул в проход. — Чтоб мы не надоедали.

— Значит, я не могу сойти?

Парень захохотал.

— Доедешь до конечной остановки, приятель.

Через пять минут автобус, подпрыгивая, несся по темной сельской дороге. Беккер повернулся к панку.

— Этот тарантас когда-нибудь остановится?

— Еще пять миль.

— Куда мы едем?

Парень расплылся в широкой улыбке.

— А то ты не знаешь?!

Беккер пожал плечами.

Парень зашелся в истерическом хохоте.

— Ну и ну. Но тебе там понравится.

ГЛАВА 50

Фил Чатрукьян остановился в нескольких ярдах от корпуса «ТРАНСТЕКСТА», там, где на полу белыми буквами было выведено:

НИЖНИЕ ЭТАЖИ ШИФРОВАЛЬНОГО ОТДЕЛА
ВХОД ТОЛЬКО ДЛЯ ЛИЦ СО СПЕЦИАЛЬНЫМ ДОПУСКОМ

Чатрукьян отлично знал, что к этим лицам не принадлежит. Бросив быстрый взгляд на кабинет Стратмора, он убедился, что шторы по-прежнему задернуты. Сьюзан Флетчер минуту назад прошествовала в туалет, поэтому она ему тоже не помеха. Единственной проблемой оставался Хейл. Чатрукьян посмотрел на комнату Третьего узла — не следит ли за ним криптограф.

— Какого черта, — промычал он себе под нос.

Под его ногами была потайная дверь, почти неразличимая на полу. В руке он сжимал ключ, взятый из лаборатории систем безопасности.

Чатрукьян опустился на колени, вставил ключ в едва заметную скважину и повернул. Внизу что-то щелкнуло. Затем он снял наружную защелку в форме бабочки, снова огляделся вокруг и потянул дверцу на себя. Она была небольшой, приблизительно, наверное, метр на метр, но очень тяжелой. Когда люк открылся, Чатрукьян невольно отпрянул.

Струя горячего воздуха, напоенного фреоном, ударила ему прямо в лицо. Клубы пара вырвались наружу, подкрашенные снизу в красный цвет контрольными лампами. Далекий гул генераторов теперь превратился в громкое урчание. Чатрукьян выпрямился и посмотрел вниз. То, что он увидел, больше напоминало вход в преисподнюю, а не в служебное помещение. Узкая лестница спускалась к платформе, за которой тоже виднелись ступеньки, и все это было окутано красным туманом.

Грег Хейл, подойдя к стеклянной перегородке Третьего узла, смотрел, как Чатрукьян спускается по лестнице. С того места, где он стоял, казалось, что голова сотрудника лаборатории систем безопасности лишилась тела и осталась лежать на полу шифровалки. А потом медленно скрылась из виду в клубах пара.

— Отчаянный парень, — пробормотал Хейл себе под нос. Он знал, что задумал Чатрукьян. Отключение «ТРАНСТЕКСТА» было логичным шагом в случае возникновения чрезвычайной ситуации, а ведь тот был уверен, что в машину проник вирус. К несчастью, это был самый надежный способ собрать в шифровалке всех сотрудников Отдела обеспечения системной безопасности. После таких экстренных действий на главном коммутаторе раздавался сигнал общей тревоги. Проверку шифровалки службой безопасности Хейл допустить не мог. Он выбежал из помещения Третьего узла и направился к люку. Чатрукьяна во что бы то ни стало следовало остановить.

ГЛАВА 51

Джабба был похож на гигантского головастика. Подобно киноперсонажу, в честь которого он и получил свое прозвище, его тело представляло собой шар, лишенный всякой растительности. В качестве штатного ангела-хранителя компьютерных систем АНБ Джабба ходил по отделам, делал замечания, что-то налаживал и тем самым постоянно подтверждал свое кредо, гласившее, что профилактика — лучшее лекарство. Ни один из поднадзорных ему компьютеров АНБ не заразился вирусом, и он был намерен не допустить этого и впредь.

Рабочим местом Джаббы была платформа, с которой открывался вид на подземную сверхсекретную базу данных АНБ. Именно здесь вирус мог бы причинить наибольший ущерб, и именно здесь Джабба проводил большую часть времени. Однако в данный момент у него был перерыв и он поглощал пирог с сыром и перцем в круглосуточной столовой АНБ. Джабба собирался взять третий кусок, когда зазвонил мобильный телефон.

— Говорите, — сказал он, быстро проглотив пирог.

— Джабба, — проворковала женщина в ответ. — Это Мидж.

— Королева информации! — приветствовал ее толстяк. Он всегда питал слабость к Мидж Милкен. Умница, да к тому же единственная женщина, не упускавшая случая с ним пококетничать. — Как твои дела?

— Не жалуюсь.

Джабба вытер губы.

— Ты на месте?

— А-га.

— Не хочешь составить мне компанию? У меня на столе пирог с сыром.

— Хотела бы, Джабба, но я должна следить за своей талией.

— Ну да? — Он хмыкнул. — Давай я тебе помогу.

— Ах ты, пакостник!

— Не знаю, что ты такое подумала.

— Я рада, что поймала тебя, — продолжала она. — Мне нужен совет.

Джабба встряхнул бутылочку с острой приправой «Доктор Пеппер».

— Выкладывай.

— Может быть, все это чепуха, — сказала Мидж, — но в статистических данных по шифровалке вдруг вылезло что-то несуразное. Я надеюсь, что ты мне все объяснишь.

— В чем же проблема? — Джабба сделал глоток своей жгучей приправы.

— Передо мной лежит отчет, из которого следует, что «ТРАНСТЕКСТ» бьется над каким-то файлом уже восемнадцать часов и до сих пор не вскрыл шифр.

Джабба обильно полил приправой кусок пирога на тарелке.

— Что-что?

— Как это тебе нравится?

Он аккуратно размазал приправу кончиком салфетки.

— Что за отчет?

— Производственный. Анализ затрат на единицу продукции. — Мидж торопливо пересказала все, что они обнаружили с Бринкерхоффом.

— Вы звонили Стратмору?

— Да. Он уверяет, что в шифровалке полный порядок. Сказал, что «ТРАНСТЕКСТ» работает в обычном темпе. Что у нас неверные данные.

Джабба нахмурил свой несоразмерно выпуклый лоб.

— В чем же тогда проблема? В отчет вкралась какая-то ошибка? — Мидж промолчала. Джабба почувствовал, что она медлит с ответом, и снова нахмурился. — Ты так не считаешь?

— Отчет безукоризненный.

— Выходит, по-твоему, Стратмор лжет?

— Не в этом дело, — дипломатично ответила Мидж, понимая, что ступает на зыбкую почву. — Еще не было случая, чтобы в моих данных появлялись ошибки. Поэтому я хочу узнать мнение специалиста.

— Что ж, — сказал Джабба, — мне неприятно первым тебя разочаровать, но твои данные неверны.

— Ты так думаешь?

— Могу биться об заклад. — Он откусил кусок пирога и заговорил с набитым ртом. — Максимальное время, которое «ТРАНСТЕКСТ» когда-либо тратил на один файл, составляет три часа. Это включая диагностику, проверку памяти и все прочее. Единственное, что могло бы вызвать зацикливание протяженностью в восемнадцать часов, — это вирус. Больше нечему.

— Вирус?

— Да, какой-то повторяющийся цикл. Что-то попало в процессор, создав заколдованный круг, и практически парализовало систему.

— Знаешь, — сказала она, — Стратмор сидит в шифровалке уже тридцать шесть часов. Может быть, он сражается с вирусом?

Джабба захохотал.

— Сидит тридцать шесть часов подряд? Бедняга. Наверное, жена сказала ему не возвращаться домой. Я слышал, она его уже достала.

Мидж задумалась. До нее тоже доходили подобные слухи. Так, может быть, она зря поднимает панику?

— Мидж. — Джабба засопел и сделал изрядный глоток. — Если бы в игрушке Стратмора завелся вирус, он бы сразу мне позвонил. Стратмор человек умный, но о вирусах понятия не имеет. У него в голове ничего, кроме «ТРАНСТЕКСТА». При первых же признаках беды он тут же поднял бы тревогу — а в этих стенах сие означает, что он позвонил бы мне. — Джабба сунул в рот кусочек сыра моцарелла. — Кроме всего прочего, вирус просто не может проникнуть в «ТРАНСТЕКСТ».

«Сквозь строй» — лучший антивирусный фильтр из всех, что я придумал. Через эту сеть ни один комар не пролетит.

Выдержав долгую паузу, Мидж шумно вздохнула.

— Возможны ли другие варианты?

— Конечно. У тебя неверные данные.

— Ты это уже говорил.

— Вот именно.

Она нахмурилась.

— Ты не заметил ничего такого? Ну, может, дошел какой-нибудь слушок.

— Мидж, послушай меня. — Он засмеялся. — «Попрыгунчик» — древняя история. Стратмор дал маху. Но надо идти вперед, а не оглядываться все время назад. — В трубке воцарилась тишина, и Джабба подумал, что зашел слишком далеко. — Прости меня, Мидж. Я понимаю, что ты приняла всю эту историю близко к сердцу. Стратмор потерпел неудачу. Я знаю, что ты о нем думаешь.

— Это не имеет никакого отношения к «Попрыгунчику», — резко парировала она.

«Вот это чистая правда», — подумал Джабба.

— Послушай, Мидж, к Стратмору я не отношусь ни плохо ни хорошо. Ну, понимаешь, он криптограф. Они все, как один, — эгоцентристы и маньяки. Если им что нужно, то обязательно еще вчера. Каждый затраханный файл может спасти мир.

— И что же из этого следует?

— Из этого следует, — Джабба шумно вздохнул, — что Стратмор такой же псих, как и все его сотруднички. Однако я уверяю тебя, что «ТРАНСТЕКСТ» он любит куда больше своей дражайшей супруги. Если бы возникла проблема, он тут же позвонил бы мне.

Мидж долго молчала. Джабба услышал в трубке вздох — но не мог сказать, вздох ли это облегчения.

— Итак, ты уверен, что врет моя статистика?

Джабба рассмеялся.

— Не кажется ли тебе, что это звучит как запоздалое эхо?

Она тоже засмеялась.

— Выслушай меня, Мидж. Направь мне официальный запрос. В понедельник я проверю твою машину. А пока сваливай-ка ты отсюда домой. Сегодня же суббота. Найди себе какого-нибудь парня да развлекись с ним как следует.

Она снова вздохнула.

— Постараюсь, Джабба. Поверь мне, постараюсь изо всех сил.

ГЛАВА 52

Клуб «Колдун» располагался на окраине города, в конце автобусного маршрута 27. Похожий скорее на крепость, чем на танцевальное заведение, он со всех сторон был окружен высокими оштукатуренными стенами с вделанными в них битыми пивными бутылками — своего рода примитивной системой безопасности, не дающей возможности проникнуть в клуб незаконно, не оставив на стене изрядной части собственного тела.

Еще в автобусе Беккер смирился с мыслью, что его миссия провалилась. Пора звонить Стратмору и выкладывать плохую новость: поиски зашли в тупик. Он сделал все, что мог, теперь пора ехать домой.

Но сейчас, глядя на толпу завсегдатаев, пытающихся попасть в клуб, Беккер не был уверен, что сможет отказаться от дальнейших поисков. Он смотрел на огромную толпу панков, какую ему еще никогда не доводилось видеть. Повсюду мелькали красно-бело-синие прически.

Беккер вздохнул, взвешивая свои возможности. *Где ей еще быть в субботний вечер?* Проклиная судьбу, он вылез из автобуса.

К клубу вела узкая аллея. Как только он оказался там, его сразу же увлек за собой поток молодых людей.

— А ну с дороги, пидор! — Некое существо с прической, больше всего напоминающей подушечку для иголок, прошествовало мимо, толкнув Беккера в бок.

— Хорошенький! — крикнул еще один, сильно дернув его за галстук.

— Хочешь со мной переспать? — Теперь на Беккера смотрела юная девица, похожая на персонаж фильма ужасов «Рассвет мертвецов».

Темнота коридора перетекла в просторное цементное помещение, пропитанное запахом пота и алкоголя, и Беккеру открылась абсолютно сюрреалистическая картина: в глубокой пещере двигались, слившись в сплошную массу, сотни человеческих тел. Они наклонялись и распрямлялись, прижав руки к бокам, а их головы при этом раскачивались, как безжизненные шары, едва прикрепленные к негнущимся спинам. Какие-то безумцы ныряли со сцены в это людское море, и его волны швыряли их вперед и назад, как волейбольные мячи на пляже. Откуда-то сверху падали пульсирующие стробоскопические вспышки света, придававшие всему этому сходство со старым немым кино.

У дальней стены дрожали включенные на полную мощность динамики, и даже самые неистовые танцоры не могли подойти к ним ближе чем на десять метров.

Беккер заткнул уши и оглядел толпу. Куда бы ни падал его взгляд, всюду мелькали красно-бело-синие прически. Тела танцующих слились так плотно, что он не мог рассмотреть, во что они одеты. Британского флага нигде не было видно. Ясно, что ему не удастся влиться в это море, которое раздавит его, как утлую лодчонку.

Рядом с ним кого-то рвало. Хорошенькая картинка. Беккер застонал и начал выбираться из расписанного краской из баллончиков зала. Он оказался в узком, увешанном зеркалами туннеле, который вел на открытую террасу, уставленную столами и стульями. На террасе тоже было полно панков, но Беккеру она показалась чем-то вроде Шангри-Ла: ночное летнее небо над головой, тихие волны долетающей из зала музыки.

Не обращая внимания на устремленные на него любопытные взгляды десятков пар глаз, Беккер шагнул в толпу. Он ослабил узел галстука и рухнул на стул у ближайшего свободного столика. Казалось, что с той минуты, когда рано утром ему позвонил Стратмор, прошла целая вечность.

Сдвинув в сторону пустые пивные бутылки, Беккер устало опустил голову на руки. «Мне нужно передохнуть хотя бы несколько минут», — подумал он.

В нескольких милях от этого места человек в очках в железной оправе сидел на заднем сиденье «фиата», мчавшегося по проселочной дороге.

— Клуб «Колдун», — повторил он, напомнив таксисту место назначения.

Водитель кивнул, с любопытством разглядывая пассажира в зеркало заднего вида.

— «Колдун», — пробурчал он себе под нос. — Ну и публика собирается там каждый вечер.

ГЛАВА 53

Токуген Нуматака лежал на массажном столе в своем кабинете на верхнем этаже. Личная массажистка разминала затекшие мышцы его шеи. Погрузив ладони в складки жира на плечах шефа, она медленно двигалась вниз, к полотенцу, прикрывавшему нижнюю часть его спины. Ее руки спускались все ниже, забираясь под полотенце. Нуматака почти ничего не замечал. Мысли его были далеко. Он ждал, когда зазвонит прямой телефон, но звонка все не было.

Кто-то постучал в дверь.

— Войдите, — буркнул Нуматака.

Массажистка быстро убрала руки из-под полотенца.

В дверях появилась телефонистка и поклонилась:

— Почтенный господин!

— Слушаю.

Телефонистка отвесила еще один поклон:

— Я говорила с телефонной компанией. Звонок был сделан из страны с кодом один — из Соединенных Штатов.

Нуматака удовлетворенно мотнул головой. Хорошая новость. *Звонок из Соединенных Штатов.* Он улыбнулся. *Значит, все правда.*

— Из какого именно места в Штатах? — спросил он.

— Они ищут, господин.

— Очень хорошо. Сообщите, когда узнаете больше.

Телефонистка поклонилась и вышла.

Нуматака почувствовал, как расслабляются его мышцы. Код страны — 1. Действительно хорошая новость.

ГЛАВА 54

Сьюзан Флетчер нетерпеливо мерила шагами туалетную комнату шифровалки и медленно считала от одного до пятидесяти. Голова у нее раскалывалась. «Еще немного, — повторяла она мысленно. — Северная Дакота — это Хейл!»

Интересно, какие он строит планы. Обнародует ли ключ? Или жадность заставит его продать алгоритм? Она не могла больше ждать. Пора. Она должна немедленно поговорить со Стратмором.

Сьюзан осторожно приоткрыла дверь и посмотрела на глянцевую, почти зеркальную стену шифровалки. Узнать, следит ли за ней Хейл, было невозможно. Нужно быстро пройти в кабинет Стратмора, но, конечно, не чересчур быстро: Хейл не должен ничего заподозрить. Она уже была готова распахнуть дверь, как вдруг до нее донеслись какие-то звуки. Это были голоса. Мужские голоса.

Они долетали до нее из вентиляционного люка, расположенного внизу, почти у пола. Сьюзан закрыла дверь и подошла ближе. Голоса заглушал шум генераторов. Казалось, говорившие находились этажом ниже. Один голос был резкий, сердитый. Похоже, он принадлежал Филу Чатрукьяну.

— Ты мне не веришь?

Мужчины начали спорить.

— У нас вирус!

Затем раздался крик:

— Нужно немедленно вызвать Джаббу!

Послышались другие звуки, похожие на шум борьбы.

— Пусти меня!

А потом раздался нечеловеческий крик. Это был протяжный вопль ужаса, издаваемый умирающим зверем. Сьюзан замерла возле вентиляционного люка. Крик оборвался столь же внезапно, как и раздался. Затем наступила тишина.

Мгновение спустя, словно в дешевом фильме ужасов, свет в ванной начал медленно гаснуть. Затем ярко вспыхнул и выключился совсем. Сьюзан Флетчер оказалась в полной темноте.

ГЛАВА 55

— *Ты уселся на мое место, осел.*

Беккер с трудом приподнял голову. Неужели в этой Богом проклятой стране кто-то говорит по-английски?

На него сверху вниз смотрел прыщавый бритоголовый коротышка. Половина головы красная, половина — синяя. Как пасхальное яйцо.

— Я сказал, что ты занял мое место.

— Впервые тебя вижу, — сказал Беккер вставая. Не хватало еще ввязаться в драку. Пора отсюда сматываться.

— Куда ты девал мои бутылки? — угрожающе зарычал парень. В его ноздрях торчала английская булавка.

Беккер показал на бутылки, которые смахнул на пол.

— Они же пустые.

— Пустые, но мои, черт тебя дери!

— Прошу прощения, — сказал Беккер, поворачиваясь, чтобы уйти.

Парень загородил ему дорогу.

— Подними!

Беккер заморгал от неожиданности. Дело принимало дурной оборот.

— Ты, часом, не шутишь? — Он был едва ли не на полметра выше этого панка и тяжелее килограммов на двадцать.

— С чего это ты взял, что я шучу?

Беккер промолчал.

— Подними! — срывающимся голосом завопил панк.

Беккер попробовал его обойти, но парень ему не позволил.

— Я сказал тебе — подними!

Одуревшие от наркотиков панки за соседними столиками начали поворачивать головы в их сторону, привлеченные перепалкой.

— Не советую тебе так себя вести, парень, — тихо сказал Беккер.

— Я тебя предупредил! — кипятился панк. — Это мой столик! Я прихожу сюда каждый вечер. Подними, говорю тебе!

Беккер терял терпение. А ведь он мог быть сейчас в Смоки-Маунтинс, со Сьюзан. Что он делает здесь, в Испании, зачем спорит с этим психованным подростком?

Беккер резким движением взял парня под мышки, приподнял и с силой посадил на столик.

— Слушай, сопливый мозгляк. Убирайся отсюда немедленно, или я вырву эту булавку из твоих ноздрей и застегну ею твой поганый рот!

Парень побелел.

Беккер попридержал его еще минутку, потом отпустил. Затем, не сводя с него глаз, нагнулся, поднял бутылки и поставил их на стол.

— Ну, доволен?

Тот потерял дар речи.

— Будь здоров, — сказал Беккер. Да этот парень — живая реклама противозачаточных средств.

— Убирайся к дьяволу! — завопил панк, видя, что над ним все смеются. — Подтирка для задницы!

Беккер не шелохнулся. Что-то сказанное панком не давало ему покоя. *Я прихожу сюда каждый вечер.* А что, если этот парень способен ему помочь?

— Прошу прощения, — сказал он. — Я не расслышал, как тебя зовут.

— Двухцветный, — прошипел панк, словно вынося приговор.

— Двухцветный? — изумился Беккер. — Попробую отгадать... из-за прически?

— Верно, Шерлок Холмс.

— Забавное имя. Сам придумал?

— А кто же еще! — ответил тот с гордостью. — Хочу его запатентовать.

— Как торговую марку? — Беккер смотрел на него изумленно.

Парень был озадачен.

— Для имени нужна торговая марка, а не патент.

— А мне без разницы. — Панк не понимал, к чему клонит Беккер.

Пестрое сборище пьяных и накачавшихся наркотиками молодых людей разразилось истерическим хохотом. Двухцветный встал и с презрением посмотрел на Беккера.

— Чего вы от меня хотите?

Беккер задумался: «Я бы хотел, чтобы ты как следует вымыл голову, научился говорить по-человечески и нашел себе работу». Но решил, что хочет от этого парня слишком многого.

— Мне нужна кое-какая информация, — сказал он.

— Проваливал бы ты отсюда.

— Я ищу одного человека.

— Знать ничего не знаю.

— Не знаю, о ком вы говорите, — поправил его Беккер, подзывая проходившую мимо официантку. Он купил две бутылки пива и протянул одну Двухцветному. Панк изумленно взглянул на бутылку, потом отпил изрядный глоток и тупо уставился на Беккера.

— Чего вы от меня хотите, мистер?

Беккер улыбнулся:

— Я ищу одну девушку.

Двухцветный громко рассмеялся.

— В такой одежде ты тут ничего не добьешься.

Беккер нахмурился.

— Я вовсе не хочу с ней переспать. Мне нужно с ней поговорить. Ты можешь помочь мне ее найти.

Парень поставил бутылку на стол.

— Вы из полиции?

Беккер покачал головой.

Панк пристально смотрел на него.

— Вы похожи на полицейского.

— Слушай, парень, я американец из Мериленда. Если я и полицейский, то уж точно не здешний, как ты думаешь?

Эти слова, похоже, озадачили панка.

— Меня зовут Дэвид Беккер. — Беккер улыбнулся и над столом протянул парню руку.

Панк брезгливо ее пожал.

— Проваливал бы ты, пидор.

Беккер убрал руку.

Парень хмыкнул.

— Я тебе помогу, если заплатишь.

— Сколько? — быстро спросил Беккер.

— Сотню баксов.

Беккер нахмурился.

— У меня только песеты.

— Какая разница! Давай сотню песет.

Обменные операции явно не относились к числу сильных сторон Двухцветного: сто песет составляли всего восемьдесят семь центов.

— Договорились, — сказал Беккер и поставил бутылку на стол.

Панк наконец позволил себе улыбнуться.

— Заметано.

— Ну вот и хорошо. Девушка, которую я ищу, может быть здесь. У нее красно-бело-синие волосы.

Парень фыркнул.

— Сегодня годовщина Иуды Табу. У всех такие...

— На ней майка с британским флагом и серьга в форме черепа в одном ухе.

По выражению лица панка Беккер понял, что тот знает, о ком идет речь. Мелькнул лучик надежды. Но уже через минуту парень скривился в гримасе. Он с силой стукнул бутылкой по столу и вцепился в рубашку Беккера.

— Она девушка Эдуардо, болван! Только тронь ее, и он тебя прикончит!

ГЛАВА 56

Мидж Милкен в сердцах выскочила из своего кабинета и уединилась в комнате для заседаний, которая располагалась точно напротив. Кроме тридцатифутового стола красного дерева с буквами АНБ в центре столешницы, выложенной из черных пластинок вишневого и орехового дерева, комнату украшали три акварели Мариона Пайка, ваза с листьями папоротника, мраморная барная стойка и, разумеется, бачок для охлаждения воды фирмы «Спарклетс». Мидж налила себе стакан воды, надеясь, что это поможет ей успокоиться.

Делая маленькие глотки, она смотрела в окно. Лунный свет проникал в комнату сквозь приоткрытые жалюзи, отражаясь от столешницы с затейливой поверхностью. Мидж всегда думала, что директорский кабинет следовало оборудовать здесь, а не в передней части здания, где он находился. Там открывался вид на стоянку автомобилей агентства, а из окна комнаты для заседаний был виден внушительный ряд корпусов АНБ — в том числе и купол шифровалки, это вместилище высочайших технологий, возведенное отдельно от основного здания и окруженное тремя акрами красивого парка. Шифровалку намеренно разместили за естественной ширмой из высоченных кленов, и ее не было видно из большинства окон комплекса АНБ, а вот отсюда открывался потрясающий вид — как будто специально для директора, чтобы он мог свободно обозревать свои владения. Однажды Мидж предложила Фонтейну перебраться в эту комнату, но тот отрезал: «Не хочу прятаться в тылу». Лиланд Фонтейн был не из тех, кто прячется за чужими спинами, о чем бы ни шла речь.

Мидж открыла жалюзи и посмотрела на горы, потом грустно вздохнула и перевела взгляд на шифровалку. Вид купола всегда приносил ей успокоение: он оказался маяком, посверкивающим в любой час суток. Но сегодня все было по-другому. Она поймала себя на мысли, что глаза ее смотрят в пустоту. Прижавшись лицом к стеклу, Мидж вдруг почувствовала страх — безотчетный, как в раннем детстве. За окном не было ничего, кроме беспросветного мрака. Шифровалка исчезла!

ГЛАВА 57

В туалетных комнатах шифровалки не было окон, и Сьюзан Флетчер оказалась в полной темноте. Она замерла, стараясь успокоиться и чувствуя, как растущая паника сковывает ее тело. Душераздирающий крик, раздавшийся из вентиляционной шахты, все еще звучал в ее ушах. Вопреки отчаянным попыткам подавить охвативший ее страх Сьюзан явственно ощущала, что это чувство завладевает ею безраздельно.

Она металась между дверцами кабинок и рукомойниками. Потеряв ориентацию, двигалась, вытянув перед собой руки и пытаясь восстановить в памяти очертания комнаты. Споткнулась о мусорный бачок и едва не наткнулась на кафельную стенку. Ведя рукой по прохладному кафелю, она наконец добралась до двери и нащупала дверную ручку. Дверь отворилась, и Сьюзан вышла в помещение шифровалки.

Здесь она снова замерла.

Все выглядело совсем не так, как несколько минут назад. «ТРАНСТЕКСТ» выступал серым силуэтом в слабом сумеречном свете, проникавшем сквозь купол потолка. Все лампы наверху погасли. Не было видно даже кнопочных электронных панелей на дверях кабинетов.

Когда ее глаза привыкли к темноте, Сьюзан разглядела, что единственным источником слабого света в шифровалке был открытый люк, из которого исходило заметное красноватое сияние ламп, находившихся в подсобном помещении далеко внизу. Она начала двигаться в направлении люка. В воздухе ощущался едва уловимый запах озона.

Остановившись у края люка, Сьюзан посмотрела вниз. Фреоновые вентиляторы с урчанием наполняли подсобку красным туманом. Прислушавшись к пронзительному звуку генераторов, Сьюзан поняла, что включилось аварийное питание. Сквозь туман она увидела Стратмора, который стоял внизу, на платформе. Прислонившись к перилам, он вглядывался в грохочущее нутро шахты «ТРАНСТЕКСТА».

— Коммандер! — позвала Сьюзан.

Ответа не последовало.

Сьюзан спустилась по лестнице на несколько ступенек. Горячий воздух снизу задувал под юбку. Ступеньки оказались очень скользкими, влажными из-за конденсации пара. Она присела на решетчатой площадке.

— Коммандер?

Стратмор даже не повернулся. Он по-прежнему смотрел вниз, словно впав в транс и не отдавая себе отчета в происходящем. Сьюзан проследила за его взглядом, прижавшись к поручню. Сначала она не увидела ничего, кроме облаков пара. Но потом поняла, куда смотрел коммандер: на человеческую фигуру шестью этажами ниже, которая то и дело возникала в разрывах пара. Вот она показалась опять, с нелепо скрюченными конечностями. В девяноста футах внизу, распростертый на острых лопастях главного генератора, лежал Фил Чатрукьян. Тело его обгорело и почернело. Упав, он устроил замыкание основного электропитания шифровалки.

Но еще более страшной ей показалась другая фигура, прятавшаяся в тени, где-то в середине длинной лестницы. Ошибиться было невозможно. Это мощное тело принадлежало Грегу Хейлу.

ГЛАВА 58

— Меган — девушка моего друга Эдуардо! — крикнул панк Беккеру. — Держись от нее подальше!

— Где она? — Сердце Беккера неистово колотилось.

— Пошел к черту!

— У меня неотложное дело! — рявкнул Беккер. Он схватил парня за рукав. — У нее кольцо, которое принадлежит мне. Я готов заплатить. Очень много!

Двухцветный застыл на месте и зашелся в истерическом хохоте.

— Ты хочешь сказать, что это уродливое дерьмовое колечко принадлежит тебе?

Глаза Беккера расширились.

— Ты его видел?

Двухцветный равнодушно кивнул.

— Где оно? — не отставал Беккер.

— Понятия не имею. — Парень хмыкнул. — Меган все пыталась его кому-нибудь сплавить.

— Она хотела его продать?

— Не волнуйся, приятель, ей это не удалось. У тебя скверный вкус на ювелирные побрякушки.

— Ты уверен, что его никто не купил?

— Да вы все спятили! Это за четыреста-то баксов? Я сказал ей, что даю пятьдесят, но она хотела больше. Ей надо было выкупить билет на самолет — если найдется свободное место перед вылетом.

Беккер почувствовал, как кровь отхлынула от его лица.

— Куда?

— В ее трахнутый Коннектикут. — Двухцветный снова хмыкнул. — Эдди места себе не находит.

— В Коннектикут?

— Я же сказал. Возвращается домой, к мамочке и папочке, в свой пригород. Ей обрыдли ее испанская семейка и местное житье-бытье. Три братца-испанца не спускали с нее глаз. И горячей воды нет.

Беккер почувствовал комок в горле.

— Когда она уезжает?

Двухцветный словно будто только что очнулся.

— Когда? — Он заржал. — Она давно уехала! Отправилась в аэропорт несколько часов назад. Самое место, где толкнуть колечко: богатые туристы и все такое прочее. Как только получит денежки, так и улетит.

Беккер почувствовал тошноту. *Это какая-то глупая шутка.* Он не находил слов.

— Ты знаешь ее фамилию?

Двухцветный задумался и развел руками.

— Каким рейсом она летит?

— Она сказала, колымагой.

— Колымагой?

— Ну да, это ночной рейс в выходные — Севилья, Мадрид, Ла-Гуардиа. Его так все называют. Им пользуются студенты, потому что билет стоит гроши. Сиди себе в заднем салоне и докуривай окурки.

Хорошенькая картинка. Беккер застонал и провел рукой по волосам.

— Когда он вылетает?

— В два часа ночи по воскресеньям. Она сейчас наверняка уже над Атлантикой.

Беккер взглянул на часы. Час сорок пять ночи. Он в недоумении посмотрел на двухцветного.

— Ты сказал — в два ночи?

Панк кивнул и расхохотался.

— Похоже, ты облажался, приятель.

— Но сейчас только без четверти!

Двухцветный посмотрел на часы Беккера. Его лицо казалось растерянным.

— Обычно я напиваюсь только к четырем! — Он опять засмеялся.

— Как быстрее добраться до аэропорта?

— У входа возьмешь такси.

Беккер вытащил из кармана купюру в тысячу песет и сунул панку в руку.

— Премного благодарен, приятель! — крикнул тот ему вслед. — Увидишь Меган, передавай от меня привет! — Но Беккер уже исчез.

Двуцветный вздохнул и поплелся к танцующим. Он был слишком пьян, чтобы заметить идущего следом за ним человека в очках в тонкой металлической оправе.

Выбравшись наружу, Беккер оглядел стоянку в поисках такси. Ни одной машины. Он подбежал к крепко сбитому охраннику.

— Мне срочно нужно такси!

Охранник покачал головой.

— Demasiado temperano. Слишком рано.

Слишком рано? Беккер беззвучно выругался. Уже два часа утра!

— Pídame uno! Вызовите мне машину!

Мужчина достал мобильник, сказал несколько слов и выключил телефон.

— Veinte minutos, — сказал он.

— Двадцать минут? — переспросил Беккер. — Y el autobus?

Охранник пожал плечами.

— Через сорок пять минут.

Беккер замахал руками. Ну и порядки!

Звук мотора, похожий на визг циркулярной пилы, заставил его повернуться. Парень крупного сложения и прильнувшая к нему сзади девушка въехали на стоянку на стареньком мотоцикле «Веспа-250». Юбка девушки высоко задралась от ветра, но она не обращала на это ни малейшего внимания. Беккер рванулся к ним. «Неужели все это происходит со мной? — подумал он. — Я же терпеть не могу мотоциклы». Он крикнул парню:

— Десять тысяч, если отвезете меня в аэропорт!

Тот даже не повернул головы и выключил двигатель.

— Двадцать тысяч! — крикнул Беккер. — Мне срочно нужно в аэропорт!

Наконец парень посмотрел на него.

— Scusi? — Он оказался итальянцем.

— Aeropórto! Per favore. Sulla Vespa! Venti mille pesete!

Итальянец перевел взгляд на свой маленький потрепанный мотоцикл и засмеялся.

— Venti mille pesete? La Vespa?

— Cinquanta mille! Пятьдесят тысяч! — предложил Беккер. Это почти четыреста долларов.

Итальянец засмеялся. Он явно не верил своим ушам.

— Dov'éla plata? Где деньги?

Беккер достал из кармана пять ассигнаций по десять тысяч песет и протянул мотоциклисту. Итальянец посмотрел на деньги, потом на свою спутницу. Девушка схватила деньги и сунула их в вырез блузки.

— Grazie! — просиял итальянец. Он швырнул Беккеру ключи от «веспы», затем взял свою девушку за руку, и они, смеясь, побежали к зданию клуба.

— Aspetta! — закричал Беккер. — Подождите! Я же просил меня *подбросить*!

ГЛАВА 59

Сьюзан протянула руку, и коммандер Стратмор помог ей подняться по лестнице в помещение шифровалки. А перед глазами у нее стоял образ Фила Чатрукьяна, его искалеченного и обгоревшего тела, распростертого на генераторах, а из головы не выходила мысль о Хейле, притаившемся в лабиринтах шифровалки. Правда открылась со всей очевидностью: Хейл столкнул Чатрукьяна.

Нетвердой походкой Сьюзан подошла к главному выходу — двери, через которую она вошла сюда несколько часов назад. Отчаянное нажатие на кнопки неосвещенной панели ничего не дало: массивная дверь не поддалась. Они в ловушке, шифровалка превратилась в узилище. Купол здания, похожий на спутник, находился в ста девяти ярдах от основного здания АНБ, и попасть туда можно было только через главный вход. Поскольку в шифровалке имелось автономное энергоснабжение, на главный распределительный щит, наверное, даже не поступил сигнал, что здесь произошла авария.

— Основное энергоснабжение вырубилось, — сказал Стратмор, возникший за спиной Сьюзан. — Включилось питание от автономных генераторов.

Это аварийное электропитание в шифровалке было устроено таким образом, чтобы системы охлаждения «ТРАНСТЕКСТА» имели приоритет перед всеми другими системами, в том числе освещением и электронными дверными замками. При этом внезапное отключение электроснабжения не прерывало работу «ТРАНСТЕКСТА» и его фреоновой системы охлаждения. Если бы этого не было, температура от трех миллионов работающих процессоров поднялась бы до недопустимого уровня — скорее всего силиконовые чипы воспламенились бы и расплавились. Поэтому такая перспектива даже не обсуждалась.

Сьюзан старалась сохранять самообладание. Мысли ее по-прежнему возвращались к сотруднику лаборатории систем безопасности, распластавшемуся на генераторах. Она снова прошлась по кнопкам. Они не реагировали.

— Выключите «ТРАНСТЕКСТ»! — потребовала она. Остановка поисков ключа «Цифровой крепости» высвободила бы достаточно энергии для срабатывания дверных замков.

— Успокойся, Сьюзан, — сказал Стратмор, положив руку ей на плечо.

Это умиротворяющее прикосновение вывело Сьюзан из оцепенения. Внезапно она вспомнила, зачем искала Стратмора, и повернулась к нему.

— Коммандер! Северная Дакота — это Грег Хейл!

Сьюзан едва ли не физически ощутила повисшее молчание. Оно показалось ей нескончаемо долгим. Наконец Стратмор заговорил. В его голосе слышалось скорее недоумение, чем шок:

— Что ты имеешь в виду?

— Хейл... — прошептала Сьюзан. — Он и есть Северная Дакота.

Снова последовало молчание: Стратмор размышлял о том, что она сказала.

— «Следопыт»? — Он, похоже, был озадачен. — «Следопыт» вышел на Хейла?

— «Следопыт» так и не вернулся. Хейл его отключил!

И Сьюзан принялась объяснять, как Хейл отозвал «Следопыта» и как она обнаружила электронную почту Танкадо, отправленную на адрес Хейла. Снова воцарилось молчание. Стратмор покачал головой, отказываясь верить тому, что услышал.

— Не может быть, чтобы Грег Хейл был гарантом затеи Танкадо! Это полный абсурд. Танкадо ни за что не доверился бы Хейлу.

— Коммандер, — напомнила Сьюзан, — Хейл однажды уже чуть не угробил нас — с «Попрыгунчиком». Танкадо имел основания ему верить.

Стратмор замялся, не зная, что ответить.

— Отключите «ТРАНСТЕКСТ», — взмолилась Сьюзан. — Мы нашли Северную Дакоту. Вызовите службу безопасности. И давайте выбираться отсюда.

Стратмор поднял руку, давая понять, что ему нужно подумать.

Сьюзан опасливо перевела взгляд в сторону люка. Его не было видно за корпусом «ТРАНСТЕКСТА», но красноватое сияние отражалось от черного кафеля подобно огню, отражающемуся от льда. *Ну давай же, вызови службу безопасности, коммандер! Отключи «ТРАНСТЕКСТ»! Давай выбираться отсюда!*

Внезапно Стратмор сбросил оцепенение.

— Иди за мной! — сказал он. И направился в сторону люка.

— Коммандер! Хейл очень опасен! Он...

Но Стратмор растворился в темноте. Сьюзан поспешила за ним, пытаясь увидеть его силуэт. Коммандер обогнул «ТРАНСТЕКСТ» и, приблизившись к люку, заглянул в бурлящую, окутанную паром бездну. Молча обернулся, бросил взгляд на погруженную во тьму шифровалку и, нагнувшись приподнял тяжелую крышку люка. Она описала дугу и, когда он отпустил руку, с грохотом закрыла люк. Шифровалка снова превратилась в затихшую черную пещеру. Скорее всего Северная Дакота попал в ловушку.

Стратмор опустился на колени и повернул тяжелый винтовой замок. Теперь крышку не поднять изнутри. Подсобка компьютера надежно закрыта.

Ни он, ни Сьюзан не услышали тихих шагов в направлении Третьего узла.

ГЛАВА 60

По зеркальному коридору Двухцветный отправился с наружной террасы в танцевальный зал. Остановившись, чтобы посмотреть на свое отражение в зеркале, он почувствовал, что за спиной у него возникла какая-то фигура. Он повернулся, но было уже поздно. Чьи-то стальные руки прижали его лицо к стеклу.

Панк попытался высвободиться и повернуться.

— Эдуардо? Это ты, приятель? — Он почувствовал, как рука незнакомца проскользнула к его бумажнику, чуть ослабив хватку. — Эдди! — крикнул он. — Хватит валять дурака! Какой-то тип разыскивал Меган.

Человек не выпускал его из рук.

— Да хватит тебе, Эдди! — Но, посмотрев в зеркало, он убедился, что это вовсе не его закадычный дружок.

Лицо в шрамах и следах оспы. Два безжизненных глаза неподвижно смотрят из-за очков в тонкой металлической оправе. Человек наклонился, и его рот оказался у самого уха двухцветного. Голос был странный, какой-то сдавленный:

— Adónde fué? Куда он поехал? — Слова были какие-то неестественные, искаженные.

Панк замер. Его парализовало от страха.

— Adónde fué? — снова прозвучал вопрос. — Американец?

— В... аэропорт. Aeropuerto, — заикаясь сказал Двухцветный.

— Aeropuerto? — повторил человек, внимательно следя за движением губ Двухцветного в зеркале.

— Панк кивнул.

— Tenía el anillo? Он получил кольцо?

До смерти напуганный, Двухцветный замотал головой:

— Нет.

— Viste el anillo? Ты видел кольцо?

Двухцветный замер. Как правильно ответить?

— Viste el anillo? — настаивал обладатель жуткого голоса.

Двухцветный утвердительно кивнул, убежденный, что честность — лучшая политика. Разумеется, это оказалось ошибкой. В следующую секунду, со сломанными шейными позвонками, он сполз на пол.

ГЛАВА 61

Джабба лежал на спине, верхняя часть туловища скрывалась под разобранным компьютером. Во рту у него был фонарик в виде авторучки, в руке — паяльник, а на животе лежала большая схема компьютера. Он только что установил новый комплект аттенюаторов на неисправную материнскую плату, когда внезапно ожил его мобильный.

— Проклятие! — выругался он, потянувшись к телефону сквозь сплетение проводов. — Джабба слушает.

— Джабба, это Мидж.

Он просиял.

— Второй раз за один вечер? Что подумают люди?

— В шифровалке проблемы. — Она безуспешно старалась говорить спокойно.

Джабба нахмурился.

— Мы это уже обсудили. Забыла?

— Там проблема с электричеством.

— Я не электрик. Позвони в технический отдел.

— В куполе нет света.

— У тебя галлюцинации. Тебе пора отправляться домой. — Он перевел взгляд на схему.

— Там темно как в преисподней! — закричала она.

Джабба вздохнул и положил фонарик рядом с собой.

— Мидж, во-первых, там есть резервное электроснабжение. Так что полной тьмы быть не может. Во-вторых, Стратмор гораздо лучше меня знает, что происходит в шифровалке в данный момент. Почему бы тебе не позвонить ему?

— Потому что дело именно в нем. Он что-то скрывает.

Джабба вытаращил глаза:

— Мидж, дорогая. Я по уши опутан кабелем. Если ты хочешь назначить мне свидание, я освобожусь. Если же нет, то позвони электрикам.

— Джабба, дело очень серьезное. У меня чутье.

У нее чутье? Ну вот, на Мидж снова что-то нашло.

— Если Стратмор не забил тревогу, то зачем тревожиться мне?

— Да в шифровалке темно как в аду, черт тебя дери!

— Может быть, Стратмор решил посмотреть на звезды.

— Джабба, мне не до шуток.

— Ну хорошо, — сказал он, приподнимаясь на локтях. — Может быть, у них закоротило генератор. Как только освобожусь, загляну в шифровалку и...

— А что с аварийным питанием? Если закоротило генератор, почему оно не включилось?

— Не знаю. Может быть, Стратмор прогоняет что-то в «ТРАНСТЕКСТЕ» и на это ушло все аварийное питание.

— Так почему он не отключит эту свою игрушку? Вдруг это вирус? Ты раньше говорил что-то про вирус.

— Черт возьми, Мидж! — взорвался Джабба. — Я сказал, что вируса в шифровалке нет! Тебе надо лечиться от паранойи!

В трубке повисло молчание.

— Мидж... — Джабба попробовал извиниться. — Позволь мне объяснить. — Голос его, однако, мягче не стал. — Во-первых, у нас есть фильтр, именуемый «Сквозь строй», — он не пропустит ни один вирус. Во-вторых, если вырубилось электричество, то это проблема электрооборудования, а не компьютерных программ: вирусы не отключают питание, они охотятся за программами и информацией. Если там и произошло что-то неприятное, то дело не в вирусах.

Молчание.

— Мидж? Ты меня слышишь?

От ее слов повеяло ледяным холодом:

— Джабба, я выполняю свои должностные обязанности. И не хочу, чтобы на меня кричали, когда я это делаю. Когда я спрашиваю, почему многомиллиардное здание погрузилось во тьму, я рассчитываю на профессиональный ответ.

— Да, мэм.

— Я хочу услышать только «да» или «нет». Возможно ли, что проблема шифровалки каким-то образом связана с вирусом?

— Мидж... я уже говорил...

— Да или нет: мог в «ТРАНСТЕКСТ» проникнуть вирус?

Джабба шумно вздохнул.

— Нет, Мидж. Это абсолютно исключено.

— Спасибо.

Джабба выдавил из себя смешок и попытался обратить все в шутку.

— Если только Стратмор не придумал что-то особенное и не обошел мои фильтры.

Повисла тягостная тишина. Когда Мидж заговорила, ее голос был мрачным:

— Стратмор мог обойти фильтры?

Джабба снова вздохнул.

— Это была шутка, Мидж. — Но он знал, что сказанного не вернешь.

ГЛАВА 62

Коммандер и Сьюзан стояли у закрытого люка и обсуждали, что делать дальше.

— Итак, внизу у нас погибший Чатрукьян, — констатировал Стратмор. — Если мы вызовем помощь, шифровалка превратится в цирк.

— Так что же вы предлагаете? — спросила Сьюзан. Она хотела только одного — поскорее уйти.

Стратмор на минуту задумался.

— Не спрашивай меня, как это случилось, — сказал он, уставившись в закрытый люк. — Но у меня такое впечатление, что мы совершенно случайно обнаружили и нейтрализовали Северную Дакоту. — Он покачал головой, словно не веря такую удачу. — Чертовское везение, если говорить честно. — Он, казалось, все еще продолжал сомневаться в том, что Хейл оказался вовлечен в планы Танкадо. — Я полагаю, Хейл держит этот пароль, глубоко запрятав его в компьютере, а дома, возможно, хранит копию. Так или иначе, он попал в западню.

— Тогда почему бы не вызвать службу безопасности, которая могла бы его задержать?

— Пока рано, — сказал Стратмор. — Если служба безопасности обнаружит затянувшуюся надолго работу «ТРАНСТЕКСТА», перед нами возникнет целый ряд новых проблем. Я хочу уничтожить все следы «Цифровой крепости» до того, как мы откроем двери.

Сьюзан неохотно кивнула. План неплохой. Когда служба безопасности извлечет Хейла из подсобного помещения и обвинит в убийстве Чатрукьяна, он скорее всего попытается шантажировать их обнародованием информации о «Цифровой крепости». Но все доказательства к этому моменту будут уничтожены, и Стратмор сможет сказать, что не знает, о чем речь. *Бесконечная работа компьютера? Невзламываемый шифр? Но это полный абсурд! Неужели Хейл никогда не слышал о принципе Бергофского?*

— Вот что нам надо сделать. — Стратмор начал спокойно излагать свой план. — Мы сотрем всю переписку Хейла с Танкадо, уничтожим записи о том, что я обошел систему фильтров, все диагнозы Чатрукьяна относительно «ТРАНСТЕКСТА», все данные о работе компьютера над «Цифровой крепостью», одним словом — все. «Цифровая крепость» исчезнет бесследно. Словно ее никогда не было. Мы похороним ключ Хейла и станем молиться Богу, чтобы Дэвид нашел копию, которая была у Танкадо.

Дэвид, вспомнила Сьюзан. Она заставляла себя не думать о нем. Ей нужно было сосредоточиться на неотложных вещах, требующих срочного решения.

— Я возьму на себя лабораторию систем безопасности, — сказал Стратмор. — Всю статистику по работе «ТРАНСТЕКСТА», все данные о мутациях. Ты займешься Третьим узлом. Сотрешь всю электронную почту Хейла. Все, что относится к его переписке с Танкадо, где упоминается «Цифровая крепость».

— Хорошо, — сказала Сьюзан, стараясь сосредоточиться, — я сотру весь накопитель Хейла. И все переформатирую.

— Нет! — жестко парировал Стратмор. — Не делай этого. Скорее всего Хейл держит там копию ключа. Она мне нужна.

Сьюзан даже вздрогнула от неожиданности.

— Вам нужен ключ? Я поняла так, что весь смысл в том, чтобы его *уничтожить!*

— Верно. Но я хочу иметь копию. Я хочу открыть этот проклятый файл и ознакомиться с созданной Танкадо программой.

Сьюзан была столь же любопытна, как и ее шеф, но чутье подсказывало ей, что расшифровка алгоритма «Цифровой крепости» неразумна, какой бы интерес это ни представляло. В данный момент эта чертова программа надежно зашифрована и абсолютно безопасна. Но как только шифр будет взломан...

— Коммандер, а не лучше ли будет...

— Мне нужен ключ! — отрезал он.

Сьюзан должна была признать, что, услышав о «Цифровой крепости», она как ученый испытала определенный интерес, желание установить, как Танкадо удалось создать такую программу. Само ее существование противоречило основным правилам криптографии. Она посмотрела на шефа.

— Вы уничтожите этот алгоритм сразу же после того, как мы с ним познакомимся?

— Конечно. Так, чтобы не осталось и следа.

Сьюзан нахмурилась. Она понимала, что найти принадлежащую Хейлу копию ключа будет очень трудно. Найти ее на одном из жестких дисков — все равно что отыскать носок в спальне размером со штат Техас. Компьютерные поисковые системы работают, только если вы знаете, что́ ищете; этот пароль — некая неопределенность. К счастью, поскольку сотрудникам шифровалки приходилось иметь дело с огромным количеством достаточно неопределенных материалов, они разработали сложную процедуру так называемого неортодоксального поиска. Такой поиск, по существу, представляет собой команду компьютеру просмотреть все строки знаков на жестком диске, сравнить их с данными громадного по объему словаря и пометить те из них, которые кажутся бессмысленными или произвольными. Это сложнейшая работа, заключающаяся в постоянном отсеивании лишнего, но она вполне выполнима.

Сьюзан понимала, что, по всей логике, именно ей предстояло решить эту задачу. Она вздохнула, надеясь, что ей не придется раскаиваться в том, чем она собиралась заняться.

— Если все пойдет хорошо, то результат будет примерно через полчаса.

— Тогда за дело, — сказал Стратмор, положил ей на плечо руку и повел в темноте в направлении Третьего узла.

Над их головами куполом раскинулось усыпанное звездами небо. Такие же звезды, наверное, видит сейчас Дэвид в небе над Севильей, подумала она.

Подойдя к тяжелой стеклянной двери, Стратмор еле слышно чертыхнулся. Кнопочная панель Третьего узла погасла, двери были закрыты.

— Черт возьми. Я совсем забыл, что электричество вырубилось.

Он принялся изучать раздвижную дверь. Прижал ладони к стеклу и попробовал раздвинуть створки. Потные ладони скользили по гладкой поверхности. Он вытер их о брюки и попробовал снова. На этот раз створки двери чуть-чуть разошлись.

Сьюзан, увидев, что дело пошло, попыталась помочь Стратмору. Дверь приоткрылась на несколько сантиметров. Они держали ее что было сил, но сопротивление оказалось чересчур сильным и створки снова сомкнулись.

— Подождите, — сказала Сьюзан, меняя позицию и придвигаясь ближе. — Хорошо, теперь давайте.

Дверь снова приоткрылась на дюйм. В Третьем узле виднелось голубоватое сияние: терминалы по-прежнему работали; они обеспечивали функционирование «ТРАНСТЕКСТА», поэтому на них поступало аварийное питание.

Сьюзан просунула в щель ногу в туфле «Феррагамо» и усилила нажим. Дверь подалась. Стратмор сменил положение. Вцепившись в левую створку, он тянул ее на себя, Сьюзан толкала правую створку в противоположном направлении. Через некоторое время им с огромным трудом удалось расширить щель до одного фута.

— Не отпускай, — сказал Стратмор, стараясь изо всех сил. — Еще чуточку.

Сьюзан удалось протиснуть в щель плечо. Теперь ей стало удобнее толкать. Створки давили на плечо с неимоверной силой.

Не успел Стратмор ее остановить, как она скользнула в образовавшийся проем. Он попытался что-то сказать, но

Сьюзан была полна решимости. Ей хотелось поскорее оказаться в Третьем узле, и она достаточно хорошо изучила своего шефа, чтобы знать: Стратмор никуда не уйдет, пока она не разыщет ключ, спрятанный где-то в компьютере Хейла.

Ей почти удалось проскользнуть внутрь, и теперь она изо всех сил пыталась удержать стремившиеся захлопнуться створки, но на мгновение выпустила их из рук. Створки стали стремительно сближаться. Стратмор попытался их удержать, но не сумел. За мгновение до того, как они сомкнулись, Сьюзан, потеряв равновесие, упала на пол за дверью.

Коммандер, пытаясь приоткрыть дверь, прижал лицо вплотную к узенькой щелке.

— Господи Боже мой, Сьюзан, с тобой все в порядке?

Она встала на ноги и расправила платье.

— Все обошлось.

Сьюзан огляделась. Третий узел был пуст, свет шел от работающих мониторов. Их синеватое свечение придавало находящимся предметам какую-то призрачную расплывчатость. Она повернулась к Стратмору, оставшемуся за дверью. В этом освещении его лицо казалось мертвенно-бледным, безжизненным.

— Сьюзан, — сказал он. — Дай мне двадцать минут, чтобы уничтожить файлы лаборатории систем безопасности. После этого я сразу перейду к своему терминалу и выключу «ТРАНСТЕКСТ».

— Давайте скорее, — сказала Сьюзан, пытаясь что-нибудь разглядеть сквозь тяжелую стеклянную дверь. Она знала, что, пока «ТРАНСТЕКСТ» будет продолжать сжирать аварийное питание, она останется запертой в Третьем узле.

Стратмор отпустил створки двери, и тонюсенькая полоска света исчезла. Сьюзан смотрела, как фигура Стратмора растворяется во тьме шифровалки.

ГЛАВА 63

Новообретенная «веспа» Дэвида Беккера преодолевала последние метры до Aeropuerto de Sevilla. Костяшки его пальцев, всю дорогу судорожно сжимавших руль, побелели. Часы показывали два часа с минутами по местному времени.

Возле главного здания аэровокзала Беккер въехал на тротуар и соскочил с мотоцикла, когда тот еще двигался. Машина упала на бок и замерла. На затекших ногах Беккер прошел через вращающуюся дверь. Больше никаких мотоциклов, пообещал он себе.

Ярко освещенное помещение аэровокзала сияло стерильной чистотой. Здесь не было ни души, если не считать уборщицы, дравшей пол. На противоположной стороне зала служащая закрывала билетную кассу компании «Иберия эйрлайнз». Беккеру это показалось дурным предзнаменованием.

Он подбежал к кассе.

— El vuelo a los Estados Unidos?

Стоявшая за стойкой симпатичная андалузка посмотрела на него и ответила с извиняющейся улыбкой:

— Acaba de salir. Вы на чуть-чуть опоздали. — Ее слова словно повисли в воздухе.

Все-таки он опоздал. Плечи Беккера обмякли.

— А на этот рейс были свободные места?

— Сколько угодно, — улыбнулась женщина. — Самолет улетел почти пустой. Но завтра в восемь утра тоже есть...

— Мне нужно узнать, улетела ли этим рейсом моя подруга. Она собиралась купить билет прямо перед вылетом.

Женщина нахмурилась:

— Извините, сэр. Этим рейсом улетели несколько пассажиров, купивших билет перед вылетом. Но мы не имеем права сообщать информацию личного характера...

— Это очень важно, — настаивал Беккер. — Мне просто нужно узнать, улетела ли она. И больше ничего.

Женщина сочувственно кивнула.

— Поссорились?

На мгновение Беккер задумался. Потом изобразил смущенную улыбку.

— Неужели это так заметно?

— Как ее зовут? — Женщина лукаво подмигнула.

— Меган, — сказал он печально.

— Я полагаю, что у вашей подруги есть и фамилия?

Беккер шумно вздохнул. «Разумеется, есть. Но мне она неизвестна».

— Видите ли, ситуация не столь проста. Вы сказали, что самолет улетел почти пустой. Быть может, вы могли бы...

— Право же, без фамилии я ничего не могу поделать.

— И все-таки, — прервал ее Беккер. Ему в голову пришла другая мысль. — Вы дежурили все это время?

— Моя смена от семи до семи, — кивнула женщина.

— Тогда вы наверняка ее видели. Это совсем молоденькая девушка. Лет пятнадцати-шестнадцати. Волосы... — Не успев договорить, он понял, что совершил ошибку.

Кассирша сощурилась.

— Вашей возлюбленной пятнадцать лет?

— Нет! — почти крикнул Беккер. — Я хотел сказать... — *Чертовщина.* — Если бы вы согласились мне помочь. Это так важно.

— Извините, — холодно ответила женщина.

— Все совсем не так, как вы подумали. Если бы вы только...

— Доброй ночи, сэр. — Кассирша опустила металлическую шторку и скрылась в служебной комнате.

Беккер шумно вздохнул и поднял глаза к потолку. *Успокойся, Дэвид. Спокойно.* Он оглядел пустой зал. Ни души. *Продала кольцо и улетела.* Он увидел уборщика и подошел к нему.

— Has visto a una niña? — спросил он, перекрывая шум, издаваемый моечной машиной. — Вы не видели девушку?

Пожилой уборщик наклонился и выключил мотор.

— Eh?

— Una niña? — повторил Беккер. — Pelo rojo, azul, y blanco. Красно-бело-синие волосы.

Мужчина засмеялся:

— Que fea. Ничего себе зрелище. — Он покачал головой и возобновил работу.

Дэвид Беккер стоял в центре пустого зала и думал, что делать дальше. Весь вечер оказался сплошной комедией ошибок. В его ушах звучали слова Стратмора: *Не звони, пока не добудешь кольцо.* Внезапно он почувствовал страшный упадок сил. Если Меган продала кольцо и улетела, нет никакой возможности узнать, где оно сейчас.

Беккер закрыл глаза и попытался сосредоточиться. *Итак, каков следующий шаг?* Он решил подумать об этом через минуту. Сейчас ему надо было совершить давно уже откладываемую прогулку в туалетную комнату.

ГЛАВА 64

Сьюзан осталась одна в тишине и сумерках Третьего узла. Стоявшая перед ней задача была проста: войти в компьютер Хейла, найти ключ и уничтожить все следы его переписки с Танкадо. Нигде не должно остаться даже намека на «Цифровую крепость».

Сьюзан снова завладели прежние сомнения: правильно ли они поступают, решив сохранить ключ и взломать «Цифровую крепость»? Ей было не по себе, хотя пока, можно сказать, им сопутствовала удача. Чудесным образом Северная Дакота обнаружился прямо под носом и теперь попал в западню. Правда, оставалась еще одна проблема — Дэвид до сих пор не нашел второй экземпляр ключа. Она молилась, чтобы его усилия увенчались успехом.

Направляясь к центру Третьего узла, Сьюзан пыталась привести свои мысли в порядок. Странно, что она чувствует нервозность в такой знакомой ей обстановке. В темноте все в Третьем узле казалось чужим. Но было что-то еще. Сьюзан на мгновение заколебалась и оглянулась на заблокированную дверь. Всего двадцать минут, подумала она.

Повернувшись к терминалу Хейла, Сьюзан вдруг уловила странный мускусный запах — очень необычный для Третьего узла. Она подумала, что дело, быть может, в неисправном ионизаторе воздуха. Запах показался ей смутно знакомым, и эта мысль пронзила ее холодом. Сьюзан представила себе Хейла в западне, в окутанной паром ловушке. *Может быть, он что-нибудь поджег?* Она посмотрела на вентиляционный люк и принюхалась. Но запах шел не оттуда, его источник находился где-то поблизости.

Сьюзан посмотрела на решетчатую дверь, ведущую в кухню, и в тот же миг поняла, что означает этот запах. *Запах одеколона и пота.*

Она инстинктивно отпрянула назад, застигнутая врасплох тем, что увидела. Из-за решетчатой двери кухни на нее смотрели глаза. И в тот же миг ей открылась ужасающая правда: Грег Хейл вовсе не заперт внизу — он здесь, в Третьем узле! Он успел выскользнуть до того, как Стратмор захлопнул крышку люка, и ему хватило сил самому открыть двери.

Сьюзан приходилось слышать, что сильный страх парализует тело, — теперь она в этом убедилась. Ее мозг мгновенно осознал происходящее, и она, вновь обретя способность двигаться, попятилась назад в темноте с одной только мыслью — бежать.

И сразу же услышала треск. Хейл, сидя на плите и действуя вытянутыми ногами как тараном, сорвал решетчатую дверь с петель, ворвался в комнату и теперь приближался к ней большими прыжками.

Сьюзан швырнула ему под ноги настольную лампу, но Хейл легко преодолел это препятствие. Он был уже совсем рядом.

Правой рукой, точно железной клешней, он обхватил ее за талию так сильно, что она вскрикнула от боли, а левой сдавил ей грудную клетку. Сьюзан едва дышала.

Отчаянно вырываясь из его рук, Сьюзан локтем с силой ударила Хейла. Он отпустил ее и прижал ладони к лицу. Из носа у него пошла кровь. Хейл упал на колени, не опуская рук.

— Ах ты, мерзавка! — крикнул он, скорчившись от боли.

Сьюзан бросилась к двери, моля Бога, чтобы Стратмор в этот миг включил резервное энергоснабжение и дверь открылась. Увы, ее руки уперлись в холодное стекло.

Хейл с перепачканным кровью лицом быстро приближался к ней. Его руки снова обхватили ее — одна сдавила левую грудь, другая — талию — и оторвали от двери.

Сьюзен кричала и молотила руками в тщетной попытке высвободиться, а он все тащил ее, и пряжка его брючного ремня больно вдавливалась ей в спину. Хейл был необычайно силен. Когда он проволок ее по ковру, с ее ног соскочили туфли. Затем он одним движением швырнул ее на пол возле своего терминала.

Сьюзан упала на спину, юбка ее задралась. Верхняя пуговица блузки расстегнулась, и в синеватом свете экрана было видно, как тяжело вздымается ее грудь. Она в ужасе смотрела, как он придавливает ее к полу, стараясь разобрать выражение его глаз. Похоже, в них угадывался страх. Или это ненависть? Они буквально пожирали ее тело. Новая волна паники охватила Сьюзан.

Хейл всей тяжестью своего тела придавил ее ноги, холодно следя за каждым ее движением. В сознании Сьюзан промелькнуло все то, что она читала о приемах самозащиты. Она попыталась бороться, но тело ее не слушалось. Она точно окаменела. И закрыла глаза.

О Боже, пожалуйста! Не надо!

ГЛАВА 65

Бринкерхофф мерил шагами кабинет Мидж Милкен.

— Никому не позволено действовать в обход фильтров!

— Ошибаешься, — возразила она. — Я только что говорила с Джаббой. Он сказал, что в прошлом году сам установил переключатель.

Личный помощник директора отказывался верить ее словам.

— Никогда не слышал об этом.

— Никто не слышал. Это было сделано тайно.

— Мидж, — сказал Бринкерхофф, — Джабба просто помешан на безопасности «ТРАНСТЕКСТА»! Он ни за что не установил бы переключатель, позволяющий действовать в обход...

— Стратмор заставил его. — Она не дала ему договорить.

Бринкерхофф почти физически ощущал, как интенсивно работают клеточки ее мозга.

— Помнишь, что случилось в прошлом году, когда Стратмор занимался антисемитской террористической группой в Калифорнии? — напомнила она.

Бринкерхофф кивнул. Это было одним из крупнейших достижений Стратмора. С помощью «ТРАНСТЕКСТА», взломавшего шифр, ему удалось узнать о заговоре и бомбе, подложенной в школе иврита в Лос-Анджелесе. Послание террористов удалось расшифровать всего за двадцать минут до готовившегося взрыва и, быстро связавшись по телефону с кем нужно, спасти триста школьников.

— А знаешь, — Мидж без всякой нужды перешла на шепот, — Джабба сказал, что Стратмор перехватил сообщение террористов за шесть часов до предполагаемого времени взрыва.

У Бринкерхоффа отвисла челюсть.

— Так почему... чего же он так долго ждал?

— Потому что «ТРАНСТЕКСТ» никак не мог вскрыть этот файл. Он был зашифрован с помощью некоего нового алгоритма, с которым фильтры еще не сталкивались. Джаббе потребовалось почти шесть часов, чтобы их настроить.

Бринкерхофф выглядел растерянным.

— Стратмор был вне себя. Он заставил Джаббу вмонтировать в «ТРАНСТЕКСТ» переключатель системы «Сквозь строй», чтобы отключить фильтры в случае, если такое повторится.

— Господи Иисусе. — Бринкерхофф присвистнул. — Я и понятия не имел. — Его глаза сузились. — Так к чему ты клонишь?

— Я думаю, что Стратмор сегодня воспользовался этим переключателем... для работы над файлом, который отвергла программа «Сквозь строй».

— Ну и что? Для того и предназначен этот переключатель, верно?

Мидж покачала головой.

— Только если файл не заражен вирусом.

Бринкерхофф даже подпрыгнул.

— Вирус? Кто тебе сказал про вирус?

— Это единственное разумное объяснение, — сказала она. — Джабба уверяет, что вирус — единственное, что могло привести к столь долгой работе «ТРАНСТЕКСТА».

— Подожди минутку! — махнул он рукой, словно прося ее остановиться. — Стратмор сказал, что у них все в порядке!

— Он солгал.

Бринкерхофф не знал, что на это ответить.

— Ты утверждаешь, что Стратмор *намеренно* запустил в «ТРАНСТЕКСТ» вирус?

— Нет! — отрезала она. — Не думаю, что он знал, что имеет дело с вирусом. Я думаю, он был введен в заблуждение.

Бринкерхофф молчал. Мидж Милкен явно чего-то не поняла.

— Это многое объясняет, — настаивала она. — Например, почему он провел там всю ночь.

— Заражал вирусами свое любимое детище?

— Нет, — сказала она раздраженно. — Старался спрятать концы в воду, скрыть собственный просчет. А теперь не может отключить «ТРАНСТЕКСТ» и включить резервное электропитание, потому что вирус заблокировал процессоры!

Глаза Бринкерхоффа чуть не вылезли из орбит. Мидж и раньше были свойственны фантазии, но ведь не такие! Он попробовал ее успокоить:

— Джабба, похоже, совсем не волнуется.

— Джабба — дурак! — прошипела она.

Эти слова его удивили. Никто никогда не называл Джаббу дураком, свиньей — быть может, но дураком — никогда.

— Свою женскую интуицию ты ставишь выше ученых степеней и опыта Джаббы в области антивирусного программирования.

Она взглянула на него с холодным презрением.

Бринкерхофф поднял руки в знак капитуляции.

— Извини. Беру свои слова обратно. — Ему не стоило напоминать о поразительной способности Мидж Милкен предчувствовать беду. — Мидж, — взмолился он, — я знаю, что ты терпеть не можешь Стратмора, но...

— Это не имеет никакого значения! — вспылила она. — Первым делом нам нужно убедиться, что Стратмор действительно обошел систему «Сквозь строй». А потом мы позвоним директору.

— Замечательно. — Он даже застонал. — Я позвоню Стратмору и попрошу прислать нам письменное подтверждение.

— Нет, — сказала Мидж, — игнорируя сарказм, прозвучавший в его словах. — Стратмор уже солгал нам сегодня. — Она окинула Бринкерхоффа оценивающим взглядом. — У тебя есть ключ от кабинета Фонтейна?

— Конечно. Я же его личный помощник.

— Дай мне его.

Бринкерхофф не верил своим ушам.

— Мидж, я ни под каким видом не пущу тебя в кабинет директора.

— Ты должен это сделать! — потребовала она и, отвернувшись, начала что-то печатать на клавиатуре «Большого Брата». — Мне нужен список очередности работы на «ТРАНС-ТЕКСТЕ». Если Стратмор обошел фильтры вручную, данный факт будет отражен в распечатке.

— Какое отношение это имеет к директорскому кабинету? Мидж повернулась на вращающемся стуле.

— Такой список выдает только принтер Фонтейна. Ты это отлично знаешь!

— Но такие сведения секретны!

— У нас чрезвычайная ситуация, и мне нужен этот список. Бринкерхофф положил руки ей на плечи.

— Мидж, ну пожалуйста, успокойся. Ты знаешь, что я не могу...

Она фыркнула и снова повернулась к клавиатуре.

— Я распечатаю список. Войду, возьму его и тотчас выйду. Давай ключ.

— Мидж...

Она прекратила печатать и повернулась к нему.

— Чед, список будет распечатан в течение тридцати секунд. Вот мои условия. Ты даешь мне ключ. Если Стратмор обошел фильтры, я вызываю службу безопасности. Если я ошиблась, то немедленно ухожу, а ты можешь хоть с головы до ног обмазать вареньем свою Кармен Хуэрту. — Мидж зло посмотрела на него и протянула руку. — Давай ключ. Я жду.

Бринкерхофф застонал, сожалея, что попросил ее проверить отчет шифровалки. Он опустил глаза и посмотрел на ее протянутую руку.

— Речь идет о засекреченной информации, хранящейся в личном помещении директора. Ты только представь себе, что будет, если об этом станет известно.

— Директор в Южной Америке.

— Извини. Я не могу этого сделать. — Скрестив на груди руки, он вышел из ее кабинета.

Мидж горящими глазами смотрела ему вслед.

— О нет, можешь, — прошептала она. И, повернувшись к «Большому Брату», нажатием клавиши вызвала видеоархив.

«Мидж это как-нибудь переживет», — сказал он себе, усаживаясь за свой стол и приступая к просмотру остальных отчетов. Он не собирается выдавать ключи от директорского кабинета всякий раз, когда Мидж придет в голову очередная блажь.

Не успел он приняться за чтение отчета службы безопасности, как его мысли были прерваны шумом голосов из соседней комнаты. Бринкерхофф отложил бумагу и подошел к двери.

В приемной было темно, свет проникал только сквозь приоткрытую дверь кабинета Мидж. Голоса не стихали. Он прислушался. Голоса звучали возбужденно.

— Мидж?

Ответа не последовало.

Бринкерхофф подошел к кабинету. Голоса показались ему знакомыми. Он толкнул дверь. Комната оказалась пуста. Пуст был и вращающийся стул Мидж. Звуки шли сверху. Он поднял глаза на видеомониторы, и у него закружилась голова. Одна и та же картинка смотрела на него со всех двенадцати мониторов наподобие какого-то извращенного балета. Вцепившись руками в спинку стула, Бринкерхофф в ужасе смотрел на экраны.

— Чед? — услышал он голос у себя за спиной.

Обернувшись, Бринкерхофф начал всматриваться в темноту. Мидж как ни в чем не бывало стояла в приемной возле двойной двери директорского кабинета и протягивала к нему руку ладонью вверх.

— Ключ, Чед.

Бринкерхофф покраснел до корней волос и повернулся к мониторам. Ему хотелось чем-то прикрыть эти картинки под потолком, но как? Он был повсюду, постанывающий от удовольствия и жадно слизывающий мед с маленьких грудей Кармен Хуэрты.

ГЛАВА 66

Беккер пересек зал аэропорта и подошел к туалету, с грустью обнаружив, что дверь с надписью CABALLEROS перегорожена оранжевым мусорным баком и тележкой уборщицы, уставленной моющими средствами и щетками. Он перевел взгляд на соседнюю дверь, с табличкой DAMAS, подошел и громко постучал.

— Hola? — крикнул он, приоткрыв дверь. — Con permiso? Не дождавшись ответа, он вошел.

Типичная для Испании туалетная комната: квадратная форма, белый кафель, с потолка свисает единственная лампочка. Как всегда, одна кабинка и один писсуар. Пользуются ли писсуаром в дамском туалете — не важно, главное, что сэкономили на лишней кабинке.

Беккер с отвращением оглядел комнату. Грязь, в раковине мутная коричневатая вода. Повсюду разбросаны грязные бумажные полотенца, лужи воды на полу. Старая электрическая сушилка для рук захвачена грязными пальцами.

Беккер остановился перед зеркалом и тяжело вздохнул. Обычно лучистые и ясные, сейчас его глаза казались усталыми, тусклыми. *Сколько я уже тут кручусь?* Однако считать ему не хотелось. По профессиональной привычке поправив съехавший набок узел галстука, он повернулся к писсуару.

Он подумал, дома ли Сьюзан. *Куда она могла уйти? Неужели уехала без меня в «Стоун-Мэнор»?*

— Эй! — услышал он за спиной сердитый женский голос и чуть не подпрыгнул от неожиданности.

— Я... я... прошу прощения, — заикаясь, сказал Беккер и застегнул «молнию» на брюках.

Повернувшись, он увидел вошедшую в туалет девушку. Молоденькая, изысканной внешности, ну прямо сошла со страниц журнала «Севентин». Довольно консервативные брюки в клетку, белая блузка без рукавов. В руке красная туристская сумка фирмы «Л.Л. Белл». Светлые волосы тщательно уложены.

— Прошу меня извинить, — пробормотал Беккер, застегивая пряжку на ремне. — Мужская комната оказалась закрыта... но я уже ухожу.

— Ну и проваливай, пидор!

Беккер посмотрел на нее внимательнее. К ней как-то не шло сквернословие — как неуместны сточные воды в хрустальном графине. Но, приглядевшись, он убедился, что она вовсе не такая изысканная особа, как ему показалось вначале. Веки припухли, глаза красные, левая рука у локтя — вся в кровоподтеках с синеватым отливом.

«Господи Иисусе, — подумал он. — Наркотики внутривенно. Кто бы мог подумать?»

— Проваливай! — крикнула она. — Вон!

Беккер совсем забыл о кольце, об Агентстве национальной безопасности, обо всем остальном, проникшись жалостью к девушке. Наверное, родители отправили ее сюда по какой-то школьной образовательной программе, снабдив кредитной карточкой «Виза», а все кончилось тем, что она посреди ночи вкалывает себе в туалете наркотик.

— Вы себя хорошо чувствуете? — спросил он, пятясь к двери.

— Нормально, — высокомерно бросила она. — А тебе здесь делать нечего.

Беккер повернулся, печально посмотрев в последний раз на ее руку. *Ты ничего не можешь с этим поделать, Дэвид. Не лезь не в свое дело.*

— Ну же!

Беккер кивнул. Уже в дверях он грустно улыбнулся:

— Вы все же поосторожнее.

ГЛАВА 67

— Сьюзан? — Тяжело дыша, Хейл приблизил к ней свое лицо.

Он сидел у нее на животе, раскинув ноги в стороны. Его копчик больно вдавливался в низ ее живота через тонкую ткань юбки. Кровь из ноздрей капала прямо на нее, и она вся была перепачкана. Она чувствовала, как к ее горлу подступает тошнота. Его руки двигались по ее груди.

Сьюзан ничего не чувствовала. Неужели он ее трогает? Она не сразу поняла, что он пытается застегнуть верхнюю пуговицу ее блузки.

— Сьюзан, — позвал он, задыхаясь. — Ты должна помочь мне выбраться отсюда.

Она ничего не понимала. Все это было лишено всякого смысла.

— Сьюзан, ты должна мне помочь! Стратмор убил Чатрукьяна! Я видел это своими глазами!

Его слова не сразу дошли до ее сознания. *Стратмор убил Чатрукьяна?* Хейл, видимо, не догадывается, что она видела его внизу.

— Стратмор знает, что я это видел! — Хейл сплюнул. — Он и меня убьет!

Если бы Сьюзан не была парализована страхом, она бы расхохоталась ему в лицо. Она раскусила эту тактику «разделяй и властвуй», тактику отставного морского пехотинца. Солги и столкни лбами своих врагов.

— Это чистая правда! — кричал он. — Мы должны позвать людей на помощь! Нам обоим грозит опасность!

Сьюзан не верила ни единому его слову.

Хейл подтянул ноги и немного приподнялся на корточках, желая переменить позу. Он открыл рот, чтобы что-то сказать, но сделать этого не успел.

Когда Хейл перестал на нее давить, Сьюзан почувствовала, что ее онемевшие ноги ожили. Еще толком не отдавая себе отчета в своих действиях и повинуясь инстинкту, она резким движением согнула ноги и со всей силы ударила Хейла коленом в промежность, ощутив, как ее коленные чашечки впились в его мягкие незащищенные ткани.

Хейл взвыл от боли, и все его тело сразу же обмякло. Он скатился набок, сжавшись в клубок, а Сьюзан, высвободившись из-под него, направилась к двери, отлично понимая, что у нее не хватит сил ее открыть.

Но тут ее осенило. Она остановилась у края длинного стола кленового дерева, за которым они собирались для совещаний. К счастью, ножки стола были снабжены роликами. Упираясь ногами в толстый ковер, Сьюзан начала изо всех сил толкать стол в направлении стеклянной двери. Ролики хорошо крутились, и стол набирал скорость. Уже на середине комнаты она основательно разогналась.

За полтора метра до стеклянной двери Сьюзан отпрянула в сторону и зажмурилась. Раздался страшный треск, и стеклянная панель обдала ее дождем осколков. Звуки шифровалки впервые за всю историю этого здания ворвались в помещение Третьего узла.

Сьюзан открыла глаза. Сквозь отверстие в двери она увидела стол. Он все еще катился по инерции и вскоре исчез в темноте.

Сьюзан нашла свои валявшиеся на ковре итальянские туфли, на мгновение оглянулась, увидела все еще корчившегося на полу Грега Хейла и бросилась бежать по усеянному стеклянным крошевом полу шифровалки.

ГЛАВА 68

— Ну видишь, это совсем не трудно, — презрительно сказала Мидж, когда Бринкерхофф с видом побитой собаки протянул ей ключ от кабинета Фонтейна.

— Я все сотру перед уходом, — пообещала она. — Если только вы с женой не захотите сохранить этот фильм для своей частной коллекции.

— Делай свою распечатку и выметайся! — зарычал он.

— Sí, señor, — засмеявшись, ответила Мидж с подчеркнутым пуэрто-риканским акцентом и, подмигнув Бринкерхоффу, направилась к двойной двери директорского кабинета.

Личный кабинет Лиланда Фонтейна ничем не походил на остальные помещения дирекции. В нем не было ни картин, ни мягкой мебели, ни фикусов в горшках, ни антикварных часов. Здесь все было подчинено одному требованию — эффективности. Стол, накрытый стеклом, и черный кожаный стул были расположены прямо перед громадным венецианским окном. Три шкафа-картотеки стояли в углу рядом с маленьким столиком с французской кофеваркой. Над Форт-Мидом высоко в небе сияла луна, и серебристый свет падал в окно, лишь подчеркивая спартанскую меблировку.

«Что же я делаю?» — подумал Бринкерхофф.

Мидж подошла к принтеру и, забрав распечатку очередности задач, попыталась просмотреть ее в темноте.

— Ничего не вижу, — пожаловалась она. — Включи свет.

— Прочитаешь за дверью. А теперь выходи.

Но Мидж эта ситуация явно доставляла удовольствие. Она подошла к окну, вертя бумагу перед глазами, чтобы найти лучший угол для падения лунного света.

— Мидж... пошли. Это личный кабинет директора.

— Это где-то здесь, — пробормотала она, вглядываясь в текст. — Стратмор обошел фильтры. Я в этом уверена. — Она подошла вплотную к окну.

Бринкерхофф почувствовал, как его тело покрывается холодным потом. Мидж продолжала читать.

Мгновение спустя она удовлетворенно вскрикнула:

— Я так и знала! Он это сделал! Идиот! — Она замахала бумагой. — Он обошел «Сквозь строй»! Посмотри!

Бринкерхофф растерянно постоял минутку, затем подбежал к окну и встал рядом с Мидж. Та показала ему последние строчки текста.

Бринкерхофф читал, не веря своим глазам.

— Какого чер...

В распечатке был список последних тридцати шести файлов, введенных в «ТРАНСТЕКСТ». За названием каждого файла следовали четыре цифры — код команды «добро», данной программой «Сквозь строй». Последний файл в списке таким кодом не сопровождался, вместо этого следовала запись:

ФИЛЬТР ОТКЛЮЧЕН ВРУЧНУЮ!

«Господи Иисусе! — подумал Бринкерхофф. — Мидж снова оказалась права».

— Идиот! — в сердцах воскликнула она. — Ты только посмотри! «Сквозь строй» дважды отверг этот файл! Линейная мутация! И все-таки он пошел в обход! Интересно, о чем он думал?

У Бринкерхоффа подогнулись колени. Он не мог понять, почему Мидж всегда права.

Он не заметил отражения, мелькнувшего за оконным стеклом рядом с ними. Крупная фигура возникла в дверях директорского кабинета.

— Иису... — Слова застряли у Бинкерхоффа в глотке. — Ты думаешь, что в «ТРАНСТЕКСТ» проник вирус?

Мидж вздохнула:

— А что еще это может быть?

— Это может быть не вашим делом! — раздался зычный голос у них за спиной.

Мидж от неожиданности стукнулась головой о стекло. Бринкерхофф опрокинул директорский стул и бросился к двери. Он сразу же узнал этот голос.

— Директор! — воскликнул он и, подойдя к Фонтейну, протянул руку. — С возвращением, сэр.

Вошедший не обратил на его руку никакого внимания.

— Я д-думал, — заикаясь выговорил Бринкерхофф. — Я думал, что вы в Южной Америке.

Лиланд Фонтейн окинул своего помощника убийственным взглядом.

— Я был там. Но сейчас я здесь!

ГЛАВА 69

— Эй, мистер!

Беккер, шедший по залу в направлении выстроившихся в ряд платных телефонов, остановился и оглянулся. К нему приближалась девушка, с которой он столкнулся в туалетной комнате. Она помахала ему рукой.

— Подождите, мистер!

«Ну что еще? — застонал он. — Хочет предъявить мне обвинение во вторжении в личную жизнь?»

Девушка волокла за собой туристскую сумку. Подойдя к нему, она на этот раз расплылась в широкой улыбке.

— Простите, что я на вас накричала. Я так испугалась, увидев вас.

— Не стоит, — удивился Беккер — Я зашел куда не следовало.

— Моя просьба покажется вам безумной, — сказала она, заморгав красными глазами, — но не могли бы вы одолжить мне немного денег?

Беккер посмотрел на нее в полном недоумении.

— Зачем вам деньги? — спросил он. «Я не собираюсь оплачивать твое пристрастие к наркотикам, если речь идет об этом».

— Я хочу вернуться домой, — сказала блондинка. — Не поможете мне?

— Опоздала на самолет?

Она кивнула.

— Потеряла билет. Они не хотят и слышать о том, чтобы посадить меня в самолет. На авиалиниях работают одни бездушные бюрократы. У меня нет денег на новый билет.

— Где твои родители? — спросил Беккер.

— В Штатах.

— А связаться с ними пробовала?

— Пустой номер. Наверное, уплыли на уик-энд с друзьями на яхте.

Беккер заметил, что на ней дорогие вещи.

— И у тебя нет кредитной карточки?

— Есть, но отец ее заблокировал. Он думает, что я балуюсь наркотиками.

— А это не так? — спросил Беккер холодно, глядя на ее припухший локоть.

— Конечно, нет! — возмущенно ответила девушка. Она смотрела на него невинными глазами, и Беккер почувствовал, что она держит его за дурака. — Да будет вам! На вид вы человек состоятельный. Дайте немножко денег, чтобы я могла вернуться домой. Я вам все верну.

Беккер подумал, что деньги, которые он ей даст, в конечном счете окажутся в кармане какого-нибудь наркоторговца из Трианы.

— Я вовсе не так богат, я простой преподаватель. Но я скажу тебе, что собираюсь сделать... — «Скажу тебе, что ты наглая лгунья, вот что я сделаю». — Пожалуй, я куплю тебе билет.

Белокурая девушка смотрела на него недоверчиво.

— Вы это сделаете? — выдавила она, и глаза ее засветились надеждой. — Вы купите мне билет домой? О Боже, я вам так благодарна!

Беккер растерялся. Очевидно, он ошибался.

Девушка обвила его руками.

— Это лето было такое ужасное, — говорила она, чуть не плача. — Я вам так признательна! Я так хочу выбраться отсюда!

Беккер легонько обнял ее. Девушка высвободилась из его рук, и тут он снова увидел ее локоть. Она проследила за его взглядом, прикованным к синеватой сыпи.

— Ужас, правда?

Беккер кивнул.

— Ты же сказала, что не колешься.

Девушка засмеялась:

— Это же чудо-маркер! Я чуть кожу не содрала, пытаясь его стереть. Да и краска вонючая.

Беккер посмотрел внимательнее. В свете ламп дневного света он сумел разглядеть под красноватой припухлостью смутные следы каких-то слов, нацарапанных на ее руке.

— Но глаза... твои глаза, — сказал Беккер, чувствуя себя круглым дураком. — Почему они такие красные?

Она расхохоталась.

— Я же сказала вам, что ревела навзрыд, опоздав на самолет.

Он перевел взгляд на слова, нацарапанные на ее руке.

Она смутилась.

— Боже, вы, кажется, сумели прочесть?

Он посмотрел еще внимательнее. Да, он сумел прочитать эти слова, и их смысл был предельно ясен. Прочитав их, Беккер прокрутил в памяти все события последних двенадцати часов. Комната в отеле «Альфонсо XIII». Тучный немец, помахавший у него под носом рукой и сказавший на ломаном английском: «Проваливай и умри».

— С вами все в порядке? — спросила девушка, заметив, что он переменился в лице.

Беккер не мог оторвать глаз от ее руки. У него кружилась голова. Слова, которые он прочитал, были теми же, что произнес немец: ПРОВАЛИВАЙ И УМРИ!

Девушка, заметно смутившись, посмотрела на свою руку.

— Это нацарапал мой дружок... ужасно глупо, правда?

Беккер не мог выдавить ни слова. *Проваливай и умри.* Он не верил своим глазам. Немец не хотел его оскорбить, он пытался помочь. Беккер посмотрел на ее лицо. В свете дневных ламп он увидел красноватые и синеватые следы в ее светлых волосах.

— Т-ты... — заикаясь, он перевел взгляд на ее непроколотые уши, — ты, случайно, серег не носила?

В ее глазах мелькнуло подозрение. Она достала из кармана какой-то маленький предмет и протянула ему. Беккер увидел в ее руке сережку в виде черепа.

— Так это клипса?

— Да, — сказала девушка. — Я до чертиков боюсь прокалывать уши.

ГЛАВА 70

Дэвид Беккер почувствовал, что у него подкашиваются ноги. Он смотрел на девушку, понимая, что его поиски подошли к концу. Она вымыла голову и переоделась — быть может, считая, что так легче будет продать кольцо, — но в Нью-Йорк не улетела.

Беккер с трудом сдерживал волнение. Его безумная поездка вот-вот закончится. Он посмотрел на ее пальцы, но не увидел никакого кольца и перевел взгляд на сумку. «Вот где кольцо! — подумал он. — В сумке!» — и улыбнулся, едва сохраняя спокойствие.

— Ты сочтешь это сумасшествием, — сказал Беккер, — но мне кажется, что у тебя есть кое-что, что мне очень нужно.

— Да? — Меган внезапно насторожилась.

Беккер достал из кармана бумажник.

— Конечно, я буду счастлив тебе заплатить. — И он начал отсчитывать купюры.

Глядя, как он шелестит деньгами, Меган вскрикнула и изменилась в лице, по-видимому ложно истолковав его намерения. Она испуганно посмотрела на вращающуюся дверь... как бы прикидывая расстояние. До выхода было метров тридцать.

— Я оплачу тебе билет до дома, если...

— Молчите, — сказала Меган с кривой улыбкой. — Я думаю, я поняла, что вам от меня нужно. — Она наклонилась и принялась рыться в сумке.

Беккер был на седьмом небе. *Кольцо у нее,* сказал он себе. *Наконец-то!* Он не знал, каким образом она поняла, что ему нужно кольцо, но был слишком уставшим, чтобы терзаться этим вопросом. Его тело расслабилось, он представил себе, как вручает кольцо сияющему заместителю директора АНБ. А потом они со Сьюзан будут лежать в кровати с балдахином в «Стоун-Мэнор» и наверстывать упущенное время.

Девушка наконец нашла то, что искала, — газовый баллончик для самозащиты, экологически чистый аналог газа мейс, сделанный из острейшего кайенского перца и чили. Одним быстрым движением она выпрямилась, выпустила струю прямо в лицо Беккеру, после чего схватила сумку и побежала к двери. Когда она оглянулась, Дэвид Беккер лежал на полу, прижимая ладони к лицу и корчась от нестерпимого жжения в глазах.

ГЛАВА 71

Токуген Нуматака закурил уже четвертую сигару и принялся мерить шагами кабинет, потом схватил телефонную трубку и позвонил на коммутатор.

— Есть какие-нибудь сведения о номере? — выпалил он, прежде чем телефонистка успела сказать «алло».

— Пока ничего, сэр. Кажется, придется повозиться дольше, чем ожидалось, — это был звонок с мобильника.

«С мобильника, — мысленно повторил Нуматака. — Это кое-что значит. К счастью для японской экономики, у американцев оказался ненасытный аппетит к электронным новинкам.

— Провайдер находится в районе территориального кода двести два. Однако номер пока не удалось узнать.

— Двести два? Где это? — Где же на необъятных американских просторах прячется эта загадочная Северная Дакота?

— Где-то поблизости от Вашингтона, округ Колумбия, сэр.

Нуматака высоко поднял брови.

— Позвоните, как только узнаете номер.

ГЛАВА 72

В погруженной во тьму шифровалке Сьюзан Флетчер осторожно пробиралась к платформе кабинета Стратмора. Только туда ей и оставалось идти в наглухо запертом помещении.

Поднявшись по ступенькам, она обнаружила, что дверь в кабинет шефа открыта, поскольку электронный замок без электропитания бесполезен. Она вошла.

— Коммандер? — позвала Сьюзан. Свет внутри исходил лишь от светящихся компьютерных мониторов Стратмора. — Коммандер! — повторила она. — Коммандер!

Внезапно Сьюзан вспомнила, что он должен быть в лаборатории систем безопасности. Она кружила по пустому кабинету, все еще не преодолев ужас, который вызвало у нее общение с Хейлом. Надо выбираться из шифровалки. Черт с ней, с «Цифровой крепостью»! Пришла пора действовать. Нужно выключить «ТРАНСТЕКСТ» и бежать. Она посмотрела на светящиеся мониторы Стратмора, бросилась к его письменному столу и начала нажимать на клавиши. *Отключить «ТРАНСТЕКСТ»!* Теперь это нетрудная задача, поскольку она находится возле командного терминала. Она вызвала нужное командное окно и напечатала:

ВЫКЛЮЧИТЬ КОМПЬЮТЕР

Палец привычно потянулся к клавише «Ввод».

— Сьюзан! — рявкнул голос у нее за спиной. Она в страхе повернулась, думая, что это Хейл. Однако в дверях появился

Стратмор. Бледная, жуткая в тусклом свете мониторов фигура застыла, грудь шефа тяжело вздымалась.

— Ком... мандер! — вскрикнула она от неожиданности. — Хейл в Третьем узле! Он напал на меня!

— Что? Этого не может быть! Он заперт внизу!

— Нет! Он вырвался оттуда! Нужно немедленно вызвать службу безопасности. Я выключаю «ТРАНСТЕКСТ»! — Она потянулась к клавиатуре.

— Не смей прикасаться! — Стратмор рванулся к терминалу и отдернул ее руку.

Обескураженная, Сьюзан подалась назад. Она смотрела на коммандера и второй раз за этот день не могла его узнать. Вдруг она ощутила страшное одиночество.

Стратмор увидел пятна крови на ее блузке и тотчас пожалел о своей вспышке.

— Боже, Сьюзан, с тобой все в порядке?

Она промолчала.

Не нужно было так резко с ней говорить. Но у него не выдержали нервы. Он слишком долго говорил ей полуправду: просто есть вещи, о которых она ничего не знала, и он молил Бога, чтобы не узнала никогда.

— Прости меня, — сказал он, стараясь говорить как можно мягче. — Расскажи, что с тобой случилось.

Сьюзан отвернулась.

— Не имеет значения. Кровь не моя. Выпустите меня отсюда.

— Ты ранена? — Стратмор положил руку ей на плечо. Она съежилась от этого прикосновения. Он опустил руку и отвернулся, а повернувшись к ней снова, увидел, что она смотрит куда-то поверх его плеча, на стену.

Там, в темноте, ярко сияла клавиатура. Стратмор проследил за ее взглядом и нахмурился. Он надеялся, что Сьюзан не заметит эту контрольную панель. Эта светящаяся клавиатура управляла его личным лифтом. Стратмор и его высокопоставленные посетители попадали в шифровалку и уходили незаметно для остальных сотрудников. Лифт спускался на пятьдесят ярдов вниз и затем двигался вбок по укрепленному туннелю еще сто девять ярдов в подземное помещение основного комплекса агентства. Лифт, соединяющий шифровалку с основным зданием, получал питание из главного комплекса, и оно действовало, несмотря на отключение питания шифровалки.

Стратмору, разумеется, это было хорошо известно, но даже когда Сьюзан порывалась уйти через главный выход, он не обмолвился об этом ни единым словом. Он не мог пока ее отпустить — время еще не пришло. И размышлял о том, что должен ей сказать, чтобы убедить остаться.

Сьюзан кинулась мимо Стратмора к задней стене и принялась отчаянно нажимать на клавиши.

— Пожалуйста, — взмолилась она. Но дверца не открылась.

— Сьюзан, — тихо сказал Стратмор. — Нужен код.

— Код? — сердито переспросила она. Она посмотрела на панель управления. Под главной клавиатурой была еще одна, меньшего размера, с крошечными кнопками. На каждой — буква алфавита. Сьюзан повернулась к нему. — Так скажите же мне его!

Стратмор задумался и тяжело вздохнул.

— Пожалуйста, сядь, Сьюзан.

У нее был совершенно растерянный вид.

— Сядь, — повторил коммандер, на этот раз тверже.

— Выпустите меня! — Она испуганно смотрела на открытую дверь его кабинета.

Стратмор понял, что она смертельно напугана. Он спокойно подошел к двери, выглянул на площадку лестницы и всмотрелся в темноту. Хейла нигде не было видно. Тогда он вернулся в кабинет и прикрыл за собой дверь, затем заблокировал ее стулом, подошел к столу и достал что-то из выдвижного ящика. В тусклом свете мониторов Сьюзан увидела, что это, и побледнела. Он достал пистолет.

Он выдвинул два стула на середину комнаты. Сел. Поднял посверкивающую полуавтоматическую «беретту» и нацелил ее на дверь, а потом опустил себе на колени.

— Сьюзан, — сказал он торжественно. — Здесь мы в безопасности. Нам нужно поговорить. Если Грег Хейл ворвется... — Он не закончил фразу.

Сьюзан потеряла дар речи.

Он пристально посмотрел на нее и постучал ладонью по сиденью соседнего стула.

— Садись, Сьюзан. Я должен тебе кое-что сказать. — Она не пошевелилась. — Когда я все закончу, я сообщу тебе код вызова лифта. И тогда ты решишь, уходить тебе или нет.

Повисла долгая тишина. Сьюзан словно во сне подошла и села с ним рядом.

— Сьюзан, — начал он, — я не был с тобой вполне откровенен.

ГЛАВА 73

У Дэвида Беккера было такое ощущение, будто его лицо обдали скипидаром и подожгли. Он катался по полу и сквозь мутную пелену в глазах видел девушку, бегущую к вращающейся двери. Она бежала короткими испуганными прыжками, волоча по кафельному полу туристскую сумку. Беккер хотел подняться на ноги, но у него не было на это сил. Ослепленные глаза горели огнем.

Он хотел крикнуть, но в легких не было воздуха, с губ срывалось лишь невнятное мычание.

— Нет! — закашлявшись, исторгнул он из груди. Но звук так и не сорвался с его губ.

Беккер понимал, что, как только дверь за Меган закроется, она исчезнет навсегда. Он снова попробовал ее позвать, но язык отказывался ему подчиняться.

Девушка почти уже добралась до двери. Беккер поднялся на ноги, пытаясь выровнять дыхание. Попробовал добрести до двери. Меган скрылась во вращающейся секции, таща за собой сумку. Беккер почти вслепую приближался к двери.

— Подожди! — крикнул он. — Подожди!

Меган с силой толкнула стенку секции, но та не поддавалась. С ужасом девушка увидела, что сумка застряла в двери. Она наклонилась и что было сил потянула ее, стараясь высвободить застрявшую часть.

Затуманенные глаза Беккера не отрываясь смотрели на торчащий из двери кусок ткани. Он рванулся, вытянув вперед руки, к этой заветной щели, из которой торчал красный хвост сумки, и упал вперед, но его вытянутая рука не достала до него. Ему не хватило лишь нескольких сантиметров. Пальцы Беккера схватили воздух, а дверь повернулась. Девушка с сумкой была уже на улице.

— Меган! — завопил он, грохнувшись на пол. Острые раскаленные иглы впились в глазницы. Он уже ничего не видел и только чувствовал, как тошнотворный комок подкатил к горлу. Его крик эхом отозвался в черноте, застилавшей глаза.

Беккер не знал, сколько времени пролежал, пока над ним вновь не возникли лампы дневного света. Кругом стояла тишина, и эту тишину вдруг нарушил чей-то голос. Кто-то звал его. Он попытался оторвать голову от пола. Мир кругом казался расплывчатым, каким-то водянистым. *И снова этот голос*. Он присел на корточки и в десяти метрах от себя увидел чей-то силуэт.

— Мистер?

Беккер узнал голос. Это девушка. Она стояла у второй входной двери, что была в некотором отдалении, прижимая сумку к груди. Она казалось напуганной еще сильнее, чем раньше.

— Мистер, — сказала она дрожащим голосом, — я не говорила вам, как меня зовут. Откуда вы узнали?

ГЛАВА 74

Шестидесятитрехлетний директор Лиланд Фонтейн был настоящий человек-гора с короткой военной стрижкой и жесткими манерами. Когда он бывал раздражен, а это было почти всегда, его черные глаза горели как угли. Он поднялся по служебной лестнице до высшего поста в агентстве потому, что работал не покладая рук, но также и благодаря редкой целеустремленности и заслуженному уважению со стороны своих предшественников. Он был первым афроамериканцем на посту директора Агентства национальной безопасности, но эту его отличительную черту никто никогда даже не упоминал, потому что политическая партия, которую он поддерживал, решительно не принимала этого во внимание, и его коллеги следовали этому примеру.

Фонтейн заставил Мидж и Бринкерхоффа стоять, пока сам он молча совершал свой обычный ритуал заваривания кофе сорта «Гватемальская ява». Затем он сел за письменный стол и начал их допрашивать, как школьников, вызванных в кабинет директора, а они по-прежнему стояли.

Говорила Мидж — излагая серию необычайных событий, которые заставили их нарушить неприкосновенность кабинета.

— Вирус? — холодно переспросил директор. — Вы оба думаете, что в нашем компьютере вирус?

Бринкерхофф растерянно заморгал.

— Да, сэр, — сказала Мидж.

— Потому что Стратмор обошел систему «Сквозь строй»? — Фонтейн опустил глаза на компьютерную распечатку.

— Да, — сказала она. — Кроме того, «ТРАНСТЕКСТ» уже больше двадцати часов не может справиться с каким-то файлом.

Фонтейн наморщил лоб.

— Это по вашим данным.

Мидж хотела возразить, но прикусила язык. И прижала ладонь к горлу.

— В шифровалке вырубилось электричество.

Фонтейн поднял глаза, явно удивленный этим сообщением.

Мидж подтвердила свои слова коротким кивком.

— У них нет света. Джабба полагает, что...

— Вы ему звонили?

— Да, сэр, я...

— Джаббе? — Фонтейн гневно поднялся. — Какого черта вы не позвонили Стратмору?

— Мы позвонили! — не сдавалась Мидж. — Он сказал, что у них все в порядке.

Фонтейн стоял, тяжело дыша.

— У нас нет причин ему не верить. — Это прозвучало как сигнал к окончанию разговора. Он отпил глоток кофе. — А теперь прошу меня извинить. Мне нужно поработать.

У Мидж отвисла челюсть.

— Извините, сэр...

Бринкерхофф уже шел к двери, но Мидж точно прилипла к месту.

— Я с вами попрощался, мисс Милкен, — холодно сказал Фонтейн. — Я вас ни в чем не виню.

— Но, сэр... — заикаясь выдавила она. — Я... я протестую. Я думаю...

— Вы протестуете? — переспросил директор и поставил на стол чашечку с кофе. — Я протестую! Против вашего присутствия в моем кабинете. Я протестую против ваших инсинуаций в отношении моего заместителя, который якобы лжет. Я протестую...

— У нас вирус, сэр! Моя интуиция подсказывает мне...

— Что ж, ваша интуиция на сей раз вас обманула, мисс Милкен! В первый раз в жизни.

Мидж стояла на своем:

— Но, сэр! Коммандер Стратмор обошел систему «Сквозь строй»!

Фонтейн подошел к ней, едва сдерживая гнев.

— Это его прерогатива! Я плачу вам за то, чтобы вы следили за отчетностью и обслуживали сотрудников, а не шпионили за моим заместителем! Если бы не он, мы бы до сих пор взламывали шифры с помощью карандаша и бумаги. А теперь уходите! — Он повернулся к Бринкерхоффу, с побледневшим лицом стоявшему возле двери. — Вы оба.

— При всем моем уважении к вам, сэр, — сказала Мидж, — я бы порекомендовала послать в шифровалку бригаду службы безопасности — просто чтобы убедиться...

— Ничего подобного мы делать не будем!

На этом Мидж капитулировала:

— Хорошо. Доброй ночи. — Она двинулась к двери. Когда Мидж проходила мимо, Бринкерхофф по выражению ее глаз понял, что она и не думает сдаваться: чутье не позволит ей бездействовать.

Бринкерхофф смотрел на массивную фигуру директора, возвышающуюся над письменным столом. Таким он его еще никогда не видел. Фонтейн, которого он знал, был внимателен к мелочам и требовал самой полной информации. Он всегда поощрял сотрудников к анализу и прояснению всяческих нестыковок в каждодневных делах, какими бы незначительными они ни казались. И вот теперь он требует, чтобы они проигнорировали целый ряд очень странных совпадений.

Очевидно, директор что-то скрывает, но Бринкерхоффу платили за то, чтобы он помогал, а не задавал вопросы. Фонтейн давно всем доказал, что близко к сердцу принимает интересы сотрудников. Если, помогая ему, нужно закрыть на что-то глаза, то так тому и быть. Увы, Мидж платили за то, чтобы она задавала вопросы, и Бринкерхофф опасался, что именно с этой целью она отправится прямо в шифровалку.

Пора готовить резюме, подумал Бринкерхофф, открывая дверь.

— Чед! — рявкнул у него за спиной Фонтейн. Директор наверняка обратил внимание на выражение глаз Мидж, когда она выходила. — Не выпускай ее из приемной.

Бринкерхофф кивнул и двинулся следом за Мидж.

Фонтейн вздохнул и обхватил голову руками. Взгляд его черных глаз стал тяжелым и неподвижным. Возвращение домой оказалось долгим и слишком утомительным. Последний месяц был для Лиланда Фонтейна временем больших ожиданий: в агентстве происходило нечто такое, что могло изменить ход истории, и, как это ни странно директор Фонтейн узнал об этом лишь случайно.

Три месяца назад до Фонтейна дошли слухи о том, что от Стратмора уходит жена. Он узнал также и о том, что его заместитель просиживает на службе до глубокой ночи и может не выдержать такого напряжения. Несмотря на разногласия со Стратмором по многим вопросам, Фонтейн всегда очень высоко его ценил. Стратмор был блестящим специалистом, возможно, лучшим в агентстве. И в то же время после провала с «Попрыгунчиком» Стратмор испытывал колоссальный стресс. Это беспокоило Фонтейна: к коммандеру сходится множество нитей в агентстве, а директору нужно оберегать свое ведомство.

Фонтейну нужен был кто-то способный наблюдать за Стратмором, следить, чтобы он не потерял почву под ногами и оставался абсолютно надежным, но это было не так-то просто. Стратмор — человек гордый и властный, наблюдение за ним следует организовать так, чтобы никоим образом не подорвать его авторитета.

Из уважения к Стратмору Фонтейн решил заняться этим лично. Он распорядился установить «жучок» в личном компьютере Стратмора — чтобы контролировать его электронную почту, его внутриведомственную переписку, а также мозговые штурмы, которые тот время от времени предпринимал. Если Стратмор окажется на грани срыва, директор заметит первые симптомы. Но вместо признаков срыва Фонтейн обнаружил подготовительную работу над беспрецедентной разведывательной операцией, которую только можно было себе представить. Неудивительно, что Стратмор просиживает штаны на работе. Если он сумеет реализовать свой замысел, это стократно компенсирует провал «Попрыгунчика».

Фонтейн пришел к выводу, что Стратмор в полном порядке, что он трудится на сто десять процентов, все так же хитер, умен и в высшей степени лоялен, впрочем — как всегда. Лучшее, что мог сделать директор, — не мешать ему работать и наблюдать за тем, как коммандер творит свое чудо. Стратмор разработал план... и план этот Фонтейн не имел ни малейшего намерения срывать.

ГЛАВА 75

Пальцы Стратмора время от времени касались «беретты», лежавшей у него на коленях. При мысли о том, что Хейл позволил себе прикоснуться к Сьюзан, кровь закипела в его жилах, но он помнил, что должен сохранять ясную голову, Стратмор с горечью признал, что сам отчасти виноват в случившемся: ведь именно он направил Сьюзан в Третий узел. Однако он умел анализировать свои эмоции и не собирался позволить им отразиться на решении проблемы «Цифровой крепости». Он заместитель директора Агентства национальной безопасности, а сегодня все, что он делает, важно, как никогда.

Его дыхание стало ровным.

— Сьюзан. — Голос его прозвучал резко, но спокойно. — Тебе удалось стереть электронную почту Хейла?

— Нет, — сконфуженно ответила она.

— Ты нашла ключ?

Сьюзан покачала головой.

Стратмор наморщил лоб и прикусил губу. Мысли его метались. Он, конечно, с легкостью мог набрать код лифта и отправить Сьюзан домой, но она нужна ему здесь. Она должна помочь ему найти ключ в компьютере Хейла. Стратмор пока не сказал ей, что этот ключ представляет для него отнюдь не только академический интерес. Он думал, что сможет обойтись без ее участия — принимая во внимание ее склонность к самостоятельности — и сам найдет этот ключ, но уже столкнулся с проблемами, пытаясь самостоятельно запустить «Следопыта». Рисковать еще раз ему не хотелось.

— Сьюзан, — в его голосе послышалась решимость, — я прошу тебя помочь мне найти ключ Хейла.

— Что? — Сьюзан встала, глаза ее сверкали.

Стратмор подавил желание встать с ней рядом. Он многое знал об искусстве ведения переговоров: тот, кто обладает властью, должен спокойно сидеть и не вскакивать с места. Он надеялся, что она сядет. Но она этого не сделала.

— Сьюзан, сядь.

Она не обратила внимания на его просьбу.

— Сядь. — На этот раз это прозвучало как приказ.

Сьюзан осталась стоять.

— Коммандер, если вы все еще горите желанием узнать алгоритм Танкадо, то можете заняться этим без меня. Я хочу уйти.

Стратмор глубоко вздохнул. Ясно, что без объяснений ему не обойтись. Она это заслужила, подумал он и принял решение: Сьюзан придется его выслушать. Он надеялся, что не совершает ошибку.

— Сьюзан, — начал он, — этого не должно было случиться. — Он провел рукой по своим коротко стриженным волосам. — Я кое о чем тебе не рассказал. Иной раз человек в моем положении... — Он замялся, словно принимая трудное решение. — Иногда человек в моем положении вынужден лгать людям, которых любит. Сегодня как раз такой день. — В глазах его читалась печаль. — То, что сейчас скажу, я не собирался говорить никому.

Она почувствовала, как по спине у нее пробежал холодок. Лицо коммандера выражало торжественную серьезность. Видимо, в его действиях было нечто такое, что ей знать не полагалось. Сьюзан опустилась на стул.

Повисла пауза. Стратмор поднял глаза вверх, собираясь с мыслями.

— Сьюзан, — наконец произнес он еле слышно. — У меня нет семьи. — Он посмотрел на нее. — Мой брак практически рухнул. Вся моя жизнь — это любовь к моей стране. Вся моя жизнь — это работа здесь, в Агентстве национальной безопасности.

Сьюзан слушала молча.

— Как ты могла догадаться, — продолжал он, — вскоре я собираюсь выйти в отставку. Но я хотел уйти с высоко поднятой головой. Я хотел уйти с сознанием, что добился своей цели.

— Но вы добились своей цели, — словно со стороны услышала Сьюзан собственный голос. — Вы создали «ТРАНСТЕКСТ».

Казалось, Стратмор ее не слышал.

— В последние несколько лет наша работа здесь, в агентстве, становилась все более трудной. Мы столкнулись с врагами, которые, как мне казалось, никогда не посмеют бросить нам вызов. Я говорю о наших собственных гражданах. О юристах, фанатичных борцах за гражданские права, о Фонде электронных границ — они все приняли в этом участие, но дело в другом. Дело в *людях*. Они потеряли веру. Они стали параноиками. Они внезапно стали видеть врага в *нас*. И мы, те, кто близко к сердцу принимает интересы страны, оказались вынужденными бороться за наше право служить своей стране. Мы больше не миротворцы. Мы слухачи, стукачи, нарушители прав человека. — Стратмор шумно вздохнул. — Увы, в мире полно наивных людей, которые не могут представить себе ужасы, которые нас ждут, если мы будем сидеть сложа руки. Я искренне верю, что только мы можем спасти этих людей от их собственного невежества.

Сьюзан не совсем понимала, к чему он клонит.

Коммандер устало опустил глаза, затем поднял их вновь.

— Сьюзан, выслушай меня, — сказал он, нежно ей улыбнувшись. — Возможно, ты захочешь меня прервать, но все же выслушай до конца. Я читал электронную почту Танкадо уже в течение двух месяцев. Как ты легко можешь себе представить, я был шокирован, впервые наткнувшись на его письмо Северной Дакоте о не поддающемся взлому коде, именуемом «Цифровая крепость». Я полагал, что это невозможно. Но всякий раз, когда я перехватывал очередное сообщение, Танкадо был все более и более убедительным. Когда я прочитал, что он использовал линейную мутацию для создания переломного ключа, я понял, что он далеко ушел от нас вперед.

Он использовал подход, который никому из нас не приходил в голову.

— А зачем это нам? — спросила Сьюзан. — В этом нет никакого смысла.

Стратмор встал и начал расхаживать по кабинету, не спуская при этом глаз с двери.

— Несколько недель назад, когда я прослышал о том, что Танкадо предложил выставить «Цифровую крепость» на аукцион, я вынужден был признать, что он настроен весьма серьезно. Я понимал, что если он продаст свой алгоритм японской компании, производящей программное обеспечение, мы погибли, поэтому мне нужно было придумать, как его остановить. Я подумал о том, чтобы его ликвидировать, но со всей этой шумихой вокруг кода и его заявлений о «ТРАНСТЕКСТЕ» мы тут же стали бы первыми подозреваемыми. И вот тогда меня осенило. — Он повернулся к Сьюзан. — Я понял, что «Цифровую крепость» не следует останавливать.

Сьюзан смотрела на него в растерянности.

Стратмор продолжал:

— Внезапно я увидел в «Цифровой крепости» шанс, который выпадает раз в жизни. Ведь если внести в код ряд изменений, «Цифровая крепость» будет работать на нас, а не против нас.

Ничего более абсурдного Сьюзан слышать еще не доводилось. «Цифровая крепость» — не поддающийся взлому код, он погубит агентство.

— Если бы я сумел слегка модифицировать этот код, — продолжал Стратмор, — до его выхода в свет... — Он посмотрел на нее с хитрой улыбкой.

Сьюзан потребовалось всего мгновение.

Стратмор сразу заметил изумление, мелькнувшее в ее глазах, и взволнованно изложил свой план:

— Если бы я получил ключ, то смог бы взломать наш экземпляр «Цифровой крепости» и внести нужные изменения...

— «Черный ход», — сказала Сьюзан, мгновенно забыв о том, что Стратмор ей лгал. Она все поняла. — Вроде «Попрыгунчика».

Стратмор кивнул:

— Тогда мы смогли бы подменить интернетовский файл, который Танкадо собирается выбросить на рынок, нашей измененной версией. Поскольку «Цифровая крепость» — это японский код, никто никогда не заподозрит, что наше агентство имеет к нему отношение. Единственное, что нам нужно, — осуществить такую подмену.

Сьюзан сочла его план безукоризненным. Вот он — истинный Стратмор. Он задумал способствовать распространению алгоритма, который АНБ с легкостью взломает!

— Полный и всеобщий доступ, — объяснял Стратмор. — «Цифровая крепость» сразу же станет всеобщим стандартом шифрования.

— Сразу же? — усомнилась Сьюзан. — Каким образом? Даже если «Цифровая крепость» станет общедоступной, большинство пользователей из соображений удобства будут продолжать пользоваться старыми программами. Зачем им переходить на «Цифровую крепость»?

Стратмор улыбнулся:

— Это просто. Мы организуем утечку секретной информации. И весь мир сразу же узнает о «ТРАНСТЕКСТЕ».

Сьюзан вопросительно смотрела на него.

— Это совсем просто, Сьюзан, мы позволим правде выйти за эти стены. Мы скажем миру, что у АНБ есть компьютер, способный взломать любой код, кроме «Цифровой крепости».

— И все бросятся доставать «Цифровую крепость»... не зная, что для нас это пройденный этап!

Стратмор кивнул:

— Совершенно точно. — Повисла продолжительная пауза. — Прости, что я тебе лгал. Попытка переделать «Цифровую крепость» — дело серьезное и хлопотное. Я не хотел тебя впутывать.

— Я... понимаю, — тихо сказала она, все еще находясь под впечатлением его блистательного замысла. — Вы довольно искусный лжец.

Стратмор засмеялся.

— Годы тренировки. Ложь была единственным способом избавить тебя от неприятностей.

Сьюзан кивнула.

— А неприятности немалые?

— Ты сама видишь.

Впервые за последний час она позволила себе улыбнуться.

— Этих слов я и ждала от вас.

Он пожал плечами:

— Как только мы получим ключ, я проинформирую директора.

Сьюзан не могла не поразить идея глобального прорыва в области разведки, который нельзя было себе даже представить. И он попытался сделать это в одиночку. Похоже, он и на сей раз добьется своей цели. Ключ совсем рядом. Танкадо мертв. Партнер Танкадо обнаружен.

Сьюзан замолчала.

Танкадо мертв. Как это удобно. Вспомнив всю услышанную от шефа ложь, она похолодела и посмотрела на него, в глазах ее мелькнуло подозрение.

— Это вы убили Танкадо?

Стратмор вздрогнул и замотал головой:

— Конечно, нет. Убивать Танкадо не было необходимости. Честно говоря, я бы предпочел, чтобы он остался жив. Его смерть бросает на «Цифровую крепость» тень подозрения. Я хотел внести исправления тихо и спокойно. Изначальный план состоял в том, чтобы сделать это незаметно и позволить Танкадо продать пароль.

Сьюзан должна была признать, что прозвучало это довольно убедительно. У Танкадо не было причин подозревать, что код в Интернете не является оригиналом. Никто не имел к нему доступа, кроме него самого и Северной Дакоты. Если бы Танкадо не вернулся к анализу программы после ее выпуска свет, он ничего бы не узнал про этот «черный ход». Но он так долго трудился над «Цифровой крепостью», что вряд ли ему захотелось бы к ней возвращаться.

Сьюзан понадобилось некоторое время, чтобы все это осмыслить. Она вдруг поняла стремление коммандера к необычайной секретности в шифровалке. Стоящая перед ним задача была крайне деликатна и требовала массу времени — вписать скрытый «черный ход» в сложный алгоритм и добавить невидимый ключ в Интернете. Тайна имела первостепенное значение. Любое подозрение об изменении «Цифровой крепости» могло разрушить весь замысел коммандера.

Только сейчас она поняла, почему он настаивал на том, чтобы «ТРАНСТЕКСТ» продолжал работать. *Если «Цифровой крепости» суждено стать любимой игрушкой АНБ, Стратмор хотел убедиться, что взломать ее невозможно!*

— Ты по-прежнему хочешь уйти?

Сьюзан посмотрела на него. Сидя рядом с великим Тревором Стратмором, она невольно почувствовала, что страхи ее покинули. Переделать «Цифровую крепость» — это шанс войти в историю, принеся громадную пользу стране, и Стратмору без ее помощи не обойтись. Хоть и не очень охотно, она все же улыбнулась:

— Что будем делать?

Стратмор просиял и, протянув руку, коснулся ее плеча.

— Спасибо. — Он улыбнулся и сразу перешел к делу. — Мы вместе спустимся вниз. — Он поднял «беретту». — Ты найдешь терминал Хейла, а я тебя прикрою.

Сьюзан была отвратительна даже мысль об этом.

— Разве нельзя дождаться звонка Дэвида о той копии, что была у Танкадо?

Стратмор покачал головой.

— Чем быстрее мы внесем изменение в программу, тем легче будет все остальное. У нас нет гарантий, что Дэвид найдет вторую копию. Если по какой-то случайности кольцо попадет не в те руки, я бы предпочел, чтобы мы уже внесли нужные изменения в алгоритм. Тогда, кто бы ни стал обладателем ключа, он скачает себе нашу версию алгоритма. — Стратмор помахал оружием и встал. — Нужно найти ключ Хейла.

Сьюзан замолчала. Коммандер, как всегда, прав. Им необходим ключ, который хранится у Хейла. Необходим прямо сейчас.

Она встала, но ноги ее не слушались. Надо было ударить Хейла посильнее. Она посмотрела на «беретту» и внезапно почувствовала тошноту.

— Вы действительно собираетесь пристрелить Грега Хейла?

— Нет. — Стратмор хмуро посмотрел на нее и двинулся к двери. — Но будем надеяться, что он этого не узнает.

ГЛАВА 76

У подъезда севильского аэропорта стояло такси с работающим на холостом ходу двигателем и включенным счетчиком. Пассажир в очках в тонкой металлической оправе, вглядевшись сквозь стеклянную стену аэровокзала, понял, что прибыл вовремя.

Он увидел светловолосую девушку, помогающую Дэвиду Беккеру найти стул и сесть. Беккера, по-видимому, мучила боль. Он еще не знает, что такое настоящая боль, подумал человек в такси. Девушка вытащила из кармана какой-то маленький предмет и протянула его Беккеру. Тот поднес его к глазам и рассмотрел, затем надел его на палец, достал из кармана пачку купюр и передал девушке. Они поговорили еще несколько минут, после чего девушка обняла его, выпрямилась и, повесив сумку на плечо, ушла.

Наконец-то, подумал пассажир такси. Наконец-то.

ГЛАВА 77

Стратмор остановился на площадке у своего кабинета, держа перед собой пистолет. Сьюзан шла следом за ним, размышляя, по-прежнему ли Хейл прячется в Третьем узле.

Свет от монитора Стратмора отбрасывал на них жутковатую тень. Сьюзан старалась держаться поближе к шефу на небольшой платформе с металлическими поручнями.

По мере того как они удалялись от двери, свет становился все более тусклым, и вскоре они оказались в полной темноте. Единственным освещением в шифровалке был разве что свет звезд над их головами, едва уловимое свечение проникало также сквозь разбитую стеклянную стену Третьего узла.

Стратмор шагнул вперед, нащупывая ногой место, где начинались ступеньки узенькой лестницы. Переложив «беретту» в левую руку, правой он взялся за перила. Он прекрасно знал, что левой рукой стрелял так же плохо, как и правой, к тому же правая рука была ему нужна, чтобы поддерживать равновесие. Грохнуться с этой лестницы означало до конца дней остаться калекой, а его представления о жизни на пенсии никак не увязывались с инвалидным креслом.

Сьюзан, ослепленная темнотой шифровалки, спускалась, не отрывая руки от плеча Стратмора. Даже в полуметре от шефа она не видела очертаний его фигуры. Всякий раз, ступая на очередную ступеньку, она носком туфли первым делам старалась нащупать ее край.

К ней снова вернулись страхи, связанные с новой попыткой найти ключ Хейла в Третьем узле. Коммандер был абсолютно убежден в том, что у Хейла не хватит духу на них напасть, но Сьюзан не была так уж уверена в этом. Хейл теряет самообладание, и у него всего два выхода: выбраться из шифровалки или сесть за решетку.

Внутренний голос подсказывал ей, что лучше всего было бы дождаться звонка Дэвида и использовать *его* ключ, но она понимала, что он может его и не найти. Сьюзан задумалась о том, почему он задерживается так долго, но ей пришлось забыть о тревоге за него и двигаться вслед за шефом.

Стратмор бесшумно спускался по ступенькам. Незачем настораживать Хейла, давать ему знать, что они идут. Почти уже спустившись, Стратмор остановился, нащупывая последнюю ступеньку. Когда он ее нашел, каблук его ботинка громко ударился о кафельную плитку пола. Сьюзан почувствовала, как напряглось все его тело. Они вступили в опасную зону: Хейл может быть где угодно.

Вдали, за корпусом «ТРАНСТЕКСТА», находилась их цель — Третий узел. Сьюзан молила Бога, чтобы Хейл по-прежнему был там, на полу, катаясь от боли, как побитая собака. Других слов для него у нее не было.

Стратмор оторвался от перил и переложил пистолет в правую руку. Не произнеся ни слова, он шагнул в темноту, Сьюзан изо всех сил держалась за его плечо. Если она потеряет с ним контакт, ей придется его позвать, и тогда Хейл может их услышать. Удаляясь от таких надежных ступенек, Сьюзан вспомнила, как в детстве играла в салки поздно ночью, и почувствовала себя одинокой и беззащитной.

«ТРАНСТЕКСТ» был единственным островом в открытом черном море. Через каждые несколько шагов Стратмор останавливался, держа пистолет наготове, и прислушивался. Единственным звуком, достигавшим его ушей, был едва уловимый гул, шедший снизу. Сьюзан хотелось потянуть шефа назад, в безопасность его кабинета. В кромешной тьме вокруг ей виделись чьи-то лица.

На полпути к «ТРАНСТЕКСТУ» тишина шифровалки нарушилась. Где-то в темноте, казалось, прямо над ними, послышались пронзительные гудки. Стратмор повернулся, и

Сьюзан сразу же его потеряла. В страхе она вытянула вперед руки, но коммандер куда-то исчез. Там, где только что было его плечо, оказалась черная пустота. Она шагнула вперед, но и там была та же пустота.

Сигналы продолжались. Источник их находился где-то совсем близко. Сьюзан поворачивалась то влево, то вправо. Она услышала шелест одежды, и вдруг сигналы прекратились. Сьюзан замерла. Мгновение спустя, как в одном из самых страшных детских кошмаров, перед ней возникло чье-то лицо. Зеленоватое, оно было похоже на призрак. Это было лицо демона, черты которого деформировали черные тени. Сьюзан отпрянула и попыталась бежать, но призрак схватил ее за руку.

— Не двигайся! — приказал он.

На мгновение ей показалось, что на нее были устремлены горящие глаза Хейла, но прикосновение руки оказалось на удивление мягким. Это был Стратмор. Лицо его снизу подсвечивалось маленьким предметом, который он извлек из кармана. Сьюзан обмякла, испытав огромное облегчение, и почувствовала, что вновь нормально дышит: до этого она от ужаса задержала дыхание. Предмет в руке Стратмора излучал зеленоватый свет.

— Черт возьми, — тихо выругался Стратмор, — мой новый пейджер, — и с отвращением посмотрел на коробочку, лежащую у него на ладони. Он забыл нажать кнопку, которая отключила звук. Этот прибор он купил в магазине электроники, оплатив покупку наличными, чтобы сохранить анонимность. Никто лучше его не знал, как тщательно следило агентство за своими сотрудниками, поэтому сообщения, приходящие на этот пейджер, как и отправляемые с него, Стратмор старательно оберегал от чужих глаз.

Сьюзан опасливо огляделась. Если до этого Хейл не знал, что они идут, то теперь отлично это понял.

Стратмор нажал несколько кнопок и, прочитав полученное сообщение, тихо застонал. Из Испании опять пришли плохие новости — не от Дэвида Беккера, а от *других*, которых он послал в Севилью.

* * *

В трех тысячах миль от Вашингтона мини-автобус мобильного наблюдения мчался по пустым улицам Севильи. Он был позаимствован АНБ на военной базе Рота в обстановке чрезвычайной секретности. Двое сидевших в нем людей были напряжены до предела: они не в первый раз получали чрезвычайный приказ из Форт-Мида, но обычно эти приказы не приходили с самого верха.

Агент, сидевший за рулем, повернув голову, бросил через плечо:

— Есть какие-нибудь следы нашего человека?

Глаза его партнера не отрывались от картинки на большом мониторе, установленном под крышей мини-автобуса.

— Никаких. Продолжай движение.

ГЛАВА 78

Джабба обливался потом перед спутанными проводами: он все еще лежал на спине, зажав в зубах портативный фонарик. Ему было не привыкать работать допоздна даже по уик-эндам; именно эти сравнительно спокойные часы в АНБ, как правило, были единственным временем, когда он мог заниматься обслуживанием компьютерной техники. Просунув раскаленный паяльник сквозь проволочный лабиринт у себя над головой, он действовал с величайшей осмотрительностью: опалить защитную оболочку провода значило вывести аппарат из строя.

Еще несколько сантиметров, подумал Джабба. Работа заняла намного больше времени, чем он рассчитывал.

Когда он поднес раскаленный конец паяльника к последнему контакту, раздался резкий звонок мобильного телефона. Джабба вздрогнул, и на руку ему упала шипящая капля жидкого олова.

— Черт возьми! — Он отшвырнул паяльник и едва не подавился портативным фонариком. — Дьявольщина!

Джаббо начал яростно отдирать каплю остывшего металла. Она отвалилась вместе с содранной кожей. Чип, который он должен был припаять, упал ему на голову.

— Проклятие!

Телефон звонил не переставая. Джабба решил не обращать на него внимания.

— Мидж, — беззвучно выдавил он, — черт тебя дери! В шифровалке все в порядке! — Телефон не унимался. Джабба принялся устанавливать на место новый чип. Через минуту его усилия увенчались успехом, а телефон все звонил и звонил. *Христа ради, Мидж! Ну хватит же!*

Телефон заливался еще секунд пятнадцать и наконец замолк. Джабба облегченно вздохнул.

Через шестьдесят секунд у него над головой затрещал интерком.

— Прошу начальника систем безопасности связаться с главным коммутатором, где его ждет важное сообщение.

От изумления у Джаббы глаза вылезли на лоб. «Похоже, она от меня не отвяжется!» И он решил не реагировать на сообщение.

ГЛАВА 79

Стратмор спрятал пейджер в карман и, посмотрев в сторону Третьего узла, протянул руку, чтобы вести Сьюзан за собой.

— Пошли.

Но их пальцы не встретились.

Из темноты раздался протяжный вопль, и тут же, словно из-под земли, выросла громадная фигура, эдакий грузовик, несущийся на полной скорости с выключенными фарами. Секундой позже произошло столкновение, и Стратмор, сбитый с ног, кубарем покатился по кафельному полу шифровалки. Это был Хейл, примчавшийся на звук пейджера.

Сьюзан услышала стук «беретты», выпавшей из руки Стратмора. На мгновение она словно приросла к месту, не зная, куда бежать и что делать. Интуиция подсказывала ей спасаться бегством, но у нее не было пароля от двери лифта. Сердце говорило ей, что она должна помочь Стратмору, но как? Повернувшись в полном отчаянии, она ожидала услышать шум смертельной борьбы на полу, но все было тихо. Все вдруг сразу же смолкло: как если бы Хейл, сбив коммандера с ног, снова растворился в темноте.

Сьюзан ждала, вглядываясь во тьму и надеясь, что Стратмор если и пострадал, то не сильно. После паузы, показавшейся ей вечностью, она прошептала:

— Коммандер?

И в тот же миг осознала свою ошибку. Она ощутила запах Хейла, но повернулась слишком поздно. И тут же забилась, задыхаясь от удушья. Ее снова сжали уже знакомые ей стальные руки, а ее голова была намертво прижата к груди Хейла.

— Боль внизу нестерпима, — прошипел он ей на ухо.

Колени у Сьюзан подкосились, и она увидела над головой кружащиеся звезды.

ГЛАВА 80

Хейл, крепко сжимая шею Сьюзан, крикнул в темноту:

— Коммандер, твоя подружка у меня в руках. Я требую выпустить меня отсюда!

В ответ — тишина.

Его руки крепче сжали ее шею.

— Я сейчас ее убью!

Сзади щелкнул взведенный курок «беретты».

— Отпусти ее, — раздался ровный, холодный голос Стратмора.

— Коммандер! — из последних сил позвала Сьюзан.

Хейл развернул Сьюзан в ту сторону, откуда слышался голос Стратмора.

— Выстрелишь — попадешь в свою драгоценную Сьюзан. Ты готов на это пойти?

— Отпусти ее. — Голос послышался совсем рядом.

— Ни за что. Ты же меня прихлопнешь.

— Я никого не собираюсь убивать.

— Что ты говоришь? Расскажи это Чатрукьяну!

Стратмор подошел ближе.

— Чатрукьян мертв.

— Да неужели? Ты сам его и убил! Я все видел!

— Довольно, Грег, — тихо сказал Стратмор.

Хейл крепче обхватил Сьюзан и шепнул ей на ухо:

— Стратмор столкнул его вниз, клянусь тебе!

— Она не клюнет на твою тактику «разделяй и властвуй», — сказал Стратмор, подходя еще ближе. — Отпусти ее.

— Чатрукьян был совсем мальчишка. Ради всего святого, зачем вы это сделали? Чтобы скрыть свою маленькую тайну?

Стратмор сохранял спокойствие.

— И что же это за секрет?

— Вы отлично знаете это сами! Это «Цифровая крепость»!

— Вот как? — снисходительно произнес Стратмор холодным как лед голосом. — Значит, тебе известно про «Цифровую крепость». А я-то думал, что ты будешь это отрицать.

— Подите к черту.

— Очень остроумно.

— Вы болван, Стратмор, — сказал Хейл, сплюнув. — К вашему сведению, ваш «ТРАНСТЕКСТ» перегрелся.

— Что ты говоришь? — засмеялся Стратмор. — Что же ты предлагаешь? Открыть дверь и вызвать сотрудников отдела систем безопасности, я угадал?

— Совершенно точно. Будет очень глупо, если вы этого не сделаете.

На этот раз Стратмор позволил себе расхохотаться во весь голос.

— Твой сценарий мне понятен. «ТРАНСТЕКСТ» перегрелся, поэтому откройте двери и отпустите меня?

— Именно так, черт возьми! Я был там, внизу. Резервное питание подает слишком мало фреона.

— Спасибо за подсказку, — сказал Стратмор. — У «ТРАНСТЕКСТА» есть автоматический выключатель. В случае перегрева он выключится без чьей-либо помощи.

— Вы сумасшедший, — с презрением в голосе ответил Хейл. — Мне наплевать, даже если ваш «ТРАНСТЕКСТ» взлетит на воздух. Эту проклятую машину так или иначе следует объявить вне закона.

Стратмор вздохнул.

— Оставь эти штучки детям, Грег. Отпусти ее.

— Чтобы вы меня убили?

— Я не собираюсь тебя убивать. Мне нужен только ключ.

— Какой ключ?

Стратмор снова вздохнул.

— Тот, который тебе передал Танкадо.

— Понятия не имею, о чем вы.

— Лжец! — выкрикнула Сьюзан. — Я видела твою электронную почту!

Хейл замер, потом повернул Сьюзан лицом к себе.

— Ты вскрыла мою электронную почту?

— А ты отключил моего «Следопыта»!

Хейл почувствовал, как кровь ударила ему в голову. Он был уверен, что спрятал все следы, и не имел ни малейшего понятия о том, что Сьюзан были известны его действия. Понятно, почему она не хотела верить ни одному его слову. Он почувствовал, как вокруг него выросла стена, и понял, что ему не удастся выпутаться из этой ситуации, по крайней мере своевременно. И он в отчаянии прошептал ей на ухо:

— Сьюзан... Стратмор убил Чатрукьяна!

— Отпусти ее, — спокойно сказал Стратмор. — Она тебе все равно не поверит.

— Да уж конечно, — огрызнулся Хейл. — Лживый негодяй! Вы промыли ей мозги! Вы рассказываете ей только то, что считаете нужным! Знает ли она, что именно вы собираетесь сделать с «Цифровой крепостью»?

— И что же?

Хейл понимал: то, что он сейчас скажет, либо принесет ему свободу, либо станет его смертным приговором. Он набрал в легкие воздуха.

— Вы хотите приделать к «Цифровой крепости» «черный ход».

Его слова встретило гробовое молчание. Хейл понял, что попал в яблочко. Но невозмутимость Стратмора, очевидно, подверглась тяжкому испытанию.

— Кто тебе это сказал? — спросил он, и в его голосе впервые послышались металлические нотки.

— Прочитал, — сказал Хейл самодовольно, стараясь извлечь как можно больше выгоды из этой ситуации. — В одном из ваших мозговых штурмов.

— Это невозможно. Я *никогда* не распечатываю свои мозговые штурмы.

— Я знаю. Я считываю их с вашего компьютера.

Стратмор недоверчиво покачал головой.

— Ты пробрался в мой кабинет?

— Нет. Я сделал это, не выходя из Третьего узла. — Хейл хмыкнул. Он понимал: выбраться из шифровалки ему удастся, только если он пустит в ход все навыки поведения в конфликтных ситуациях, которые приобрел на военной службе.

Стратмор придвинулся ближе, держа «беретту» в вытянутой руке прямо перед собой.

— Как ты узнал про «черный ход»?

— Я же сказал. Я прочитал все, что вы доверили компьютеру.

— Это невозможно.

Хейл высокомерно засмеялся.

— Одна из проблем, связанных с приемом на работу самых лучших специалистов, коммандер, состоит в том, что иной раз они оказываются умнее вас.

— Молодой человек, — вскипел Стратмор, — я не знаю, откуда вы черпаете свою информацию, но вы переступили все допустимые границы. Вы сейчас же отпустите мисс Флетчер, или я вызову службу безопасности и засажу вас в тюрьму до конца ваших дней.

— Вы этого не сделаете, — как ни в чем не бывало сказал Хейл. — Вызов агентов безопасности разрушит все ваши планы. Я им все расскажу. — Хейл выдержал паузу. — Выпустите меня, и я слова не скажу про «Цифровую крепость».

— Так не пойдет! — рявкнул Стратмор. — Мне нужен ключ.

— У меня нет никакого ключа.

— Хватит врать! — крикнул Стратмор. — Где он?

Хейл сдавил горло Сьюзан.

— Выпустите меня, или она умрет!

Тревор Стратмор заключил в своей жизни достаточно сделок, когда на кону были высочайшие ставки, чтобы понимать: Хейл взвинчен и крайне опасен. Молодой криптограф загнал себя в угол, а от противника, загнанного в угол, можно ожидать чего угодно: он действует отчаянно и непредсказуемо.

Стратмор знал, что его следующий шаг имеет решающее значение. От него зависела жизнь Сьюзан, а также будущее «Цифровой крепости».

Стратмор также понимал, что первым делом нужно разрядить ситуацию. Выдержав паузу, он как бы нехотя вздохнул:

— Хорошо, Грег. Ты выиграл. Чего ты от меня хочешь?

Молчание. Хейл сразу же растерялся, не зная, как истолковать примирительный тон коммандера, и немного ослабил хватку на горле Сьюзан.

— Н-ну, — заикаясь начал он, и голос его внезапно задрожал. — Первым делом вы отдаете мне пистолет. И оба идете со мной.

— В качестве заложников? — холодно усмехнулся Стратмор. — Грег, тебе придется придумать что-нибудь получше. Между шифровалкой и стоянкой для машин не менее дюжины вооруженных охранников.

— Я не такой дурак, как вы думаете, — бросил Хейл. — Я воспользуюсь вашим лифтом. Сьюзан пойдет со мной. А вы останетесь!

— Мне неприятно тебе это говорить, — сказал Стратмор, — но лифт без электричества — это не лифт.

— Вздор! — крикнул Хейл. — Лифт подключен к энергоснабжению главного здания. Я видел схему.

— Да мы уже пробовали, — задыхаясь, сказала Сьюзан, пытаясь хоть чем-то помочь шефу. — Он обесточен.

— Вы оба настолько заврались, что в это даже трудно поверить. — Хейл сильнее сжал горло Сьюзан. — Если лифт обесточен, я отключу «ТРАНСТЕКСТ» и восстановлю подачу тока в лифт.

— У дверцы лифта есть код, — злорадно сказала Сьюзан.

— Ну и проблема! — засмеялся Хейл. — Думаю, коммандер мне его откроет. Разве не так, коммандер?

— Ни в коем случае! — отрезал Стратмор.

Хейл вскипел:

— Послушайте меня, старина! Вы отпускаете меня и Сьюзан на вашем лифте, мы уезжаем, и через несколько часов я ее отпускаю.

Стратмор понял, что ставки повышаются. Он впутал в это дело Сьюзан и должен ее вызволить. Голос его прозвучал, как всегда, твердо:

— А как же мой план с «Цифровой крепостью»?

Хейл засмеялся:

— Можете пристраивать к ней «черный ход» — я слова не скажу. — Потом в его голосе зазвучали зловещие нотки. — Но как только я узнаю, что вы следите за мной, я немедленно расскажу всю эту историю журналистам. Я расскажу, что «Цифровая крепость» — это большая липа, и отправлю на дно все ваше мерзкое ведомство!

Стратмор мысленно взвешивал это предложение. Оно было простым и ясным. Сьюзан остается в живых, «Цифровая крепость» обретает «черный ход». Если не преследовать Хейла, «черный ход» останется секретом. Но Стратмор понимал, что Хейл не станет долго держать язык за зубами. И все же... секрет «Цифровой крепости» будет служить Хейлу единственной гарантией, и он, быть может, будет вести себя благоразумно. Как бы там ни было, Стратмор знал, что Хейла можно будет всегда ликвидировать в случае необходимости.

— Решайтесь, приятель! — с издевкой в голосе сказал Хейл. — Мы уходим или нет? — Его руки клещами сжимали горло Сьюзан.

Стратмор знал, что, если он сейчас достанет мобильник и позвонит в службу безопасности, Сьюзан будет жить. Он готов был спорить на что угодно, хоть на собственную жизнь, потому что ясно представлял себе весь сценарий. Этот звонок будет для Хейла полной неожиданностью. Он запаникует и в конце концов, столкнувшись с группой вооруженных людей, ничего не сможет поделать. После минутного упорства ему придется уступить. «Но если я вызову агентов безопасности, весь мой план рухнет», — подумал он.

Хейл сдавил горло Сьюзан немного сильнее, и она вскрикнула от боли.

— Ну что, вы решили? Я ее убиваю?

Стратмор мгновенно взвесил все варианты. Если он позволит Хейлу вывести Сьюзан из шифровалки и уехать, у него не будет никаких гарантий. Они уедут, потом остановятся где-нибудь в лесу. У него будет пистолет... От этой мысли у Стратмора свело желудок. Кто знает, что произойдет, прежде чем он решит освободить Сьюзан... если он ее вообще освободит. «Я обязан позвонить в службу безопасности, — решил он. — Что еще мне остается? — Он представил Хейла на скамье подсудимых, вываливающего все, что ему известно о «Цифровой крепости». — Весь мой план рухнет. Должен быть какой-то другой выход».

— Решайте! — крикнул Хейл и потащил Сьюзан к лестнице.

Стратмор его не слушал. Если спасение Сьюзан равнозначно крушению его планов, то так тому и быть: потерять ее значило потерять все, а такую цену он отказывался платить.

Хейл заломил руку Сьюзан за спину, и голова ее наклонилась.

— Даю вам последний шанс, приятель! Где ваш пистолет?

Мысли Стратмора судорожно метались в поисках решения. *Всегда есть какой-то выход!* Наконец он заговорил — спокойно, тихо и даже печально:

— Нет, Грег, извини. Я не могу тебя отпустить.

Хейл даже замер от неожиданности.

— Что?!

— Я вызываю агентов безопасности.

— Нет, коммандер! — вскрикнула Сьюзан. — Нет!

Хейл сжал ее горло.

— Если вы вызовете службу безопасности, она умрет!

Стратмор вытащил из-под ремня мобильник и набрал номер.

— Ты блефуешь, Грег.

— Вы этого не сделаете! — крикнул Хейл. — Я все расскажу! Я разрушу все ваши планы! Вы близки к осуществлению своей заветной мечты — до этого остается всего несколько часов! Управлять всей информацией в мире! И «ТРАНСТЕКСТ» больше не нужен. Никаких ограничений — только свободная информация. Это шанс всей вашей жизни! И вы хотите его упустить?

— Следи за мной, — холодно парировал Стратмор.

— А как же Сьюзан? — Хейл запнулся. — Если вы позвоните, она умрет.

Стратмора это не поколебало.

— Я готов рискнуть.

— Чепуха! Вы жаждете обладать ею еще сильнее, чем «Цифровой крепостью»! Я вас знаю. На такой риск вы не пойдете!

Сьюзан было запротестовала, но Стратмор не дал ей говорить.

— Вы меня не знаете, молодой человек! Я рисковал всю свою жизнь. Хотите меня испытать? Что ж, попробуйте! — Он начал нажимать кнопки мобильника. — Ты меня недооценил, сынок! Никто позволивший себе угрожать жизни моего сотрудника не выйдет отсюда. — Он поднес телефон к уху и рявкнул: — Коммутатор! Соедините меня со службой безопасности!

Хейл начал выворачивать шею Сьюзан.

— Я-я... я убью ее! Клянусь, убью!

— Ты не сделаешь ничего подобного! — оборвал его Стратмор. — Этим ты лишь усугубишь свое положе... — Он не договорил и произнес в трубку: — Безопасность? Говорит коммандер Тревор Стратмор. У нас в шифровалке человек взят в заложники! Быстро пришлите сюда людей! Да, да, прямо сейчас! К тому же у нас вышел из строя генератор. Я требую направить сюда всю энергию из внешних источников. Все системы должны заработать через пять минут. Грег Хейл убил одного из младших сотрудников лаборатории систем безопасности и взял в заложники моего старшего криптографа. Если нужно, используйте против всех нас слезоточивый газ! Если мистер Хейл не образумится, снайперы должны быть готовы стрелять на поражение. Всю ответственность я беру на себя. Быстрее!

Хейл выслушал все это, не сдвинувшись с места и не веря своим ушам. Хватка на горле Сьюзан слегка ослабла.

Стратмор выключил телефон и сунул его за пояс.

— Твоя очередь, Грег, — сказал он.

ГЛАВА 81

С мутными слезящимися глазами Беккер стоял возле телефонной будки в зале аэровокзала. Несмотря на непрекращающееся жжение и тошноту, он пришел в хорошее расположение духа. Все закончилось. Действительно закончилось. Теперь можно возвращаться домой. Кольцо на пальце и есть тот Грааль, который он искал. Беккер поднял руку к свету и вгляделся в выгравированные на золоте знаки. Его взгляд не фокусировался, и он не мог прочитать надпись, но, похоже, она сделана по-английски. Первая буква вроде бы О, или Q, или ноль: глаза у него так болели, что он не мог разобрать, но все-таки кое-как прочитал первые буквы. В них не было никакого смысла. *И это вопрос национальной безопасности?*

Беккер вошел в телефонную будку и начал набирать номер Стратмора. Не успел он набрать международный код, как в трубке раздался записанный на пленку голос: «Todos los circuitos están ocupados» — «Пожалуйста, положите трубку и перезвоните позднее». Беккер нахмурился и положил трубку на рычаг. Он совсем забыл: звонок за границу из Испании — все равно что игра в рулетку, все зависит от времени суток и удачи. Придется попробовать через несколько минут.

Беккер старался не обращать внимания на легкий запах перца. Меган сказала, что, если тереть глаза, будет только хуже. Он даже представить себе не может, насколько хуже. Не в силах сдержать нетерпение, Беккер попытался позвонить снова, но по-прежнему безрезультатно. Больше ждать он не мог: глаза горели огнем, нужно было промыть их во-

дой. Стратмор подождет минуту-другую. Полуслепой, он направился в туалетную комнату.

Смутные очертания тележки все еще виднелись у двери в
мужской туалет, поэтому Беккер снова подошел к дамской
комнате. Ему показалось, что внутри звучали какие-то голоса. Он постучал.

— Hola?

Тишина.

Наверное, Меган, подумал он. У нее оставалось целых
пять часов до рейса, и она сказала, что попытается отмыть
руку.

— Меган? — позвал он и постучал снова. Никто не ответил,
и Беккер толкнул дверь. — Здесь есть кто-нибудь? — Он вошел.
Похоже, никого. Пожав плечами, он подошел к раковине.

Раковина была очень грязной, но вода оказалась холодной, и это было приятно. Плеснув водой в глаза, Беккер ощутил, как стягиваются поры. Боль стала утихать, туман перед
глазами постепенно таял. Он посмотрелся в зеркало. Вид был
такой, будто он не переставая рыдал несколько дней подряд.

Беккер вытер лицо рукавом пиджака, и тут его осенило.
От волнений и переживаний он совсем забыл, где находится.
Он же в аэропорту! Где-то там, на летном поле, в одном из
трех частных ангаров севильского аэропорта стоит «Лирджет-
60», готовый доставить его домой. Пилот сказал вполне определенно: «У меня приказ оставаться здесь до вашего возвращения».

Трудно даже поверить, подумал Беккер, что после всех вы-
павших на его долю злоключений он вернулся туда, откуда
начал поиски. Чего же он ждет? Он засмеялся. Ведь пилот
может радировать Стратмору!

Усмехнувшись, Беккер еще раз посмотрелся в зеркало и
поправил узел галстука. Он уже собрался идти, как что-то в
зеркале бросилось ему в глаза. Он повернулся: из полуоткры-
той двери в кабинку торчала сумка Меган.

— Меган? — позвал он. Ответа не последовало. — Меган!

Беккер подошел и громко постучал в дверцу. Тишина. Он
тихонько толкнул дверь, и та отворилась.

Беккер с трудом сдержал крик ужаса. Меган сидела на унитазе с закатившимися вверх глазами. В центре лба зияло пулевое отверстие, из которого сочилась кровь, заливая лицо.

— О Боже! — воскликнул он в ужасе.

— Está muerta, — прокаркал за его спиной голос, который трудно было назвать человеческим. — Она мертва.

Беккер обернулся как во сне.

— Señor Becker? — прозвучал жуткий голос.

Беккер как завороженный смотрел на человека, входящего в туалетную комнату. Он показался ему смутно знакомым.

— Soy Hulohot, — произнес убийца. — Моя фамилия Халохот. — Его голос доносился как будто из его чрева. Он протянул руку. — El anillo. Кольцо.

Беккер смотрел на него в полном недоумении.

Человек сунул руку в карман и, вытащив пистолет, нацелил его Беккеру в голову.

— El anillo.

Внезапно Беккера охватило чувство, которого он никогда прежде не испытывал. Словно по сигналу, поданному инстинктом выживания, все мышцы его тела моментально напряглись. Он взмыл в воздух в тот момент, когда раздался выстрел, и упал прямо на Меган. Пуля ударилась в стену точно над ним.

— Mierda! — вскипел Халохот. Беккеру удалось увернуться в последнее мгновение. Убийца шагнул к нему.

Беккер поднялся над безжизненным телом девушки. Шаги приближались. Он услышал дыхание. Щелчок взведенного курка.

— Adiós, — прошептал человек и бросился на него подобно пантере.

Раздался выстрел, мелькнуло что-то красное. Но это была не кровь. Что-то другое. Предмет материализовался как бы ниоткуда, он вылетел из кабинки и ударил убийцу в грудь, из-за чего тот выстрелил раньше времени. Это была сумка Меган.

Беккер рванулся вперед. Вобрав голову в плечи, он ударил убийцу всем телом, отшвырнув его на раковину. Со звоном разбилось и покрылось трещинами зеркало. Пистолет упал на пол. Оба противника оказались на полу. Беккеру удалось оторваться от убийцы, и он рванулся к двери. Халохот шарил по полу, нащупывая пистолет. Наконец он нашел его и снова выстрелил. Пуля ударила в закрывающуюся дверь.

Пустое пространство зала аэропорта открылось перед Беккером подобно бескрайней пустыне. Ноги несли его с такой быстротой, на какую, казалось ему, он не был способен.

Когда он влетел во вращающуюся дверь, прозвучал еще один выстрел. Стеклянная панель обдала его дождем осколков. Дверь повернулась и мгновение спустя выкинула его на асфальт.

Беккер увидел ждущее такси.

— Déjame entrar! — закричал Беккер, пробуя открыть запертую дверцу машины. Водитель отказался его впустить. Машина была оплачена человеком в очках в тонкой металлической оправе, и он должен был его дождаться. Беккер оглянулся и, увидев, как Халохот бежит по залу аэропорта с пистолетом в руке, бросил взгляд на свою стоящую на тротуаре «веспу». «Я погиб».

Халохот вырвался из вращающейся двери в тот момент, когда Беккер попытался завести мотоцикл. Убийца улыбнулся и начал поднимать пистолет.

Заслонка! Беккер повернул рычажок под топливным баком и снова нажал на стартер. Мотор кашлянул и захлебнулся.

— El anillo. Кольцо, — совсем близко прозвучал голос.

Беккер поднял глаза и увидел наведенный на него ствол. Барабан повернулся. Он снова с силой пнул ногой педаль стартера.

Пуля пролетела мимо в тот миг, когда маленький мотоцикл ожил и рванулся вперед. Беккер изо всех сил цеплялся за жизнь. Мотоцикл, виляя, мчался по газону и, обогнув угол здания, выехал на шоссе.

Халохот, кипя от злости, побежал к такси. Несколько мгновений спустя водитель уже лежал на земле, с изумлением глядя, как его машина исчезает в облаке пыли и выхлопных газов.

ГЛАВА 82

Когда мысль о последствиях звонка Стратмора в службу безопасности дошла до сознания Грега Хейла, его окатила парализующая волна паники. *Агенты сейчас будут здесь!* Сьюзан попробовала выскользнуть из его рук, Хейл очнулся и притянул ее к себе за талию.

— Отпусти меня! — крикнула она, и ее голос эхом разнесся под куполом шифровалки.

Мозг Хейла лихорадочно работал. Звонок коммандера явился для него полным сюрпризом. Стратмор решился на это! Он жертвует всеми планами, связанными с «Цифровой крепостью»!

Хейл не мог поверить, что Стратмор согласился упустить такую возможность: ведь «черный ход» был величайшим шансом в его жизни.

Хейлом овладела паника: повсюду, куда бы он ни посмотрел, ему мерещился ствол «беретты» Стратмора. Он шарахался из стороны в сторону, не выпуская Сьюзан из рук, стараясь не дать Стратмору возможности выстрелить. Движимый страхом, он поволок Сьюзан к лестнице. Через несколько минут включат свет, все двери распахнутся, и в шифровалку ворвется полицейская команда особого назначения.

— Мне больно! — задыхаясь, крикнула Сьюзан. Она судорожно ловила ртом воздух, извиваясь в руках Хейла.

Он хотел было отпустить ее и броситься к лифту Стратмора, но это было бы чистым безумием: все равно он не знает кода. Кроме того, оказавшись на улице без заложницы, он обречен. Даже его безукоризненный «лотос» беспомощен перед эскадрильей вертолетов Агентства национальной безопасности. «Сьюзан — это единственное, что не позволит Стратмору меня уничтожить!»

— Сьюзан, — сказал он, волоча ее к лестнице, — уходи со мной! Клянусь, что я тебя пальцем не трону!

Сьюзан пыталась вырваться из его рук, и он понял, что его ждут новые проблемы. Если даже он каким-то образом откроет лифт и спустится на нем вместе со Сьюзан, она попытается вырваться, как только они окажутся на улице. Хейл хорошо знал, что этот лифт делает только одну остановку — на «Подземном шоссе», недоступном для простых смертных лабиринте туннелей, по которым скрытно перемещается высокое начальство агентства. Он не имел ни малейшего желания затеряться в подвальных коридорах АНБ с сопротивляющейся изо всех сил заложницей. Это смертельная ловушка. Если даже он выберется на улицу, у него нет оружия. Как он заставит Сьюзан пройти вместе с ним к автомобильной стоянке? Как он поведет машину, если они все же доберутся до нее?

И тут в его памяти зазвучал голос одного из преподавателей Корпуса морской пехоты, подсказавший ему, что делать.

Применив силу, говорил этот голос, *ты столкнешься с сопротивлением. Но заставь противника думать так, как выгодно тебе, и у тебя вместо врага появится союзник.*

— Сьюзан, — услышал он собственный голос, — Стратмор — убийца! Ты в опасности!

Казалось, она его не слышала. Хейл понимал, что говорит полную ерунду, потому что Стратмор никогда не причинит ей вреда, и она это отлично знает.

Хейл вгляделся в темноту, выискивая глазами место, где прятался Стратмор. Шеф внезапно замолчал и растворился во тьме. Это пугало Хейла. Он понимал, что времени у него нет. Агенты могут появиться в любую минуту.

Собрав все силы, Хейл, сильнее обхватив Сьюзан за талию, начал пятясь подниматься по лестнице. Она пыталась цепляться каблуками за ступеньки, чтобы помешать ему, но все было бесполезно. Он был гораздо сильнее, и ему легче было бы подталкивать ее вверх, тем более что площадка подсвечивалась мерцанием мониторов в кабинете Стратмора. Но если она окажется впереди, он подставит Стратмору спину. Волоча Сьюзан за собой, он использовал ее как живой щит.

Преодолев треть ступенек, он почувствовал какое-то движение у подножия лестницы. Стратмор что-то задумал!

— И не пытайтесь, коммандер, — прошипел он. — Вы рискуете попасть в Сьюзан!

Хейл выжидал. Стояла полная тишина, и он внимательно прислушался. Ничего. Вроде бы на нижней ступеньке никого нет. Может, ему просто показалось? Какая разница, Стратмор никогда не решится выстрелить, пока он прикрыт Сьюзан.

Но когда он начал подниматься на следующую ступеньку, не выпуская Сьюзан из рук, произошло нечто неожиданное. За спиной у него послышался какой-то звук. Он замер, чувствуя мощный прилив адреналина. Неужели Стратмор каким-то образом проскользнул наверх? Разум говорил ему, что Стратмор должен быть не наверху, а внизу. Однако звук повторился, на этот раз громче. Явный звук шагов на верхней площадке!

Хейл в ужасе тотчас понял свою ошибку. «Стратмор находится на верхней площадке, у меня за спиной!» Отчаянным движением он развернул Сьюзан так, чтобы она оказалась выше его, и начал спускаться.

Достигнув нижней ступеньки, он вгляделся в лестничную площадку наверху и крикнул:

— Назад, коммандер! Назад, или я сломаю...

Рукоятка револьвера, разрезая воздух, с силой опустилась ему на затылок.

Сьюзан высвободилась из рук обмякшего Хейла, не понимая, что произошло. Стратмор подхватил ее и слегка обнял, пытаясь успокоить.

— Ш-ш-ш, — утешал он ее. — Это я. Теперь все в порядке.

Сьюзан не могла унять дрожь.

— Ком... мандер, — задыхаясь, пробормотала она, сбитая с толку. — Я думала... я думала, что вы наверху... я слышала...

— Успокойся, — прошептал он. — Ты слышала, как я швырнул на верхнюю площадку свои ботинки.

Сьюзан вдруг поняла, что смеется и плачет одновременно. Коммандер спас ей жизнь. Стоя в темноте, она испытывала чувство огромного облегчения, смешанного, конечно же, с ощущением вины: агенты безопасности приближаются. Она глупейшим образом попала в ловушку, расставленную Хейлом, и Хейл сумел использовать ее против Стратмора. Она понимала, что коммандер заплатил огромную цену за ее избавление.

— Простите меня, — сказала она.

— За что?

— Ваши планы относительно «Цифровой крепости»... они рухнули.

Стратмор покачал головой:

— Отнюдь нет.

— Но... служба безопасности... что будет? Они сейчас здесь появятся. У нас нет времени, чтобы...

— Никакая служба здесь не появится, Сьюзан. У нас столько времени, сколько нужно.

Сьюзан отказывалась понимать. Не появится?

— Но вы же позвонили...

Стратмор позволил себе наконец засмеяться.

— Трюк, старый как мир. Никуда я не звонил.

ГЛАВА 83

Беккеровская «веспа», без сомнения, была самым миниатюрным транспортным средством, когда-либо передвигавшимся по шоссе, ведущему в севильский аэропорт. Наибольшая скорость, которую она развивала, достигала 50 миль в час, причем делала это со страшным воем, напоминая скорее циркулярную пилу, а не мотоцикл, и, увы, ей не хватало слишком много лошадиных сил, чтобы взмыть в воздух.

В боковое зеркало заднего вида он увидел, как такси выехало на темное шоссе в сотне метров позади него и сразу же стало сокращать дистанцию. Беккер смотрел прямо перед собой. Вдалеке, метрах в пятистах, на фоне ночного неба возникли силуэты самолетных ангаров. Он подумал, успеет ли такси догнать его на таком расстоянии, и вспомнил, что Сьюзан решала такие задачки в две секунды. Внезапно он почувствовал страх, которого никогда не испытывал прежде.

Беккер наклонил голову и открыл дроссель до конца. «Веспа» шла с предельной скоростью. Прикинув, что такси развивает миль восемьдесят — чуть ли не вдвое больше его скорости, — он сосредоточил все внимание на трех ангарах впереди. Средний. Там его дожидается «лирджет». Прогремел выстрел.

Пуля ударила в асфальт в нескольких метрах позади него. Беккер оглянулся. Убийца целился, высунувшись из окна. Беккер вильнул в сторону, и тут же боковое зеркало превратилось в осколки. Он почувствовал, как этот удар передался на руль, и плотнее прижался к мотоциклу. «Боже всевышний! Похоже, мне не уйти!»

Асфальт впереди становился светлее и ярче. Такси приближалось, и свет его фар бросал на дорогу таинственные тени. Раздался еще один выстрел. Пуля попала в корпус мотоцикла и рикошетом отлетела в сторону.

Беккер изо всех сил старался удержаться на шоссе, не дать «веспе» съехать на обочину. «Я должен добраться до ангара!» Интересно, увидит ли пилот «лирджета», что он подъезжает? Есть ли у него оружие? Откроет ли он вовремя дверцу кабины? Но, приблизившись к освещенному пространству открытого ангара, Беккер понял, что его вопросы лишены всякого смысла. Внутри не было никакого «лирджета». Он несколько раз моргнул затуманенными глазами, надеясь, что это лишь галлюцинация. Увы, ангар был пуст. «О Боже! Где же самолет?»

Мотоцикл и такси с грохотом въехали в пустой ангар. Беккер лихорадочно осмотрел его в поисках укрытия, но задняя стена ангара, громадный щит из гофрированного металла, не имела ни дверей, ни окон. Такси было уже совсем рядом, и, бросив взгляд влево, Беккер увидел, что Халохот снова поднимает револьвер.

Повинуясь инстинкту, он резко нажал на тормоза, но мотоцикл не остановился на скользком от машинного масла полу. «Веспу» понесло вперед. Рядом раздался оглушающий визг тормозов такси, его лысая резина заскользила по полу. Машина завертелась в облаке выхлопных газов совсем рядом с мотоциклом Беккера.

Теперь обе машины, потеряв управление, неслись к стене ангара. Беккер отчаянно давил на тормоз, но покрышки потеряли всякое сцепление с полом. Спереди на него быстро надвигалась стена. Такси все еще продолжало крутиться, и в ожидании столкновения он сжался в комок.

Раздался оглушающий треск гофрированного металла. Но Беккер не ощутил боли. Неожиданно он оказался на открытом воздухе, по-прежнему сидя на «веспе», несущейся по травяному газону. Задняя стенка ангара бесследно исчезла прямо перед ним. Такси все еще двигалось рядом, тоже въехав на газон. Огромный лист гофрированного металла слетел с капота автомобиля и пролетел прямо у него над головой.

С гулко стучащим сердцем Беккер надавил на газ и исчез в темноте.

ГЛАВА 84

Джабба вздохнул с облегчением, припаяв последний контакт. Выключив паяльник, он отложил в сторону фонарик и некоторое время отдыхал, лежа под большим стационарным компьютером. Затекшая шея причиняла ему сильную боль. Такая работа была непростой, особенно для человека его комплекции.

«И они делают их все более и более миниатюрными», — подумал он. Прикрыв глаза, давая им долгожданный отдых, он вдруг почувствовал, что кто-то тянет его за ногу.

— Джабба! Вылезай скорее! — послышался женский голос.

Мидж все же его разыскала. Он застонал.

— Джабба! Скорее вылезай!

Он неохотно выполз из-под компьютера.

— Побойся Бога, Мидж! Я же сказал тебе... — Но это была не Мидж. Джабба удивленно заморгал. — Соши?

Соши Кута, тонкая как проволока, весила не больше сорока килограммов. Она была его помощницей, прекрасным техником лаборатории систем безопасности, выпускницей Массачусетского технологического института. Она часто работала с ним допоздна и, единственная из всех сотрудников, нисколько его не боялась. Соши посмотрела на него с укором и сердито спросила:

— Какого дьявола вы не отвечаете? Я звонила вам на мобильник. И на пейджер тоже.

— На пейджер, — повторил Джабба. — Я думал, что...

— Ладно, не в этом дело. В главном банке данных происходит нечто странное.

Джабба взглянул на часы.

— Странное? — Он начал беспокоиться. — Можешь выражаться яснее?

Две минуты спустя Джабба мчался вниз к главному банку данных.

ГЛАВА 85

Грег Хейл, распластавшись, лежал на полу помещения Третьего узла. Стратмор и Сьюзан отволокли его туда через шифровалку и связали ему руки и ноги толстым кабелем от одного из лазерных принтеров.

Сьюзан до сих пор была ошеломлена ловкими действиями коммандера. *Он разыграл звонок по телефону!* И в результате одолел Хейла, освободил Сьюзан и выиграл время для переделки «Цифровой крепости».

Сьюзан с опаской посмотрела на связанного шифровальщика. Стратмор сидел на диване, небрежно положив «беретту» на колени. Вернувшись к терминалу Хейла, Сьюзан приступила к линейному поиску.

Четвертая попытка тоже не дала результата.

— Пока не везет. — Она вздохнула. — Быть может, придется ждать, пока Дэвид не найдет копию Танкадо.

Стратмор посмотрел на нее неодобрительно.

— Если Дэвид не добьется успеха, а ключ Танкадо попадет в чьи-то руки...

Коммандеру не нужно было договаривать. Сьюзан и так его поняла. Пока файл «Цифровой крепости» не подменен модифицированной версией, копия ключа, находившаяся у Танкадо, продолжает представлять собой огромную опасность.

— Когда мы внесем эту поправку, — добавил Стратмор, — мне будет все равно, сколько ключей гуляет по свету: чем их больше, тем забавнее. — Он жестом попросил ее возобновить поиск. — Но пока этого не произошло, мы в цейтноте.

Сьюзан открыла рот, желая сказать, что она все понимает, но ее слова были заглушены внезапным пронзительным звуком. Тишина шифровалки взорвалась сигналом тревоги, доносившимся из служебного помещения «ТРАНСТЕКСТА». Сьюзан и Стратмор в недоумении посмотрели друг на друга.

— Что это? — вскрикнула Сьюзан между сигналами.

— «ТРАНСТЕКСТ» перегрелся! — сказал Стратмор. В его голосе слышалось беспокойство. — Быть может, Хейл был прав, говоря, что система резервного питания подает недостаточное количество фреона.

— А как же автоматическое отключение?

Стратмор задумался.

— Должно быть, где-то замыкание.

Желтый сигнал тревоги вспыхнул над шифровалкой, и свет, пульсируя, прерывистыми пятнами упал на лицо коммандера.

— Может, отключить его самим? — предложила Сьюзан.

Стратмор кивнул. Ему не нужно было напоминать, что произойдет, если три миллиона процессоров перегреются и воспламенятся. Коммандеру нужно было подняться к себе в кабинет и отключить «ТРАНСТЕКСТ», пока никто за пределами шифровалки не заметил этой угрожающей ситуации и не отправил людей им на помощь.

Стратмор бросил взгляд на лежавшего в беспамятстве Хейла, положил «беретту» на столик рядом со Сьюзан и крикнул, перекрывая вой сирены:

— Я сейчас вернусь! — Исчезая через разбитое стекло стены Третьего узла, он громко повторил: — Найди ключ!

Поиски ключа не дали никаких результатов. Сьюзан надеялась, что Стратмору не придется долго возиться с отключением «ТРАНСТЕКСТА». Шум и мелькающие огни в шифровалке делали ее похожей на стартовую площадку ракеты.

Хейл зашевелился и в ответ на каждое завывание сирены начал моргать. Неожиданно для самой себя Сьюзан схватила «беретту», и Хейл, открыв глаза, увидел ее, стоящую с револьвером в руке, нацеленным ему в низ живота.

— Где ключ? — потребовала она.

Хейл с трудом пришел в себя.

— Ч-что произошло?

— То, что ты проиграл, а больше ничего. Итак, где ключ?

Хейл попытался пошевелить руками, но понял, что накрепко связан. На лице его появилось выражение животного страха.

— Отпусти меня!

— Мне нужен ключ, — повторила Сьюзан.

— У меня его нет. Отпусти меня! — Он попробовал приподняться, но не смог даже повернуться.

В перерывах между сигналами Сьюзан выкрикнула:

— Ты — Северная Дакота, Энсей Танкадо передал тебе копию ключа. Он нужен мне немедленно!

— Ты сошла с ума! — крикнул в ответ Хейл. — Я вовсе не Северная Дакота! — И он отчаянно забился на полу.

— Не лги, — рассердилась Сьюзан. — Почему же вся переписка Северной Дакоты оказалась в твоем компьютере?

— Я ведь тебе уже говорил! — взмолился Хейл, не обращая внимания на вой сирены. — Я шпионил за Стратмором! Эти письма в моем компьютере скопированы с терминала Стратмора — это сообщения, которые КОМИНТ выкрал у Танкадо!

— Чепуха! Ты никогда не смог бы проникнуть в почту коммандера!

— Ты ничего не понимаешь! — кричал Хейл. — На его компьютере уже стоял «жучок»! — Он говорил, стараясь, чтобы его слова были слышны между сигналами. — Этот «жучок» вмонтировал кто-то другой, и я подозреваю, что по распоряжению директора Фонтейна. Я просто попал на все готовое. Поверь мне! Поэтому я и узнал о его намерении модифицировать «Цифровую крепость». Я читал все его мозговые штурмы!

Мозговые штурмы? Сьюзан замолчала. По-видимому, Стратмор проверял свой план с помощью программы «Мозговой штурм». Если кто-то имеет возможность читать его электронную почту, то и остальная информация на его компьютере становится доступной...

— Переделка «Цифровой крепости» — чистое безумие! — кричал Хейл. — Ты отлично понимаешь, что это за собой влечет — *полный* доступ АНБ к любой информации. — Сирена заглушала его слова, но Хейл старался ее перекричать. — Ты считаешь, что мы готовы взять на себя такую ответственность? Ты считаешь, что *кто-нибудь* готов? Это же крайне недальновидно! Ты говоришь, что наше дерьмовое правительство исходит из высших интересов людей? Но что будет, если какое-нибудь будущее правительство станет вести себя иначе? Ведь эта технология — на вечные времена!

Сьюзан слушала его безучастно, от воя сирены у нее закладывало уши. Хейл же все время старался высвободиться и смотрел ей прямо в глаза.

— Как люди смогут защитить себя от произвола полицейского государства, когда некто, оказавшийся наверху, получит доступ ко всем линиям связи? Как они смогут ему противостоять?

Эти аргументы она слышала уже много раз. Гипотетическое будущее правительство служило главным аргументом Фонда электронных границ.

— Стратмора надо остановить! — кричал Хейл. — Клянусь, я сделаю это! Этим я и занимался сегодня весь день — считывал тексты с его терминала, чтобы быть наготове, когда он сделает первый шаг, чтобы вмонтировать этот чертов «черный ход». Вот почему я скачал на свой компьютер его электронную почту. Как доказательство, что он отслеживал все связанное с «Цифровой крепостью». Я собирался передать всю эту информацию в прессу.

Сердце у Сьюзан бешено забилось. Правильно ли она поняла? Все сказанное было вполне в духе Грега Хейла. Но это невозможно! Если бы Хейлу был известен план Стратмора выпустить модифицированную версию «Цифровой крепости», он дождался бы, когда ею начнет пользоваться весь мир, и только тогда взорвал бы свою бомбу, пока все доказательства были бы в его руках.

Сьюзан представила себе газетный заголовок:

КРИПТОГРАФ ГРЕГ ХЕЙЛ РАСКРЫВАЕТ СЕКРЕТНЫЙ ПЛАН
ПРАВИТЕЛЬСТВА ВЗЯТЬ ПОД КОНТРОЛЬ ГЛОБАЛЬНУЮ
ИНФОРМАЦИЮ!

Что же, это очередной Попрыгунчик? Вторично разоблачив попытку АНБ пристроить к алгоритму «черный ход», Грег Хейл превратится в мировую знаменитость. И одновременно пустит АНБ ко дну. Сьюзан внезапно подумала, что Хейл, возможно, говорит правду, но потом прогнала эту мысль. Нет, решила она. Конечно, нет!

Хейл продолжал взывать к ней:

— Я отключил «Следопыта», подумав, что ты за мной шпионишь! Заподозрила, что с терминала Стратмора скачивается информация, и вот-вот выйдешь на меня!

Правдоподобно, но маловероятно.

— Зачем же ты убил Чатрукьяна? — бросила она.

— Я не убивал его! — Крик Хейла перекрыл вой сирены. — Его столкнул вниз Стратмор! Я все это видел, потому что прятался в подсобке! Чатрукьян хотел вызвать службу безопасности, что разрушило бы все планы Стратмора!

Ну и ловок, подумала Сьюзан. На все у него готов ответ.

— Отпусти меня! — попросил Хейл. — Я ничего не сделал!

— Ничего не сделал? — вскричала Сьюзан, думая, почему Стратмор так долго не возвращается. — Вы вместе с Танкадо взяли АНБ в заложники, после чего ты и его обвел вокруг пальца. Скажи, Танкадо действительно умер от сердечного приступа или же его ликвидировал кто-то из ваших людей?

— Ты совсем ослепла! Как ты не понимаешь, что я ко всему этому не причастен? Развяжи меня! Развяжи, пока не явились агенты безопасности!

— Они не придут, — сказала она безучастно.

Хейл побледнел.

— Что это значит?

— Стратмор только сделал вид, что звонил по телефону.

Глаза Хейла расширились. Слова Сьюзан словно парализовали его, но через минуту он возобновил попытки высвободиться.

— Он убьет меня! Я чувствую! Ведь я слишком много знаю!

— Успокойся, Грег.

Сирена продолжала завывать.

— Но я же ни в чем не виноват!

— Ты лжешь! У меня есть доказательство! — Сьюзан встала и подошла к терминалам. — Помнишь, как ты отключил «Следопыта»? — спросила она, подойдя к своему терминалу. — Я снова его запустила! Посмотрим, вернулся ли он?

Разумеется, на ее экране замигал значок, извещающий о возвращении «Следопыта». Сьюзан положила руку на мышку и открыла сообщение. «Это решит судьбу Хейла, — подумала она. — Хейл — это Северная Дакота. — На экране появилось новое окошко. — Хейл — это...»

Сьюзан замерла. Должно быть, это какая-то ошибка. «Следопыт» показывал адрес, не имеющий никакого смысла.

Взяв себя в руки, она перечитала сообщение. Это была та же информация, которую получил Стратмор, когда сам запустил «Следопыта»! Тогда они оба подумали, что он где-то допустил ошибку, но сейчас-то она знала, что действовала правильно.

Тем не менее информация на экране казалась невероятной:

NDAKOTA = ET@DOSHISHA.EDU

— ET? — спросила Сьюзан. У нее кружилась голова. — Энсей Танкадо и есть Северная Дакота?

Это было непостижимо. Если информация верна, выходит, Танкадо и его партнер — это одно и то же лицо. Мысли ее смешались. Хоть бы замолчала эта омерзительная сирена! *Почему Стратмор отмел такую возможность?*

Хейл извивался на полу, стараясь увидеть, чем занята Сьюзан.

— Что там? Скажи мне!

Сьюзан словно отключилась от Хейла и всего окружающего ее хаоса. *Энсей Танкадо — это Северная Дакота...*

Сьюзан попыталась расставить все фрагменты имеющейся у нее информации по своим местам. Если Танкадо — Северная Дакота, выходит, он посылал электронную почту самому себе... а это значит, что никакой Северной Дакоты не существует. Партнер Танкадо — призрак.

Северная Дакота — призрак, сказала она себе. Сплошная мистификация.

Блестящий замысел. Выходит, Стратмор был зрителем теннисного матча, следящим за мячом лишь на одной половине корта. Поскольку мяч возвращался, он решил, что с другой стороны находится второй игрок. Но Танкадо бил мячом об стенку. Он превозносил достоинства «Цифровой крепости» по электронной почте, которую направлял на свой собственный адрес. Он писал письма, отправлял их анонимному провайдеру, а несколько часов спустя этот провайдер присылал эти письма ему самому.

Теперь, подумала Сьюзан, все встало на свои места. Танкадо *хотел*, чтобы Стратмор отследил и прочитал его электронную почту. Он создал для себя воображаемый страховой полис, не доверив свой ключ ни единой душе. Конечно, чтобы придать своему плану правдоподобность, Танкадо использовал тайный адрес... тайный ровно в той мере, чтобы никто не заподозрил обмана. Он сам был своим партнером. Никакой Северной Дакоты нет и в помине. Энсей Танкадо — единственный исполнитель в этом шоу.

Единственный исполнитель.

Сьюзан пронзила ужасная мысль. Этой своей мнимой перепиской Танкадо мог убедить Стратмора в чем угодно.

Она вспомнила свою первую реакцию на рассказ Стратмора об алгоритме, не поддающемся взлому. Сьюзан была убеждена, что это невозможно. Угрожающий потенциал всей этой ситуации подавил ее. Какие вообще у них есть доказательства, что Танкадо *действительно* создал «Цифровую крепость»? Только его собственные утверждения в электронных посланиях. И конечно... «ТРАНСТЕКСТ». Компьютер висел уже почти двадцать часов. Она, разумеется, знала, что были и другие программы, над которыми он работал так долго, программы, создать которые было куда легче, чем нераскрываемый алгоритм. Вирусы.

Холод пронзил все ее тело. *Но как мог вирус проникнуть в «ТРАНСТЕКСТ»?*

Ответ, уже из могилы, дал Чатрукьян. *Стратмор отключил программу «Сквозь строй»!*

Это открытие было болезненным, однако правда есть правда. Стратмор скачал файл с «Цифровой крепостью» и запустил его в «ТРАНСТЕКСТ», но программа «Сквозь строй» отказалась его допустить, потому что файл содержал опасную линейную мутацию. В обычных обстоятельствах это насторожило бы Стратмора, но ведь он прочитал электронную почту Танкадо, а там говорилось, что *весь трюк и заключался в линейной мутации*! Решив, что никакой опасности нет, Стратмор запустил файл, минуя фильтры программы «Сквозь строй».

Сьюзан едва могла говорить.

— Никакой «Цифровой крепости» не существует, — еле слышно пробормотала она под завывание сирены и, обессилев, склонилась над своим компьютером. Танкадо использовал наживку для дурачков... и АНБ ее проглотило.

Сверху раздался душераздирающий крик Стратмора.

ГЛАВА 86

Когда Сьюзан, едва переводя дыхание, появилась в дверях кабинета коммандера, тот сидел за своим столом, сгорбившись и низко опустив голову, и в свете монитора она увидела капельки пота у него на лбу. Сирена выла не преставая.

Сьюзан подбежала к нему.

— Коммандер?

Стратмор даже не пошевелился.

— Коммандер! Нужно выключить «ТРАНСТЕКСТ»! У нас...

— Он нас сделал, — сказал Стратмор, не поднимая головы. — Танкадо обманул всех нас.

По его тону ей стало ясно, что он все понял. Вся ложь Танкадо о невскрываемом алгоритме... обещание выставить его на аукцион — все это было игрой, мистификацией. Танкадо спровоцировал АНБ на отслеживание его электронной почты, заставил поверить, что у него есть партнер, заставил скачать очень опасный файл.

— Линейная мутация... — еле выдавил Стратмор.

— Я знаю.

Коммандер медленно поднял голову.

— Файл, который я скачал из Интернета... это был...

Сьюзан постаралась сохранить спокойствие. Все элементы игры поменялись местами. Невскрываемого алгоритма никогда не существовало, как не существовало и «Цифровой крепости». Файл, который Танкадо разместил в Интернете, представлял собой зашифрованный вирус, вероятно, встроенный в шифровальный алгоритм массового использования, достаточно сильный, чтобы он не смог причинить вреда никому — никому, кроме АНБ. «ТРАНСТЕКСТ» вскрыл защитную оболочку и выпустил вирус на волю.

— Линейная мутация, — простонал коммандер. — Танкадо утверждал, что это составная часть кода. — И он безжизненно откинулся на спинку стула.

Сьюзан была понятна боль, которую испытывал шеф. Его так просто обвели вокруг пальца. Танкадо не собирался продавать свой алгоритм никакой компьютерной компании, потому что никакого алгоритма не было. «Цифровая крепость» оказалась фарсом, наживкой для Агентства национальной безопасности. Когда Стратмор предпринимал какой-либо шаг, Танкадо стоял за сценой, дергая за веревочки.

— Я обошел программу «Сквозь строй», — простонал коммандер.

— Но вы же не знали.

Стратмор стукнул кулаком по столу.

— Я должен был знать! Да взять хотя бы его электронное имя. — Боже мой, Северная Дакота! Сокращенно NDAKOTA! Подумать только!

— Что вы имеете в виду?

— Да он смеялся над нами! Это же анаграмма!

Сьюзан не могла скрыть изумления. *NDAKOTA* — *анаграмма?* Она представила себе эти буквы и начала менять их местами. *Ndakota... Kadotan... Oktadan... Tandoka...* Сьюзан почувствовала, как ноги у нее подкосились. Стратмор прав. Это просто как день. Как они этого сразу не заметили? Северная Дакота — вовсе не отсылка к названию американского штата, это соль, которой он посыпал их раны! Он даже предупредил АНБ, подбросив ключ, что NDAKOTA — он сам. Это имя так просто превращается в Танкадо. И лучшие в мире специалисты-криптографы этого не поняли, прошли мимо, на что он и рассчитывал.

— Танкадо посмеялся над нами, — сказал Стратмор.

— Вы должны отключить «ТРАНСТЕКСТ», — напомнила Сьюзан.

Стратмор отсутствующе смотрел на стену.

— Коммандер! Выключите его! Трудно даже представить, что происходит там, внизу!

— Я пробовал, — прошептал Стратмор еле слышно. Ей еще не приходилось слышать, чтобы он так говорил.

— Что значит — «пробовал»?

Стратмор развернул монитор так, чтобы Сьюзан было видно. Экран отливал странным темно-бордовым цветом, и в самом его низу диалоговое окно отображало многочисленные попытки выключить «ТРАНСТЕКСТ». После каждой из них следовал один и тот же ответ:

ИЗВИНИТЕ. ОТКЛЮЧЕНИЕ НЕВОЗМОЖНО

Сьюзан охватил озноб. Отключение невозможно? Но почему? Увы, она уже знала ответ. Так вот какова месть Танкадо. Уничтожение «ТРАНСТЕКСТА»? Уже несколько лет Танкадо пытался рассказать миру о «ТРАНСТЕКСТЕ», но ему никто не хотел верить. Поэтому он решил уничтожить это чудовище в одиночку. Он до самой смерти боролся за то, во что верил, — за право личности на неприкосновенность частной жизни.

Внизу по-прежнему завывала сирена.

— Надо вырубить все электроснабжение, и как можно скорее! — потребовала Сьюзан.

Она знала, что, если они не будут терять времени, им удастся спасти эту великую дешифровальную машину параллельной обработки. Каждый компьютер в мире, от обычных ПК, продающихся в магазинах торговой сети «Радиошэк», и до систем спутникового управления и контроля НАСА, имеет встроенное страховочное приспособление как раз на случай таких ситуаций, называемое «отключение из розетки».

Полностью отключив электроснабжение, они могли бы остановить работу «ТРАНСТЕКСТА», а вирус удалить позже, просто заново отформатировав жесткие диски компьютера. В процессе форматирования стирается память машины — информация, программное обеспечение, вирусы, одним словом — *все*, и в большинстве случаев переформатирование означает потерю тысяч файлов, многих лет труда. Но «ТРАНСТЕКСТ» не был обычным компьютером — его можно было отформатировать практически без потерь. Машины параллельной обработки сконструированы для того, чтобы думать, а не запоминать. В «ТРАНСТЕКСТЕ» практически ничего не складировалось, взломанные шифры немедленно отсылались в главный банк данных АНБ, чтобы...

Сьюзан стало плохо. Моментально прозрев и прижав руку ко рту, она вскрикнула:

— Главный банк данных!

Стратмор, глядя в темноту, произнес бесцветным голосом, видимо, уже все поняв:

— Да, Сьюзан. Главный банк данных...

Сьюзан отстраненно кивнула. Танкадо использовал «ТРАНСТЕКСТ», чтобы запустить вирус в главный банк данных.

Стратмор вяло махнул рукой в сторону монитора. Сьюзан посмотрела на экран и перевела взгляд на диалоговое окно. В самом низу она увидела слова:

РАССКАЖИТЕ МИРУ О «ТРАНСТЕКСТЕ»
СЕЙЧАС ВАС МОЖЕТ СПАСТИ ТОЛЬКО ПРАВДА

Сьюзан похолодела. В АНБ сосредоточена самая секретная государственная информация: протоколы военной связи, разведданные, списки разведчиков в зарубежных странах, чертежи передовой военной техники, документация в цифровом формате, торговые соглашения, — и этот список нескончаем.

— Танкадо не посмеет этого сделать! — воскликнула она. — Уничтожить всю нашу секретную информацию? — Сьюзан не могла поверить, что Танкадо совершит нападение на главный банк данных АНБ. Она перечитала его послание.

СЕЙЧАС ВАС МОЖЕТ СПАСТИ ТОЛЬКО ПРАВДА

— Правда? — спросила она. — Какая правда?

Стратмор тяжело дышал.

— «ТРАНСТЕКСТ». Правда о «ТРАНСТЕКСТЕ».

Сьюзан понимающе кивнула. Это звучало вполне логично: Танкадо хотел заставить АНБ рассказать о «ТРАНСТЕКСТЕ» всему миру. По сути, это был самый настоящий шантаж. Он предоставил АНБ выбор: либо рассказать миру о «ТРАНСТЕКСТЕ», либо лишиться главного банка данных. Сьюзан в ужасе смотрела на экран. Внизу угрожающе мигала команда:

ВВЕДИТЕ КЛЮЧ

Вглядываясь в пульсирующую надпись, она поняла все. Вирус, ключ, кольцо Танкадо, изощренный шантаж... Этот ключ не имеет к алгоритму никакого отношения, это *противоядие*. Ключ блокирует вирус. Она много читала о таких вирусах — смертоносных программах, в которые встроено излечение, секретный ключ, способный дезактивировать вирус. «Танкадо и не думал уничтожать главный банк данных — он хотел только, чтобы мы обнародовали «ТРАНСТЕКСТ»! Тогда он дал бы нам ключ, чтобы мы могли уничтожить вирус!»

Сьюзан стало абсолютно очевидно, что план Танкадо ужасным образом рухнул. Он не собирался умирать. Он рассчитывал, сидя в испанском баре, услышать по Си-эн-эн пресс-конференцию об американском сверхсекретном компьютере, способном взломать любые шифры. После этого он позвонил бы Стратмору, считал пароль с кольца на своем пальце и в последнюю минуту спас главный банк данных АНБ. Вдоволь посмеявшись, он исчез бы насовсем, превратившись в легенду Фонда электронных границ.

Сьюзан стукнула кулаком по столу:

— Нам необходимо это кольцо! Ведь на нем — единственный экземпляр ключа! — Теперь она понимала, что нет никакой Северной Дакоты, как нет и копии ключа. Даже если АНБ расскажет о «ТРАНСТЕКСТЕ», Танкадо им уже ничем не поможет.

Стратмор молчал.

Положение оказалось куда серьезнее, чем предполагала Сьюзан. Самое шокирующее обстоятельство заключалось в том, что Танкадо дал ситуации зайти слишком далеко. Он должен был знать, что случится, если АНБ не получит кольцо, — и все же в последние секунды жизни отдал его кому-то. Он не хотел, чтобы оно попало в АНБ. Но чего еще можно было ждать от Танкадо — что он сохранит кольцо для них, будучи уверенным в том, что они-то его и убили?

И все же Сьюзан не могла поверить, что Танкадо допустил бы такое. Ведь он был пацифистом и не стремился к разрушению. Он лишь хотел, чтобы восторжествовала правда. Это касалось «ТРАНСТЕКСТА». Это касалось и права людей хранить личные секреты, а ведь АНБ следит за всеми и каждым. Уничтожение банка данных АНБ — акт агрессии, на которую, была уверена Сьюзан, Танкадо никогда бы не пошел. Вой сирены вернул ее к действительности. Она смотрела на обмякшее тело коммандера и знала, о чем он думает. Рухнул не только его план пристроить «черный ход» к «Цифровой крепости». В результате его легкомыслия АНБ оказалось на пороге крупнейшего в истории краха, краха в сфере национальной безопасности Соединенных Штатов.

— Коммандер, вы ни в чем не виноваты! — воскликнула она. — Если бы Танкадо был жив, мы могли бы заключить с ним сделку, и у нас был бы выбор.

Но Стратмор ее не слышал. Его жизнь окончена. Тридцать лет отдал он служению своей стране. Этот день должен был стать днем его славы, его *pièce de résistance*, итогом всей его жизни — днем открытия «черного хода» во всемирный стандарт криптографии. А вместо этого он заразил вирусом главный банк данных Агентства национальной безопасности. И этот вирус уже невозможно остановить — разве что вырубить электроэнергию и тем самым стереть миллиарды бит ценнейшей информации. Спасти ситуацию может только кольцо, и если Дэвид до сих пор его не нашел...

— Мы должны выключить «ТРАНСТЕКСТ»! — Сьюзан решила взять дело в свои руки. — Я спущусь вниз, в подсобное помещение, и выключу рубильник.

Стратмор медленно повернулся. Он являл собой печальное зрелище.

— Это сделаю я, — сказал он, встал и, спотыкаясь, начал выбираться из-за стола.

Сьюзан, чуть подтолкнув, усадила его на место.

— Нет! — рявкнула она. — Пойду я! — Ее тон говорил о том, что возражений она не потерпит.

Стратмор закрыл лицо руками.

— Хорошо. Это на нижнем этаже. Возле фреоновых помп.

Сьюзан повернулась и направилась к двери, но на полпути оглянулась.

— Коммандер, — сказала она. — Это еще не конец. Мы еще не проиграли. Если Дэвид успеет найти кольцо, мы спасем банк данных!

Стратмор ничего не ответил.

— Позвоните в банк данных! — приказала Сьюзан. — Предупредите их о вирусе. Вы заместитель директора АНБ и обязаны победить!

Стратмор медленно поднял голову и как человек, принимающий самое важное решение в своей жизни, трагически кивнул.

Сьюзан решительно шагнула во тьму.

ГЛАВА 87

«Веспа» выехала в тихий переулок Каретерра-де-Хуелва. Еще только начинало светать, но движение уже было довольно оживленным: молодые жители Севильи возвращались после ночных пляжных развлечений. Резко просигналив, пронесся мимо мини-автобус, до отказа забитый подростками. Мотоцикл Беккера показался рядом с ним детской игрушкой, выехавшей на автостраду.

Метрах в пятистах сзади в снопе искр на шоссе выкатило такси. Набирая скорость, оно столкнуло в сторону «Пежо-504», отбросив его на газон разделительной полосы.

Беккер миновал указатель «Центр Севильи — 2 км». Если бы ему удалось затеряться в центральной части города, у него был бы шанс спастись. Спидометр показывал 60 миль в час. До поворота еще минуты две. Он знал, что этого времени у него нет. Сзади его нагоняло такси. Он смотрел на приближающиеся огни центра города и молил Бога, чтобы он дал ему добраться туда живым.

Беккер проехал уже половину пути, когда услышал сзади металлический скрежет, прижался к рулю и до отказа открыл дроссель. Раздался приглушенный звук выстрела. Мимо. Он резко свернул влево и запетлял по дороге в надежде сбить преследователя и выиграть время. Все было бесполезно. До поворота оставалось еще триста метров, а такси от него отделяло всего несколько машин. Беккер понимал, что через несколько секунд его застрелят или собьют, и смотрел вперед, пытаясь найти какую-нибудь лазейку, но шоссе с обеих сторон обрамляли крутые, покрытые гравием склоны. Прозвучал еще один выстрел. Он принял решение.

Под визг покрышек, в снопе искр Беккер резко свернул вправо и съехал с дороги. Колеса мотоцикла подпрыгнули, ударившись о бетонное ограждение, так что он едва сумел сохранить равновесие. Из-под колес взметнулся гравий. Мотоцикл начал подниматься по склону. Колеса неистово вращались на рыхлой земле. Маломощный двигатель отчаянно выл, стараясь одолеть подъем. Беккер выжал из него все, что мог, и отчаянно боялся, что мотоцикл заглохнет в любую минуту. Нельзя было даже оглянуться: такси остановится в любой момент и снова начнется стрельба.

Однако выстрелов не последовало.

Мотоцикл каким-то чудом перевалил через гребень склона, и перед Беккером предстал центр города. Городские огни сияли, как звезды в ночном небе. Он направил мотоцикл через кустарник и, спрыгнув на нем с бордюрного камня, оказался на асфальте. «Веспа» внезапно взбодрилась. Под колесами быстро побежала авеню Луис Монтоно. Слева остался футбольный стадион, впереди не было ни одной машины.

Тут он услышал знакомый металлический скрежет и, подняв глаза, увидел такси, спускавшееся вниз по пандусу в сотне метров впереди. Съехав на эту же улицу, оно начало набирать скорость, двигаясь прямо в лоб мотоциклу.

Он должен был бы удариться в панику, но этого не произошло: он точно знал, куда держит путь. Свернув влево, на Менендес-пелайо, он прибавил газу. Мотоцикл пересек крохотный парк и выкатил на булыжную мостовую Матеус-Гаго — узенькую улицу с односторонним движением, ведущую к порталу Баррио-Санта-Крус.

Еще чуть-чуть, подумал он.

Такси следовало за Беккером, с ревом сокращая скорость. Свернув, оно промчалось через ворота Санта-Крус, обломав в узком проезде боковое зеркало. Беккер знал, что он выиграл. Санта-Крус — самый старый район Севильи, где нет проездов между зданиями, лишь лабиринт узких ходов, восходящих еще к временам Древнего Рима. Протиснуться здесь могли в крайнем случае только пешеходы, проехал бы мопед. Беккер когда-то сам заблудился в его узких проходах.

Набирая скорость на последнем отрезке Матеус-Гаго, он увидел впереди горой вздымающийся готический собор XI века. Рядом с собором на сто двадцать метров вверх, прямо в занимающуюся зарю, поднималась башня Гиральда. Это и был Санта-Крус, квартал, в котором находится второй по величине собор в мире, а также живут самые старинные и благочестивые католические семьи Севильи.

Беккер пересек мощенную камнем площадь. Единственный выстрел, к счастью, прозвучал слишком поздно. Беккер на своем мотоцикле скрылся в узком проходе Каллита-де-ля-Вирген.

ГЛАВА 88

Фара «веспы» отбрасывала контрастные тени на стены по обе стороны от узкой дорожки. Переключая передачи, Беккер мчался вперед между белокаменными стенами. Улочка имела множество поворотов и тупиков, и он быстро потерял направление. Он поднял вверх голову, надеясь увидеть Гиральду, но окружившие его со всех сторон стены были так высоки, что ему не удалось увидеть ничего, кроме тоненькой полоски начинающего светлеть неба.

Беккер подумал, где может быть человек в очках в тонкой металлической оправе. Ясно, что тот не собирался сдаваться. Скорее всего идет по его следу пешком. Беккер с трудом вел мотоцикл по крутым изломам улочки. Урчащий мотор шумным эхо отражался от стен, и он понимал, что это с головой выдает его в предутренней тишине квартала Санта-Крус. В данный момент у него только одно преимущество — скорость. «Я должен поскорее выбраться отсюда!» — сказал он себе.

После множества поворотов и коротких рывков Беккер оказался на перекрестке трех улочек с табличкой «Эскуина-де-лос-Рейес» и понял, что уже был здесь минуту-другую назад. Притормозив, он задумался, в какую сторону повернуть, и в этот момент мотор его «веспы» кашлянул и заглох. Стрелка топливного индикатора указывала на ноль. И, как бы повинуясь неведомому сигналу, между стенами слева от него мелькнула тень.

Нет сомнений, что человеческий мозг все же совершеннее самого быстродействующего компьютера в мире. В какую-то долю секунды сознание Беккера засекло очки в металлической оправе, обратилось к памяти в поисках аналога, нашло его и, подав сигнал тревоги, потребовало принять решение. Он отбросил бесполезный мотоцикл и пустился бежать со всех ног.

К несчастью для Беккера, вместо неуклюжего такси Халохот обрел под ногами твердую почву. Спокойно подняв пистолет, он выстрелил.

Пуля задела Беккера в бок, когда он уже почти обогнул угол здания. Он почувствовал это лишь после того, как сделал пять или шесть шагов. Сначала это напомнило сокращение мышцы чуть повыше бедра, затем появилось ощущение чего-то влажного и липкого. Увидев кровь, Беккер понял, что ранен. Боли он не чувствовал и продолжал мчаться вперед по лабиринтам улочек Санта-Круса.

Халохот настойчиво преследовал свою жертву. Вначале он хотел выстрелить Беккеру в голову, но, будучи профессионалом, решил не рисковать. Целясь в торс, он сводил к минимуму возможность промаха в вертикальной и горизонтальной плоскостях. Эта тактика себя оправдала. Хотя в последнее мгновение Беккер увернулся, Халохот сумел все же его зацепить. Он понимал, что пуля лишь слегка оцарапала жертву, не причинив существенного ущерба, тем не менее она сделала свое дело. Контакт был установлен. Жертва ощутила прикосновение смерти, и началась совершенно иная игра.

Беккер мчался, не видя ничего вокруг, постоянно сворачивал, избегая прямых участков. Шаги неумолимо приближались. В голове у него не было ни единой мысли — полная пустота. Он не знал ни где он находится, ни кто его преследует и мчался, подгоняемый инстинктом самосохранения. Он не чувствовал никакой боли — один лишь страх.

Пуля ударила в кафельную плитку азульехо чуть сзади. Осколки посыпались вниз и попали ему в шею. Беккер рванулся влево, в другую улочку. Он слышал собственный крик о помощи, но, кроме стука ботинок сзади и учащенного дыхания, утренняя тишина не нарушалась ничем.

Беккер почувствовал жжение в боку. Наверное, за ним тянется красный след на белых камнях. Он искал глазами открытую дверь или ворота — любой выход из этого бесконечного каньона, — но ничего не увидел. Улочка начала сужаться.

— Soccoro! — Его голос звучал еле слышно. — Помогите!

С обеих сторон на него надвигались стены извивающейся улочки. Беккер искал какой-нибудь перекресток, любой выход, но с обеих сторон были только запертые двери. Теперь он уже бежал по узкому проходу. Шаги все приближались. Беккер оказался на прямом отрезке, когда вдруг улочка начала подниматься вверх, становясь все круче и круче. Он почувствовал боль в ногах и сбавил скорость. Дальше бежать было некуда.

Как трасса, на продолжение которой не хватило денег, улочка вдруг оборвалась. Перед ним была высокая стена, деревянная скамья и больше ничего. Он посмотрел вверх, на крышу трехэтажного дома, развернулся и бросился назад, но почти тут же остановился.

В некотором отдалении от него возникла фигура человека, приближавшегося медленно и неотвратимо. В руке его поблескивал пистолет.

Беккер, отступая к стене, вновь обрел способность мыслить четко и ясно. Он почувствовал жжение в боку, дотронулся до больного места и посмотрел на руку. Между пальцами и на кольце Танкадо была кровь. У него закружилась голова. Увидев выгравированные знаки, Беккер страшно удивился. Он совсем забыл про кольцо на пальце, забыл, для чего приехал в Севилью. Он посмотрел на приближающуюся фигуру, затем перевел взгляд на кольцо. Из-за чего погибла Меган? Неужели ему предстояло погибнуть по той же причине?

Человек неумолимо приближался по крутой дорожке. Вокруг Беккера не было ничего, кроме стен. По сторонам, правда, находились железные ворота, но звать на помощь уже поздно.

Беккер прижался к стене спиной, внезапно ощутив все камушки под подошвами, все бугорки штукатурки на стене, впившиеся в спину. Мысли его перенеслись назад, в детство. Родители... Сьюзан.

О Боже... Сьюзан!

Впервые с детских лет Беккер начал молиться. Он молился не об избавлении от смерти — в чудеса он не верил; он молился о том, чтобы женщина, от которой был так далеко, нашла в себе силы, чтобы ни на мгновение не усомнилась в его любви. Он закрыл глаза, и воспоминания хлынули бурным потоком. Он вспомнил факультетские заседания, лекции — все то, что заполняло девяносто процентов его жизни. Вспомнил о Сьюзан. Это были простые воспоминания: как он учил ее есть палочками, как они отправились на яхте к Кейп-Коду. «Я люблю тебя, Сьюзан, — подумал он. — Помни это... всегда».

Ему казалось, что с него сорваны все внешние покровы. Не было ни страха, ни ощущения своей значимости — исчезло все. Он остался нагим — лишь плоть и кости перед лицом Господа. «Я человек, — подумал он. И с ироничной усмешкой вспомнил: — Без воска». Беккер стоял с закрытыми глазами, а человек в очках в металлической оправе приближался к нему. Где-то неподалеку зазвонил колокол. Беккер молча ждал выстрела, который должен оборвать его жизнь.

ГЛАВА 89

Лучи утреннего солнца едва успели коснуться крыш Севильи и лабиринта узких улочек под ними. Колокола на башне Гиральда созывали людей на утреннюю мессу. Этой минуты ждали все жители города. Повсюду в старинных домах отворялись ворота, и люди целыми семьями выходили на улицы. Подобно крови, бегущей по жилам старого квартала Санта-Крус, они устремлялись к сердцу народа, его истории, к своему Богу, своему собору и алтарю.

Где-то в уголке сознания Беккера звонили колокола. «Я не умер?» Он с трудом открыл глаза и увидел первые солнечные лучи. Беккер прекрасно помнил все, что произошло, и опустил глаза, думая увидеть перед собой своего убийцу. Но того человека в очках нигде не было. Были другие люди. Празднично одетые испанцы выходили из дверей и ворот на улицу, оживленно разговаривая и смеясь.

Халохот, спустившись вниз по улочке, смачно выругался. Сначала от Беккера его отделяла лишь одна супружеская пара, и он надеялся, что они куда-нибудь свернут. Но колокольный звон растекался по улочке, призывая людей выйти из своих домов. Появилась вторая пара, с детьми, и шумно приветствовала соседей. Они болтали, смеялись и троекратно целовали друг друга в щеки. Затем подошла еще одна группа, и жертва окончательно исчезла из поля зрения Халохота. Кипя от злости, тот нырнул в стремительно уплотняющуюся толпу. Он должен настичь Дэвида Беккера!

Халохот отчаянно пытался протиснуться к концу улочки, но внезапно почувствовал, что тонет в этом море человеческих тел. Со всех сторон его окружали мужчины в пиджаках и галстуках и женщины в черных платьях и кружевных накидках на опущенных головах. Они, не замечая Халохота, шли своей дорогой, напоминая черный шуршащий ручеек. С пистолетом в руке он рвался вперед, к тупику. Но Беккера там не оказалось, и он тихо застонал от злости.

Беккер, спотыкаясь и кидаясь то вправо, то влево, продирался сквозь толпу. Надо идти за ними, думал он. Они знают, как отсюда выбраться. На перекрестке он свернул вправо, улица стала пошире. Со всех сторон открывались ворота, и люди вливались в поток. Колокола звонили где-то совсем рядом, очень громко.

Беккер чувствовал жжение в боку, но кровотечение прекратилось. Он старался двигаться быстрее, знал, что где-то позади идет человек с пистолетом.

Беккер смешался с толпой прихожан и шел с низко опущенной головой. Собор был уже совсем рядом, он это чувствовал. Толпа стала еще плотнее, а улица шире. Они двигались уже не по узкому боковому притоку, а по главному руслу. Когда улица сделала поворот, Беккер вдруг увидел прямо перед собой собор и вздымающуюся ввысь Гиральду.

Звон колоколов оглушал, эхо многократно отражалось от высоких стен, окружающих площадь. Людские потоки из разных улиц сливались в одну черную реку, устремленную к распахнутым дверям Севильского собора. Беккер попробовал выбраться и свернуть на улицу Матеуса-Гаго, но понял, что находится в плену людского потока. Идти приходилось плечо к плечу, носок в пятку. У испанцев всегда было иное представление о плотности, чем у остального мира. Беккер оказался зажат между двумя полными женщинами с закрытыми глазами, предоставившими толпе нести их в собор. Они беззвучно молились, перебирая пальцами четки. Когда толпа приблизилась к мощным каменным стенам почти вплотную, Беккер снова попытался вырваться, но течение стало еще более интенсивным. Трепет ожидания, волны, сносившие его то влево, то вправо, закрытые глаза, почти беззвучное движение губ в молитве. Он попытался вернуться назад, но совладать с мощным потоком было невозможно — все равно как плыть против сильного течения могучей реки. Беккер обернулся. Двери оказались прямо перед ним, словно приглашая его принять участие в празднестве, до которого ему не было никакого дела. Внезапно он понял, что входит в собор.

ГЛАВА 90

В шифровалке завывали сирены. Стратмор не имел представления о том, сколько времени прошло после ухода Сьюзан. Он сидел один в полутьме, и гул «ТРАНСТЕКСТА» звучал в его ушах. *Вы всегда добиваетесь своего... вы добьетесь...*

«Да, — подумал он. — Я добиваюсь своих целей, но честь для меня важнее. Я скорее предпочту умереть, чем жить в тени позора».

А ждет его именно это. Он скрыл информацию от директора, запустил вирус в самый защищенный компьютер страны, и, разумеется, ему придется за это дорого заплатить. Он исходил из самых патриотических соображений, но все пошло вкривь и вкось. Результатом стали смерть и предательство. Теперь начнутся судебные процессы, последуют обвинения, общественное негодование. Он много лет служил своей стране верой и правдой и не может допустить такого конца.

«Я просто добивался своей цели», — мысленно повторил он.

«Ты лжешь», — ответил ему внутренний голос.

Да, это так. Он — лжец. Он вел себя бесчестно по отношению ко многим людям, и Сьюзан Флетчер — одна из них. Он очень о многом ей не сказал — о многих вещах, которых теперь стыдился. Она была его иллюзией, его живой фантазией. Он мечтал о ней по ночам, плакал о ней во сне. Он ничего не мог с собой поделать. Она была блистательна и прекрасна, равной ей он не мог себе даже представить. Его жена долго терпела, но, увидев Сьюзан, потеряла последнюю надежду. Бев Стратмор никогда его ни в чем не обвиняла. Она превозмогала боль сколько могла, но ее силы иссякли. Она сказала ему, что их брак исчерпал себя, что она не собирается до конца дней жить в тени другой женщины.

Вой сирен вывел его из задумчивости. Его аналитический ум искал выход из создавшегося положения. Сознание нехотя подтверждало то, о чем говорили чувства. Оставался только один выход, одно решение.

Он бросил взгляд на клавиатуру и начал печатать, даже не повернув к себе монитор. Его пальцы набирали слова медленно, но решительно.

«Дорогие друзья, сегодня я ухожу из жизни...»

При таком исходе никто ничему не удивится. Никто не задаст вопросов. Никто ни в чем его не обвинит. Он сам расскажет о том, что случилось. Все люди умирают... что значит еще одна смерть?

ГЛАВА 91

В соборе всегда ночь. Тепло дня здесь сменяется влажной прохладой, а шум улицы приглушается мощными каменными стенами. Никакое количество люстр под сводами не в состоянии осветить бесконечную тьму. Тени повсюду. И только в вышине витражи окон впускают внутрь уродство мира, окрашивая его в красновато-синие тона.

Севильский собор, подобно всем великим соборам Европы, в основании имеет форму креста. Святилище и алтарь расположены над центром и смотрят вниз, на главный алтарь. Деревянные скамьи заполняют вертикальную ось, растянувшись на сто с лишним метров, отделяющих алтарь от основания креста. Слева и справа от алтаря в поперечном нефе расположены исповедальни, священные надгробия и дополнительные места для прихожан.

Беккер оказался в центре длинной скамьи в задней части собора. Над головой, в головокружительном пустом пространстве, на потрепанной веревке раскачивалась серебряная курильница размером с холодильник, описывая громадную дугу и источая едва уловимый аромат. Колокола Гиральды по-прежнему звонили, заставляя содрогаться каменные своды. Беккер перевел взгляд на позолоченную стену под потолком. Его сердце переполняла благодарность. Он дышал. Он остался в живых. Это было настоящее чудо.

Священник готовился начать молитву. Беккер осмотрел свой бок. На рубашке расплывалось красное пятно, хотя кровотечение вроде бы прекратилось. Рана была небольшой, скорее похожей на глубокую царапину. Он заправил рубашку в брюки и оглянулся. Позади уже закрывались двери. Беккер понял, что, если его преследователь находится внутри, он в западне. В Севильском соборе единственный вход одновременно является выходом. Такая архитектура стала популярной в те времена, когда церкви одновременно служили и крепостями, защищавшими от вторжения мавров, поскольку одну дверь легче забаррикадировать. Теперь у нее была другая функция: любой турист, входящий в собор, должен купить билет.

Дверь высотой в шесть метров закрылась с гулким стуком, и Беккер оказался заперт в Божьем доме. Он закрыл глаза и постарался сползти на скамье как можно ниже: он единственный в церкви был не в черном. Откуда-то донеслись звуки песнопения.

В задней части церкви между скамьями продвигался человек, стараясь держаться в тени. Ему удалось проскользнуть внутрь в последнюю секунду перед тем, как дверь закрылась. Человек улыбнулся: охота становилась интересной. «Беккер здесь... Я чувствую, что здесь». Он двигался методично, обходя один ряд за другим. Наверху лениво раскачивалась курильница, описывая широкую дугу. «Прекрасное место для смерти, — подумал Халохот. — Надеюсь, удача не оставит меня».

Беккер опустился на колени на холодный каменный пол и низко наклонил голову. Человек, сидевший рядом, посмотрел на него в недоумении: так не принято было вести себя в храме Божьем.

— Enferno, — извиняясь, сказал Беккер. — Я плохо себя чувствую. — Он знал, что должен буквально вдавиться в пол.

И вдруг увидел знакомый силуэт в проходе между скамьями сбоку. *Это он! Он здесь!*

Беккер был уверен, что представляет собой отличную мишень, даже несмотря на то что находился среди огромного множества прихожан: его пиджак цвета хаки ярко выделялся

на черном фоне. Вначале он хотел снять его, но белая окс-
фордская рубашка была бы ничуть ни лучше, поэтому он лишь
пригнулся еще ниже.

Мужчина рядом нахмурился.

— Turista, — усмехнулся он. И прошептал чуть насмеш-
ливо: — Llamo un médico? Вызвать доктора?

Беккер поднял глаза на усыпанное родинками старческое
лицо.

— No, gracias. Estoy bien.

Человек смерил его сердитым взглядом:

— Pues siéntate! Тогда сядьте!

Вокруг послышалось шушуканье, старик замолчал и снова стал смотреть прямо перед собой.

Беккер прикрыл глаза и сжался, раздумывая, сколько времени продлится служба. Выросший в протестантской семье,
он всегда считал, что католики ужасно медлительны. Теперь
он молил Бога, чтобы священник не торопился, ведь как только служба закончится, он будет вынужден встать, хотя бы для
того чтобы пропустить соседей по скамье. А в своем пиджаке
он обречен.

Беккер понимал, что в данный момент ничего не может предпринять. Ему оставалось только стоять на коленях на холодном каменном полу огромного собора. Старик утратил к нему всякий интерес, прихожане встали и
запели гимн. Ноги у него свело судорогой. Хорошо бы их
вытянуть! «Терпи, — сказал он себе. — Терпи». Потом закрыл глаза и глубоко вздохнул.

Беккер не сразу почувствовал, что его кто-то подталкива-
ет. Подняв глаза, он увидел старика с усыпанным родинками
лицом, который стоял перед ним, намереваясь пройти.

Беккера охватила паника. «Он уже хочет уйти? Выходит,
мне придется встать!» Он жестом предложил старику пере-
шагнуть через него, но тот пришел в негодование и еле сдержался. Подавшись назад, он указал на целую очередь людей,
выстроившихся в проходе. Беккер посмотрел в другую сторону и увидел, что женщина, сидевшая рядом, уже ушла и весь
ряд вплоть до центрального прохода пуст.

«Не может быть, что служба уже закончилась! Это невозможно! Да мы только вошли!»

Но, увидев прислужника в конце ряда и два людских потока, движущихся по центральному проходу к алтарю, Беккер понял, что происходит.

Причастие. Он застонал. Проклятые испанцы начинают службу с причастия!

ГЛАВА 92

Сьюзан начала спускаться по лестнице в подсобное помещение. Густые клубы пара окутывали корпус «ТРАНСТЕКСТА», ступеньки лестницы были влажными от конденсации, она едва не упала, поскользнувшись. Она нервничала, гадая, сколько еще времени продержится «ТРАНСТЕКСТ». Сирены продолжали завывать; то и дело вспыхивали сигнальные огни. Тремя этажами ниже дрожали и гудели резервные генераторы. Сьюзан знала, что где-то на дне этого погруженного в туман подземелья есть рубильник. Кроме того, она понимала, что времени почти не оставалось.

Стратмор сидел наверху с «береттой» в руке. Он перечитал свою записку и положил на пол возле себя. То, что он собирался сделать, несомненно, было проявлением малодушия. «Я умею добиваться своей цели», — подумал он. Потом он подумал о вирусе, попавшем в «ТРАНСТЕКСТ», о Дэвиде Беккере в Испании, о своих планах пристроить «черный ход» к «Цифровой крепости». Он так много лгал, он так виноват. Стратмор знал, что это единственный способ избежать ответственности... единственный способ избежать позора. Он закрыл глаза и нажал на спусковой крючок.

Сьюзан услышала глухой хлопок, когда уже спустилась на несколько пролетов вниз. Звук показался очень далеким, едва различимым в шуме генераторов. Она никогда раньше не слышала выстрелов, разве что по телевизору, но не сомневалась в том, что это был за звук.

Сьюзан словно пронзило током. В панике она сразу же представила себе самое худшее. Ей вспомнились мечты коммандера: «черный ход» в «Цифровую крепость» и величайший переворот в разведке, который он должен был вызвать. Она подумала о вирусе в главном банке данных, о его распавшемся браке, вспомнила этот странный кивок головы, которым он ее проводил, и, покачнувшись, ухватилась за перила. *Коммандер! Нет!*

Сьюзан словно окаменела, ничего не понимая. Эхо выстрела слилось с царившим вокруг хаосом. Сознание гнало ее вперед, но ноги не слушались. *Коммандер!* Мгновение спустя она, спотыкаясь, карабкалась вверх по ступенькам, совершенно забыв о таящейся внизу опасности.

Она двигалась вслепую, скользя на гладких ступеньках, и скопившаяся влага капала на нее дождем. Ей казалось, что пар буквально выталкивает ее наверх, через аварийный люк. Оказавшись наконец в шифровалке, Сьюзан почувствовала, как на нее волнами накатывает прохладный воздух. Ее белая блузка промокла насквозь и прилипла к телу.

Было темно. Сьюзан остановилась, собираясь с духом. Звук выстрела продолжал звучать у нее в голове. Горячий пар пробивался через люк подобно вулканическим газам, предшествующим извержению.

Проклиная себя за то, что не забрала у Стратмора «беретту», она пыталась вспомнить, где осталось оружие — у него или же в Третьем узле? Когда глаза Сьюзан немного привыкли к темноте, она посмотрела на дыру, зияющую в стеклянной стене. Свечение мониторов было очень слабым, но она все же разглядела вдали Хейла, лежащего без движения там, где она его оставила. Стратмора видно не было. В ужасе от того, что ее ожидало, она направилась к кабинету шефа.

Когда Сьюзан уже сделала несколько шагов, что-то вдруг показалось ей странным. Она остановилась и снова начала вглядываться в глубь помещения Третьего узла. В полумраке ей удалось различить руку Хейла. Но она не была прижата к боку, как раньше, и его тело уже не опутывали веревки. Теперь рука была закинута за голову, следовательно, Хейл лежал на спине. Неужели высвободился? Однако тот не подавал никаких признаков жизни.

Сьюзан перевела взгляд на помост перед кабинетом Стратмора и ведущую к нему лестницу.

— Коммандер?

Молчание.

Тогда она осторожно двинулась в направлении Третьего узла. Подойдя поближе, она увидела, что в руке Хейла зажат какой-то предмет, посверкивавший в свете мониторов. Сьюзан сделала еще несколько шагов и вдруг поняла, что это за предмет. В руке Хейл сжимал «беретту».

Вскрикнув, она оторвала взгляд от неестественно выгнутой руки и посмотрела ему в лицо. То, что она увидела, казалось неправдоподобным. Половина лица Хейла была залита кровью, на ковре расплылось темное пятно.

Сьюзан отпрянула. *О Боже!* Значит, она слышала звук выстрела Хейла, а не коммандера! Как в тумане она приблизилась к бездыханному телу. Очевидно, Хейл сумел высвободиться. Провода от принтера лежали рядом. «Должно быть, я оставила «беретту» на диване», — подумала она. Кровь, вытекающая из головы, в голубоватом свечении казалась черной.

На полу возле тела Хейла лежал листок бумаги. Сьюзан наклонилась и подняла его. Это было письмо.

«Дорогие друзья, сегодня я свожу счеты с жизнью, не в силах вынести тяжести своих грехов...»

Не веря своим глазам, Сьюзан медленно читала предсмертную записку. Все это было так неестественно, так непохоже на Хейла, а список преступлений больше напоминал перечень сданного в прачечную белья. Он признался во всем — в том, как понял, что Северная Дакота всего лишь призрак, в том, что нанял людей, чтобы те убили Энсея Танкадо и забрали у него кольцо, в том, что столкнул вниз Фила Чатрукьяна, потому что рассчитывал продать ключ от «Цифровой крепости».

Сьюзан дошла до последней строки. В ней говорилось о том, к чему она совершенно не была готова. Последние слова записки стали для нее сильнейшим ударом.

И в первую очередь я сожалею о Дэвиде Беккере. Простите меня. Я был ослеплен своими амбициями.

Стоя над Хейлом и стараясь унять дрожь, Сьюзан услышала приближающиеся шаги и медленно обернулась.

В проломе стены возникла фигура Стратмора. Он был бледен и еле дышал. Увидев тело Хейла, Стратмор вздрогнул от ужаса.

— О Боже! — воскликнул он. — Что случилось?

ГЛАВА 93

Причастие.

Халохот сразу же увидел Беккера: нельзя было не заметить пиджак защитного цвета да еще с кровавым пятном на боку. Светлый силуэт двигался по центральному проходу среди моря черных одежд. «Он не должен знать, что я здесь. — Халохот улыбнулся. — Может считать себя покойником». И он задвигал крошечными металлическими контактами на кончиках пальцев, стремясь как можно быстрее сообщить американским заказчикам хорошую новость. Скоро, подумал он, совсем скоро.

Как хищник, идущий по следам жертвы, Халохот отступил в заднюю часть собора, а оттуда пошел на сближение — прямо по центральному проходу. Ему не было нужды выискивать Беккера в толпе, выходящей из церкви: жертва в ловушке, все сложилось на редкость удачно. Нужно только выбрать момент, чтобы сделать это тихо. Его глушитель, самый лучший из тех, какие только можно было купить, издавал легкий, похожий на покашливание, звук. Все будет прекрасно.

Приближаясь к пиджаку защитного цвета, он не обращал внимания на сердитый шепот людей, которых обгонял. Прихожане могли понять нетерпение этого человека, стремившегося получить благословение, но ведь существуют строгие правила протокола: подходить к причастию нужно, выстроившись в две линии.

Халохот продолжал двигаться вперед. Расстояние между ним и Беккером быстро сокращалось. Он нащупал в кармане пиджака пистолет. До сих пор Дэвиду Беккеру необыкновенно везло, и не следует и дальше искушать судьбу.

Пиджак защитного цвета от него отделяли теперь уже только десять человек. Беккер шел, низко опустив голову. Халохот прокручивал в голове дальнейшие события. Все было очень просто: подойдя к жертве вплотную, нужно низко держать револьвер, чтобы никто не заметил, сделать два выстрела в спину, Беккер начнет падать, Халохот подхватит его и оттащит к скамье, как друга, которому вдруг стало плохо. Затем он быстро побежит в заднюю часть собора, словно бы за помощью, и в возникшей неразберихе исчезнет прежде, чем люди поймут, что произошло.

Пять человек. Четверо. Всего трое.

Халохот стиснул револьвер в руке, не вынимая из кармана. Он будет стрелять с бедра, направляя дуло вверх, в спину Беккера. Пуля пробьет либо позвоночник, либо легкие, а затем сердце. Если даже он не попадет в сердце, Беккер будет убит: разрыв легкого смертелен. Его, пожалуй, могли бы спасти в стране с высокоразвитой медициной, но в Испании у него нет никаких шансов.

Два человека... один. И вот Халохот уже за спиной жертвы. Как танцор, повторяющий отточенные движения, он взял чуть вправо, положил руку на плечо человеку в пиджаке цвета хаки, прицелился и... выстрелил. Раздались два приглушенных хлопка.

Беккер вначале как бы застыл, потом начал медленно оседать. Быстрым движением Халохот подтащил его к скамье, стараясь успеть, прежде чем на спине проступят кровавые пятна. Шедшие мимо люди оборачивались, но Халохот не обращал на них внимания: еще секунда, и он исчезнет.

Он ощупал пальцы жертвы, но не обнаружил никакого кольца. Еще раз. На пальцах ничего нет. Резким движением Халохот развернул безжизненное тело и вскрикнул от ужаса. Перед ним был не Дэвид Беккер.

Рафаэль де ла Маза, банкир из пригорода Севильи, скончался почти мгновенно. Рука его все еще сжимала пачку банкнот, пятьдесят тысяч песет, которые какой-то сумасшедший американец заплатил ему за дешевый черный пиджак.

ГЛАВА 94

Мидж Милкен в крайнем раздражении стояла возле бачка с охлажденной водой у входа в комнату заседаний. «Что, черт возьми, делает Фонтейн? — Смяв в кулаке бумажный стаканчик, она с силой швырнула его в бачок для мусора. — В шифровалке творится нечто непонятное! Я чувствую это!» Она знала, что есть только один способ доказать свою правоту — выяснить все самой, а если понадобится, то с помощью Джаббы. Мидж развернулась и направилась к двери.

Откуда ни возьмись появился Бринкерхофф и преградил ей дорогу.

— Куда держишь путь?

— Домой! — солгала Мидж.

Бринкерхофф не уходил с дороги.

— Это тебе велел Фонтейн? — спросила она.

Бринкерхофф отвернулся.

— Чед, уверяю тебя, в шифровалке творится что-то непонятное. Не знаю, почему Фонтейн прикидывается идиотом, но «ТРАНСТЕКСТ» в опасности. Там происходит что-то очень серьезное.

— Мидж. — Он постарался ее успокоить, входя вслед за ней в комнату заседаний к закрытому жалюзи окну. — Пусть директор разбирается сам.

Она посмотрела ему в глаза.

— Ты представляешь, что произойдет, если выйдет из строя система охлаждения «ТРАНСТЕКСТА»?

Бринкерхофф пожал плечами и подошел к окну.

— Электроснабжение уже наверняка восстановили. — Он открыл жалюзи.

— Все еще темно? — спросила Мидж.

Но Бринкерхофф не ответил, лишившись дара речи. То, что он увидел, невозможно было себе представить. Стеклянный купол словно наполнился то и дело вспыхивающими огнями и бурлящими клубами пара. Бринкерхофф стоял точно завороженный и, не в силах унять дрожь, стукался лбом о стекло. Затем, охваченный паникой, помчался к двери.

— Директор! Директор! — кричал он.

ГЛАВА 95

Кровь Христа... чаша спасения...

Люди сгрудились вокруг бездыханного тела на скамье. Вверху мирно раскачивалась курильница. Халохот, расталкивая людей, двигался по центральному проходу, ища глазами намеченную жертву. *Он где-то здесь!* Халохот повернулся к алтарю.

В тридцати метрах впереди продолжалось святое причастие. Падре Херрера, главный носитель чаши, с любопытством посмотрел на одну из скамей в центре, где начался непонятный переполох, но вообще-то это его мало занимало. Иногда кому-то из стариков, которых посетил Святой Дух, становилось плохо. Только и делов — вывести человека на свежий воздух.

Халохот отчаянно озирался, но Беккера нигде не было видно. Сотни людей стояли на коленях перед алтарем, принимая причастие. Может быть, Беккер был среди них. Халохот внимательно оглядывал согнутые спины. Он приготовился стрелять метров с пятидесяти и продвигался вперед.

El cuerpo de Jesus, el pan del cielo.

Молодой священник, причащавший Беккера, смотрел на него с неодобрением. Ему было понятно нетерпение иностранца, но все-таки зачем рваться без очереди?

Беккер наклонил голову и тщательно разжевывал облатку. Он почувствовал, что сзади что-то произошло, возникло какое-то замешательство, и подумал о человеке, у которого купил пиджак. Беккер надеялся, что тот внял его совету не надевать пока пиджак. Он начал было вертеть головой, но испугался, что очки в тонкой металлической оправе только этого и ждут, и весь сжался, надеясь, что черный пиджак хоть как-то прикроет его брюки защитного цвета. Увы, это было невозможно.

Чаша быстро приближалась к нему справа. Люди отпивали по глотку вина, крестились и поднимались, направляясь к выходу. Хорошо бы помедленнее! Беккеру не хотелось так быстро уходить от алтаря, но когда две тысячи людей ждут причастия, а обслуживают их всего восемь священнослужителей, было бы неприличным медлить с этим священным глотком.

Чаша была уже совсем близко, когда Халохот заметил человека в пиджаке и брюках разного цвета.

— Estás ya muerto, — тихо прошептал он, двигаясь по центральному проходу. *Ты уже мертвец*. Времени на какие-либо уловки уже не было. Два выстрела в спину, схватить кольцо и исчезнуть. Самая большая стоянка такси в Севилье находилась всего в одном квартале от Матеус-Гаго. Рука Халохота потянулась к пистолету.

Adiós, Señor Becker...

La sangre de Cristo, la copa de la salvación.

Терпкий аромат красного вина ударил в ноздри Беккера, когда падре Херрера опустил перед ним серебряную, отполированную миллионами рук чашу. Немного рано для алкогольных напитков, подумал Беккер, наклоняясь. Когда серебряный кубок оказался на уровне его глаз, возникло какое-то движение, и в полированной поверхности смутно отразилась приближающаяся фигура.

Беккер заметил металлический блеск в тот самый миг, когда убийца поднимал пистолет, и, как спринтер, срывающийся с места при звуке стартового выстрела, рванулся вперед. Насмерть перепуганный священник упал, чаша взлетела вверх, и красное вино разлилось по белому мрамору пола. Монахи и служки у алтаря бросились врассыпную, а Беккер тем временем перемахнул через ограждение. Глушитель кашлянул, Беккер плашмя упал на пол. Пуля ударилась о мрамор совсем рядом, и в следующее мгновение он уже летел вниз по гранитным ступеням к узкому проходу, выходя из которого священнослужители поднимались на алтарь как бы по милости Божьей.

У подножия ступенек Беккер споткнулся и, потеряв равновесие, неуправляемо заскользил по отполированному камню. Острая боль пронзила все его тело, когда он приземлился на бок, но мгновение спустя он уже был на ногах и, скрываемый занавешенным входом, сбежал вниз по деревянным ступенькам.

Превозмогая боль, он бежал через гардеробную. У алтаря кто-то кричал, за спиной у него слышались тяжелые шаги. Беккер толкнул двойную дверь и оказался в некотором подобии кабинета. Там было темно, но он разглядел дорогие восточные ковры и полированное красное дерево. На противоположной стене висело распятие в натуральную величину. Беккер остановился. Тупик. Стоя возле креста, он слушал, как приближаются шаги Халохота, смотрел на распятие и проклинал судьбу.

Слева послышался звон разбитого стекла. Беккер повернулся и увидел человека в красном одеянии. Тот вскрикнул и испуганно посмотрел на Беккера. Как кот, пойманный с канарейкой в зубах, святой отец вытер губы и безуспешно попытался прикрыть разбившуюся бутылку вина для святого причастия.

— Salida! — крикнул Беккер. — Salida! Выпустите меня!

Кардинал Хуэрра послушно кивнул. Дьявол ворвался в святилище в поисках выхода из Божьего дома, так пусть он уйдет, и как можно скорее. Тем более что проник он сюда в самый неподходящий момент.

Побледневший кардинал показал рукой на занавешенную стену слева от себя. Там была потайная дверь, которую он установил три года назад. Дверь вела прямо во двор. Кардиналу надоело выходить из церкви через главный вход подобно обычному грешнику.

ГЛАВА 96

Промокшая и дрожащая от холода, Сьюзан пристроилась на диванчике в Третьем узле. Стратмор прикрыл ее своим пиджаком. В нескольких метрах от них лежало тело Хейла. Выли сирены. Как весенний лед на реке, потрескивал корпус «ТРАНСТЕКСТА».

— Я спущусь вниз и отключу электропитание, — сказал Стратмор, положив руку на плечо Сьюзан и стараясь ее успокоить. — И сразу же вернусь.

Сьюзан безучастно смотрела, как он направился в шифровалку. Это был уже не тот раздавленный отчаянием человек, каким она видела его десять минут назад. Коммандер Тревор Стратмор снова стал самим собой — человеком железной логики и самообладания, делающим то, что полагалось делать.

Последние слова предсмертной записки Хейла крутились у нее в голове, не повинуясь никаким приказам. «И в первую очередь я искренне сожалею о Дэвиде Беккере. Простите меня. Я был ослеплен своими амбициями».

Ее тревога не была напрасной. Дэвид в опасности... или того хуже. Быть может, уже поздно. «Я сожалею о Дэвиде Беккере».

Она изучала записку. Хейл ее даже не подписал, просто напечатал свое имя внизу: *Грег Хейл*. Он все рассказал, нажал клавишу PRINT и застрелился. Хейл поклялся, что никогда больше не переступит порога тюрьмы, и сдержал слово, предпочтя смерть.

— Дэвид... — всхлипывала она. — Дэвид!

* * *

В этот момент в нескольких метрах под помещением шифровалки Стратмор сошел с лестницы на площадку. Сегодняшний день стал для него днем сплошных фиаско. То, что началось как в высшей степени патриотическая миссия, самым неожиданным образом вышло из-под контроля. Коммандер был вынужден принимать невероятные решения, совершать чудовищные поступки, на которые, как ему казалось раньше, не был способен.

Это единственное решение! Единственное, что остается!

Нужно было думать о долге — о стране и о чести. Стратмор полагал, что у него еще есть время. Он мог отключить «ТРАНСТЕКСТ», мог, используя кольцо, спасти драгоценную базу данных. Да, подумал он, время еще есть.

Он огляделся — кругом царил хаос. Наверху включились огнетушители. «ТРАНСТЕКСТ» стонал. Выли сирены. Вращающиеся огни напоминали вертолеты, идущие на посадку в густом тумане. Но перед его глазами был только Грег Хейл — молодой криптограф, смотрящий на него умоляющими глазами, и выстрел. Хейл должен был умереть — за страну... и честь. Агентство не может позволить себе еще одного скандала. Стратмору нужен был козел отпущения. Кроме всего прочего, Хейл был настоящим ходячим несчастьем, готовым свалиться на голову в любую минуту.

Из задумчивости Стратмора вывел звонок мобильного телефона, едва слышный в завывании сирен и свисте пара. Не останавливаясь, он отстегнул телефон от брючного ремня.

— Говорите.

— Где мой ключ? — прозвучал знакомый голос.

— Кто со мной говорит? — крикнул Стратмор, стараясь перекрыть шум.

— Нуматака! — огрызнулся сердитый голос. — Вы обещали мне ключ!

Стратмор не остановился.

— Мне нужна «Цифровая крепость»! — настаивал Нуматака.

— Никакой «Цифровой крепости» не существует! — сказал Стратмор.

— Что?

— Не существует алгоритма, не поддающегося взлому.

— Нет, существует! Я видел его в Интернете! Мои люди несколько дней пытаются его взломать!

— Это зашифрованный вирус, болван; ваше счастье, что вам не удалось его вскрыть!

— Но...

— Сделка отменяется! — крикнул Стратмор. — Я не Северная Дакота. Нет никакой Северной Дакоты! Забудьте о ней! — Он отключил телефон и запихнул за ремень. Больше ему никто не помешает.

В двенадцати тысячах миль от этого места Токуген Нуматака в полной растерянности застыл у окна своего кабинета. Сигара «умами» безжизненно свисала изо рта. Сделка всей его жизни только что распалась — за каких-то несколько минут.

Стратмор продолжал спуск. *Сделка отменяется.* «Нуматек корпорейшн» никогда не получит невзламываемый алгоритм... а агентство — «черный ход» в «Цифровую крепость».

Он очень долго планировал, как осуществит свою мечту, и выбрал Нуматаку со всей тщательностью. «Нуматек» — богатая фирма, наиболее вероятный победитель аукциона. Ни у кого не вызовет подозрений, если ключ попадет именно к ним. И что особенно удачно — эту компанию меньше всего можно было заподозрить в том, что она состоит в сговоре с американским правительством. Токуген Нуматака воплощал старую Японию, его девиз — «Лучше смерть, чем бесчестье». Он ненавидел американцев. Ненавидел американскую еду, американские нравы, но более всего ему было ненавистно то, что американцы железной хваткой держали мировой рынок компьютерных программ.

У Стратмора был смелый план — создать всемирный стандарт шифрования с «черным ходом» для Агентства национальной безопасности. Он страстно желал разделить эту мечту

со Сьюзан, осуществить ее с ней вместе, но знал, что это невозможно. Хотя смерть Энсея Танкадо спасет в будущем тысячи жизней, Сьюзан никогда не примет ничего подобного:
она убежденная пацифистка. «Я тоже пацифист, — подумал
Стратмор, — я просто не могу позволить себе роскошь вести
себя как пацифист».

У него никогда не возникало сомнений по поводу того,
кто убьет Танкадо. Танкадо находился в Испании, а Испания — вотчина Халохота. Сорокадвухлетний португальский
наемник был одним из лучших профессионалов, находящихся
в его распоряжении. Он уже много лет работал на АНБ. Ро-
дившийся и выросший в Лиссабоне, он выполнял задания
агентства по всей Европе. Его ни разу не удалось разоблачить,
указав на Форт-Мид. Единственная беда — Халохот глухой, с
ним нельзя связаться по телефону. Недавно Стратмор сделал
так, что Халохота снабдили новейшей игрушкой АНБ — компьютером «Монокль». Себе Стратмор купил «Скайпейджер»,
который запрограммировал на ту же частоту. Начиная с этого момента его связь с Халохотом стала не только мгновенной, но и абсолютно неотслеживаемой.

Первое послание, которое он отправил Халохоту, не оставляло места сомнениям, тем более что они это уже обсуждали: убить Энсея Танкадо и захватить пароль.

Стратмор никогда не спрашивал у Халохота, как тот тво-
рил свои чудеса: тот просто каким-то образом повторял их
снова и снова. Энсей Танкадо мертв, власти убеждены, что
это сердечный приступ, прямо как в учебнике, кроме одного
обстоятельства. Халохот ошибся с местом действия. Быть может, смерть Танкадо в публичном месте была необходимостью, однако публика возникла чересчур быстро. Халохот был
вынужден скрыться, не успев обыскать убитого, найти ключ.
А когда пыль осела, тело Танкадо попало в руки местной полиции.

Стратмор был взбешен. Халохот впервые сорвал задание,
выбрав неблагоприятные время и место. Получить ключ было
необходимо, но Стратмор отлично понимал, что посылать

глухого киллера в севильский морг было бы настоящим самоубийством. И тогда он стал искать иные возможности. Так начал обретать форму второй план. Стратмор вдруг увидел шанс выиграть на двух фронтах сразу, осуществить две мечты, а не одну. В шесть тридцать в то утро он позвонил Дэвиду Беккеру.

ГЛАВА 97

Фонтейн стремительно вбежал в комнату для заседаний. Бринкерхофф и Мидж последовали за ним.

— Смотрите! — сдавленным голосом сказала Мидж, махнув рукой в сторону окна.

Фонтейн посмотрел на вспышки огней в куполе шифровалки. Глаза его расширились. Это явно не было составной частью плана.

— У них там прямо-таки дискотека! — пролопотал Бринкерхофф.

Фонтейн смотрел в окно, пытаясь понять, что происходит. За несколько лет работы «ТРАНСТЕКСТА» ничего подобного не случалось. Перегрелся, подумал он. Интересно, почему Стратмор его до сих пор не отключил? Ему понадобилось всего несколько мгновений, чтобы принять решение.

Фонтейн схватил со стола заседаний трубку внутреннего телефона и набрал номер шифровалки. В трубке послышались короткие гудки.

В сердцах он швырнул трубку на рычаг.

— Черт! — Фонтейн снова схватил трубку и набрал номер мобильника Стратмора. На этот раз послышались длинные гудки.

Фонтейн насчитал уже шесть гудков. Бринкерхофф и Мидж смотрели, как он нервно шагает по комнате, волоча за собой телефонный провод. Директор АНБ напоминал тигра на привязи. Лицо его все сильнее заливалось краской.

— Невероятно! — воскликнул он и снова швырнул трубку. — Шифровалка вот-вот взорвется, а Стратмор не отвечает на звонки!

ГЛАВА 98

Халохот выбежал из святилища кардинала Хуэрры на слепящее утреннее солнце. Прикрыв рукой глаза, он выругался и встал возле собора в маленьком дворике, образованном высокой каменной стеной, западной стороной башни Гиральда и забором из кованого железа. За открытыми воротами виднелась площадь, на которой не было ни души, а за ней, вдали, — стены Санта-Круса. Беккер не мог исчезнуть, тем более так быстро. Халохот оглядел дворик. *Он здесь. Он должен быть здесь!*

Дворик под названием «Апельсиновый сад» прославился благодаря двум десяткам апельсиновых деревьев, которые приобрели в городе известность как место рождения английского мармелада. В XVIII веке некий английский купец приобрел у севильской церкви три десятка бушелей апельсинов и, привезя их в Лондон, обнаружил, что фрукты горькие и несъедобные. Он попытался сделать из апельсиновой кожуры джем, но чтобы можно было взять его в рот, в него пришлось добавить огромное количество сахара. Так появился апельсиновый мармелад.

Халохот пробирался между деревьями с пистолетом в руке. Деревья были очень старыми, с высокими голыми стволами. Даже до нижних веток было не достать, а за нешироких стволами невозможно спрятаться. Халохот быстро убедился, что сад пуст, и поднял глаза вверх, на Гиральду.

Вход на спиральную лестницу Гиральды преграждала веревка с висящей на ней маленькой деревянной табличкой. Веревка даже не была как следует натянута. Халохот быстро осмотрел стодвадцатиметровую башню и сразу же решил, что прятаться здесь просто смешно. Наверняка Беккер не настолько глуп. Единственная спиральная лестница упиралась в каменную камеру квадратной формы, в стенах были проделаны узкие прорези для обозрения, но, разумеется, никакого выхода он не увидел.

Дэвид Беккер поднялся на последнюю крутую ступеньку и, едва держась на ногах, шагнул в крошечную каменную клетку. Со всех сторон его окружали высокие стены с узкими прорезями по всему периметру. Выхода нет.

Судьба в это утро не была благосклонна к Беккеру. Выбегая из собора в маленький дворик, он зацепился пиджаком за дверь, и плотная ткань резко заставила его остановиться, не сразу разорвавшись. Он потерял равновесие, шатаясь, выскочил на слепящее солнце и прямо перед собой увидел лестницу. Перепрыгнув через веревку, он побежал по ступенькам, слишком поздно сообразив, куда ведет эта лестница.

Теперь Дэвид Беккер стоял в каменной клетке, с трудом переводя дыхание и ощущая жгучую боль в боку. Косые лучи утреннего солнца падали в башню сквозь прорези в стенах. Беккер посмотрел вниз. Человек в очках в тонкой металлической оправе стоял внизу, спиной к Беккеру, и смотрел в направлении площади. Беккер прижал лицо к прорези, чтобы лучше видеть. *Иди на площадь*, взмолился он мысленно.

Тень Гиральды падала на площадь, как срубленная гигантская секвойя. Халохот внимательно проследил взглядом всю ее длину. В дальнем конце три полоски света, прорываясь сквозь прорези, четкими прямоугольниками падали на брусчатку мостовой. Один из прямоугольников вдруг закрыла чья-то тень. Даже не взглянув на верхушку башни, Халохот бросился к лестнице.

ГЛАВА 99

Фонтейн время от времени стучал кулаком по ладони другой руки, мерил шагами комнату для заседаний, то и дело посматривая на вращающиеся огни шифровалки.

— Отключить! Черт побери, немедленно отключить!

Мидж появилась в дверях со свежей распечаткой в руке.

— Директор, Стратмору не удается отключить «ТРАНС-ТЕКСТ»!

— Что?! — хором вскричали Бринкерхофф и Фонтейн.

— Он пытался, сэр! — Мидж помахала листком бумаги. — Уже четыре раза! «ТРАНСТЕКСТ» заклинило.

Фонтейн повернулся к окну.

— Господи Исусе!

Раздался телефонный звонок. Директор резко обернулся.

— Должно быть, это Стратмор! Наконец-то, черт возьми!

Бринкерхофф поднял трубку:

— Канцелярия директора.

Фонтейн протянул руку.

Бринкерхофф со смущенным видом повернулся к Мидж:

— Это Джабба. Он хочет поговорить с тобой.

Директор метнул на нее настороженный взгляд, но Мидж уже бежала к аппарату. Она решила включить громкую связь.

— Слушаю, Джабба.

Металлический голос Джаббы заполнил комнату:

— Мидж, я в главном банке данных. У нас тут творятся довольно странные вещи. Я хотел спросить...

— Черт тебя дери, Джабба! — воскликнула Мидж. — Именно это я и пыталась тебе втолковать!

— Возможно, ничего страшного, — уклончиво сказал он, — но...

— Да хватит тебе! Ничего страшного — это глупая болтовня. То, что там происходит, серьезно, очень серьезно! Мои данные еще никогда меня не подводили и не подведут. — Она собиралась уже положить трубку, но, вспомнив, добавила: — Да, Джабба... ты говоришь, никаких сюрпризов, так вот: Стратмор обошел систему «Сквозь строй».

ГЛАВА 100

Халохот бежал по лестнице Гиральды, перепрыгивая через две ступеньки. Свет внутрь проникал через маленькие амбразуры-окна, расположенные по спирали через каждые сто восемьдесят градусов. *Он в ловушке! Дэвид Беккер умрет!* Халохот поднимался вверх с пистолетом в руке, прижимаясь вплотную к стене на тот случай, если Беккер попытается напасть на него сверху. Железные подсвечники, установленные на каждой площадке, стали бы хорошим оружием, если бы Беккер решил ими воспользоваться. Но если держать дистанцию, можно заметить его вовремя. У пистолета куда большая дальность действия, чем у полутораметрового подсвечника.

Халохот двигался быстро, но осторожно. Ступени были настолько крутыми, что на них нашли свою смерть множество туристов. Это вам не Америка — никаких предупреждающих знаков, никаких поручней, никаких табличек с надписями, что страховые компании претензий не принимают. Это Испания. Если вы по глупости упадете, то это будет ваша личная глупость, кто бы ни придумал эти ступени.

Халохот остановился у одного из окон, расположенных на уровне его плеча, и посмотрел на улицу. Он находился на северной стороне башни и, по всей видимости, преодолел уже половину подъема.

За углом показалась смотровая площадка. Лестница, ведущая наверх, была пуста. Его жертва не приготовилась к отпору. Хотя, быть может, подумал Халохот, Беккер не видел, как он вошел в башню. Это означало, что на его, Халохота, стороне фактор внезапности, хотя вряд ли он в этом так уж нуждается, у него и так все козыри на руках. Ему на руку была даже конструкция башни: лестница выходила на видовую площадку с юго-западной стороны, и Халохот мог стрелять напрямую с любой точки, не оставляя Беккеру возможности оказаться у него за спиной. В довершение всего Халохот двигался от темноты к свету. Расстрельная камера, мысленно усмехнулся он.

Халохот оценил расстояние до входа. Семь ступеней. Он мысленно прорепетировал предстоящее убийство. Если у входа на площадку взять вправо, можно увидеть самый дальний левый угол площадки, даже еще не выйдя на нее. Если Беккер окажется там, Халохот сразу же выстрелит. Если нет, он войдет и будет двигаться на восток, держа в поле зрения правый угол, единственное место, где мог находиться Беккер. Он улыбнулся.

ОБЪЕКТ: ДЭВИД БЕККЕР — ЛИКВИДИРОВАН

Пора. Халохот проверил оружие, решительно направился вперед и осмотрел площадку. Левый угол пуст. Следуя плану, он бросился в проход и, оказавшись внутри, лицом к правому углу, выстрелил. Пуля отскочила от голой стены и чуть не попала в него самого. Он стремительно развернулся и едва сдержал крик. Никого. Дэвид Беккер исчез.

Тремя пролетами ниже Дэвид Беккер висел на вытянутых руках над Апельсиновым садом с наружной стороны Гиральды, словно упражняясь в подтягивании на оконном выступе. Когда Халохот поднимался по лестнице, Беккер, спустившись на три пролета, вылез через один из проемов и повис на руках. Сделал он это как раз вовремя — убийца промчался мимо в ту же секунду. Он так торопился, что не заметил побелевших костяшек пальцев, вцепившихся в оконный выступ.

Свисая из окна, Беккер благодарил Бога за ежедневные занятия теннисом и двадцатиминутные упражнения на аппарате «Наутилус», подготовившие его мускулатуру к запредельным нагрузкам. Увы, теперь, несмотря на силу рук, он не мог подтянуться, чтобы влезть обратно. Плечи его отчаянно болели, а грубый камень не обеспечивал достаточного захвата и впивался в кончики пальцев подобно битому стеклу.

Беккер понимал, что через несколько секунд его преследователь побежит назад и с верхних ступеней сразу же увидит вцепившиеся в карниз пальцы.

Он зажмурился и начал подтягиваться, понимая, что только чудо спасет его от гибели. Пальцы совсем онемели. Беккер посмотрел вниз, на свои ноги. До апельсиновых деревьев не меньше ста метров. Никаких шансов. Боль в боку усилилась. Сверху слышался гулкий звук шагов, спешащих вниз по лестнице. Беккер закрыл глаза, стиснул зубы и подтянулся.

Камень рвал кожу на запястьях. Шаги быстро приближались. Беккер еще сильнее вцепился во внутреннюю часть проема и оттолкнулся ногами. Тело налилось свинцовой тяжестью, словно кто-то изо всех сил тянул его вниз. Беккер, стараясь преодолеть эту тяжесть, приподнялся на локтях. Теперь он был на виду, его голова торчала из оконного проема как на гильотине. Беккер подтянул ноги, стараясь протиснуться в проем. Когда его торс уже свисал над лестницей, шаги послышались совсем рядом. Он схватился руками за боковые стороны проема и, одним движением вбросив свое тело внутрь, тяжело рухнул на лестницу.

Халохот услышал, как где-то ниже тело Беккера упало на каменные ступеньки, и бросился вниз, сжимая в руке пистолет. В поле его зрения попало окно. *Здесь!* Халохот приблизился к внешней стене и стал целиться вниз. Ноги Беккера скрылись из виду за поворотом, и Халохот выстрелил, но тут же понял, что выстрел пришелся в пустоту. Пуля срикошетила от стены.

Рванувшись вниз за своей жертвой, он продолжал держаться вплотную к внешней стене, что позволило бы ему стрелять под наибольшим углом. Но всякий раз, когда перед ним открывался очередной виток спирали, Беккер оставался вне поля зрения и создавалось впечатление, что тот постоянно находится впереди на сто восемьдесят градусов. Беккер держался центра башни, срезая углы и одним прыжком преодолевая сразу несколько ступенек, Халохот неуклонно двигался за ним. Еще несколько секунд — и все решит один-единственный выстрел. Даже если Беккер успеет спуститься вниз, ему все равно некуда бежать: Халохот выстрелит ему в спину, когда он будет пересекать Апельсиновый сад.

Халохот переместился ближе к центру, чтобы двигаться быстрее, чувствуя, что уже настигает жертву: всякий раз, пробегая мимо очередного проема, он видел ее тень. Вниз. Скорее вниз. Еще одна спираль. Ему все время казалось, что Беккер совсем рядом, за углом. Одним глазом он следил за тенью, другим — за ступенями под ногами.

Вдруг Халохоту показалось, что тень Беккера как бы споткнулась. Она совершила судорожный рывок влево и вроде бы закружилась в воздухе, а затем снова прильнула к центру лестницы. Халохот сделал стремительный прыжок. *Вот он!*

На ступенях прямо перед Халохотом сверкнул какой-то металлический предмет. Он вылетел из-за поворота на уровне лодыжек подобно рапире фехтовальщика. Халохот попробовал отклониться влево, но не успел и со всей силы ударился об него голенью. В попытке сохранить равновесие он резко выбросил руки в стороны, но они ухватились за пустоту. Внезапно он взвился в воздух и боком полетел вниз, прямо над Беккером, распростертым на животе с вытянутыми вперед руками, продолжавшими сжимать подсвечник, об который споткнулся Халохот.

Халохот ударился сначала о внешнюю стену и только затем о ступени, после чего, кувыркаясь, полетел головой вниз. Пистолет выпал из его рук и звонко ударился о камень. Халохот пролетел пять полных витков спирали и замер. До Апельсинового сада оставалось всего двенадцать ступенек.

ГЛАВА 101

Дэвид Беккер никогда не держал в руках оружия. Сейчас ему пришлось это сделать. Скрюченное тело Халохота темнело на тускло освещенной лестнице Гиральды. Беккер прижал дуло к виску убийцы и осторожно наклонился. Одно движение, и он выстрелит. Но стрелять не понадобилось. Халохот был мертв.

Беккер отшвырнул пистолет и без сил опустился на ступеньку. Впервые за целую вечность он почувствовал, что глаза его застилают слезы, и зажмурился, прогоняя влажную пелену. Он знал, что для эмоций еще будет время, а теперь пора отправляться домой. Он попробовал встать, но настолько выбился из сил, что не смог ступить ни шагу и долго сидел, изможденный вконец, на каменных ступеньках, рассеянно разглядывая распростертое у его ног тело. Глаза Халохота закатились, глядя в пустоту. Странно, но его очки ничуть не пострадали. Странные очки, подумал Беккер, увидев проводок, который тянулся от ушных дужек к коробочке, пристегнутой к брючному ремню. Но он настолько устал, что ему было не до любопытства.

Сидя в одиночестве и собираясь с мыслями, Беккер посмотрел на кольцо на своем пальце. Зрение его несколько прояснилось, и ему удалось разобрать буквы. Как он и подозревал, надпись была сделана не по-английски. Беккер долго вглядывался в текст и хмурил брови. *И ради этого стоило убивать?*

* * *

Когда Беккер наконец вышел из Гиральды в Апельсиновый сад, утреннее солнце уже нещадно пекло. Боль в боку немного утихла, да и глаза как будто обрели прежнюю зоркость. Он немного постоял, наслаждаясь ярким солнцем и тонким ароматом цветущих апельсиновых деревьев, а потом медленно зашагал к выходу на площадь.

В этот момент рядом резко притормозил мини-автобус. Из него выпрыгнули двое мужчин, оба молодые, в военной форме. Они приближались к Беккеру с неумолимостью хорошо отлаженных механизмов.

— Дэвид Беккер? — спросил один из них.

Беккер остановился, недоумевая, откуда им известно его имя.

— Кто... кто вы такие?

— Пройдемте с нами, пожалуйста. Сюда.

В этой встрече было что-то нереальное — нечто, заставившее снова напрячься все его нервные клетки. Он поймал себя на том, что непроизвольно пятится от незнакомцев.

Тот, что был пониже ростом, смерил его холодным взглядом.

— Сюда, мистер Беккер. Быстрее!

Беккер повернулся и побежал, но успел сделать только один шаг. Мужчина выхватил оружие и выстрелил.

Острая боль обожгла грудь Беккера и ударила в мозг. Пальцы у него онемели. Он упал. И в следующее мгновение не осталось ничего, кроме черной бездны.

ГЛАВА 102

Стратмор спустился на нижний этаж «ТРАНСТЕКСТА» и ступил с лесов в дюймовый слой воды на полу. Гигантский компьютер содрогался мелкой дрожью, из густого клубящегося тумана падали капли воды. Сигналы тревоги гремели подобно грому.

Коммандер посмотрел на вышедший из строя главный генератор, на котором лежал Фил Чатрукьян. Его обгоревшие останки все еще виднелись на ребрах охлаждения. Вся сцена напоминала некий извращенный вариант представления, посвященного празднику Хэллоуин.

Хотя Стратмор и сожалел о смерти своего молодого сотрудника, он был уверен, что ее можно отнести к числу «оправданных потерь». Фил Чатрукьян не оставил ему выбора. Когда запыхавшийся сотрудник лаборатории безопасности завопил о вирусе, Стратмор, столкнувшийся с ним на лестнице служебного помещения, попытался наставить его на путь истинный. Но Чатрукьян отказывался прислушаться к голосу разума. «У нас вирус! Я звоню Джаббе!» Когда он попытался обойти Стратмора, тот преградил ему дорогу. Лестничная площадка, на которой они стояли, была совсем крохотной. Они сцепились. Перила были невысокими. Как это странно, подумал Стратмор, что насчет вируса Чатрукьян был прав с самого начала.

Его падение пронзило Стратмора холодным ужасом — отчаянный крик и потом тишина. Но более страшным стало то, что он увидел в следующее мгновение. Скрытые тенью, на него смотрели глаза Грега Хейла, глаза, полные ужаса. Тогда Стратмор понял, что Грег Хейл должен умереть.

В «ТРАНСТЕКСТЕ» послышался треск, и Стратмор приступил к решению стоявшей перед ним задачи — вырубить электричество. Рубильник был расположен за фреоновыми насосами слева от тела Чатрукьяна, и Стратмор сразу же его увидел. Ему нужно было повернуть рубильник, и тогда отключилось бы электропитание, еще остававшееся в шифровалке. Потом, всего через несколько секунд, он должен был включить основные генераторы, и сразу же восстановились бы все функции дверных электронных замков, заработали фреоновые охладители и «ТРАНСТЕКСТ» оказался бы в полной безопасности.

Но, приближаясь к рубильнику, Стратмор понял, что ему необходимо преодолеть еще одно препятствие — тело Чатрукьяна на ребрах охлаждения генератора. Вырубить электропитание и снова его включить значило лишь вызвать повторное замыкание. Труп надо передвинуть.

Стратмор медленно приближался к застывшему в гротескной позе телу, не сводя с него глаз. Он схватил убитого за запястье; кожа была похожа на обгоревший пенопласт, тело полностью обезвожено. Коммандер зажмурился, сильнее сжал запястье и потянул. Труп сдвинулся на несколько сантиметров. Он потянул сильнее. Труп сдвинулся еще чуть-чуть. Тогда Стратмор напрягся и рванул тело изо всех сил. Внезапно его швырнуло назад, и он больно ударился спиной о кожух генератора. Пытаясь подняться на ноги, Стратмор в ужасе смотрел на предмет, зажатый в его пальцах: это была рука Чатрукьяна, обломившаяся в локтевом суставе.

Наверху Сьюзан ждала возвращения коммандера, сидя на диване в Третьем узле словно парализованная. Она не могла понять, что задержало его так надолго. У ее ног лежало тело Хейла. Прошло еще несколько минут. Она пыталась не думать о Дэвиде, но безуспешно. С каждым завыванием сирены слова Хейла эхом отдавались в ее мозгу: «Я сожалею о Дэвиде Беккере». Сьюзан казалось, что она сходит с ума.

Она уже готова была выскочить из комнаты, когда Стратмор наконец повернул рубильник и вырубил электропитание.

В одно мгновение в шифровалке установилась полная тишина. Сирены захлебнулись, мониторы Третьего узла погасли. Тело Грега Хейла растворилось в темноте, и Сьюзан, инстинктивно поджав ноги, прикрылась пиджаком Стратмора.

В шифровалке никогда еще не было так тихо, здесь всегда слышался гул генераторов. Теперь все умолкло, так что можно было различить облегченный вздох раненого чудовища — «ТРАНСТЕКСТА», постепенно стихающее шипение и посвистывание, сопутствующие медленному охлаждению.

Сьюзан закрыла глаза и начала молиться за Дэвида. Ее молитва была проста: она просила Бога защитить любимого человека.

Не будучи религиозной, она не рассчитывала услышать ответ на свою молитву, но вдруг почувствовала внезапную вибрацию на груди и испуганно подскочила, однако тут же поняла: вибрация вовсе не была рукой Божьей — она исходила из кармана стратморовского пиджака. На своем «Скайпейджере» он установил режим вибрации без звонка, значит, кто-то прислал коммандеру сообщение.

Шестью этажами ниже Стратмор стоял возле рубильника. В служебных помещениях «ТРАНСТЕКСТА» было черно как глубокой ночью. Минуту он наслаждался полной темнотой. Сверху хлестала вода, прямо как во время полночного шторма. Стратмор откинул голову назад, словно давая каплям возможность смыть с него вину. «Я из тех, кто добивается своей цели». Стратмор наклонился и, зачерпнув воды, смыл со своих рук частицы плоти Чатрукьяна.

Его мечта о «Цифровой крепости» рухнула, и он полностью отдавал себе в этом отчет. Теперь у него осталась только Сьюзан. Впервые за много лет он вынужден был признать, что жизнь — это не только служение своей стране и профессиональная честь. «Я отдал лучшие годы жизни своей стране и исполнению своего долга». А как же любовь? Он слишком долго обделял себя. И ради чего? Чтобы увидеть, как какой-то молодой профессор украл его мечту? Стратмор холил и лелеял Сьюзан, оберегал. Он *заслужил* ее. И теперь наконец ее получит. Сьюзан будет искать защиту у него, поскольку ей негде больше будет ее найти. Она придет к нему беспомощная, раздавленная утратой, и он со временем докажет ей, что любовь исцеляет все.

Честь. Страна. Любовь. Дэвид Беккер должен был погибнуть за первое, второе и третье.

ГЛАВА 103

Стратмор возник из аварийного люка подобно Лазарю, воскресшему из мертвых. Несмотря на промокшую одежду, он двигался легкой походкой. Коммандер шел в Третий узел — к Сьюзан. К своему будущему.

Шифровалка снова купалась в ярких огнях. Внизу фреон протекал сквозь дымящийся «ТРАНСТЕКСТ», как обогащенная кислородом кровь. Стратмор знал, что охладителю потребуется несколько минут, чтобы достичь нижней части корпуса и не дать воспламениться расположенным там процессорам. Он был уверен, что все сделал вовремя, и усмехнулся. Он не сомневался в своей победе, не зная, что опоздал.

«Я всегда добиваюсь своей цели», — подумал Стратмор. Не обращая внимания на пролом в стене, он подошел к электронной двери. Створки с шипением разъехались в стороны. Он вошел.

Сьюзан стояла перед ним, промокшая, взъерошенная, в его пиджаке, накинутом на плечи. Она выглядела как первокурсница, попавшая под дождь, а он был похож на студента последнего курса, одолжившего ей свою куртку. Впервые за многие годы коммандер почувствовал себя молодым. Его мечта была близка к осуществлению.

Однако, сделав еще несколько шагов, Стратмор почувствовал, что смотрит в глаза совершенно незнакомой ему женщины. Ее глаза были холодны как лед, а ее обычная мягкость исчезла без следа. Сьюзан стояла прямо и неподвижно, как статуя. Глаза ее были полны слез.

— Сьюзан?

По ее щеке скатилась слеза.

— Что с тобой? — в голосе Стратмора слышалась мольба.
Лужа крови под телом Хейла расползлась на ковре, напоминая пятно разлитой нефти. Стратмор смущенно посмотрел на труп, затем перевел взгляд на Сьюзан. Неужели она
узнала? Этого не может быть. Стратмор был уверен, что пре-
дусмотрел все.

— Сьюзан, — сказал он, подходя ближе. — В чем дело?
Она не шевельнулась.

— Ты волнуешься о Дэвиде?
Ее верхняя губа чуть дрогнула.

Стратмор подошел еще ближе. Он хотел прикоснуться к ней,
но не посмел. Услышав имя Дэвида, произнесенное вслух,
Сьюзан дала волю своему горю. Сначала она едва заметно
вздрогнула, словно от озноба, и тут же ее захлестнула волна
отчаяния. Приоткрыв дрожащие губы, она попыталась что-
то сказать, но слов не последовало.

Не спуская со Стратмора ледяного взгляда, Сьюзан сделала шаг вперед и протянула к нему руку с зажатым в ней предметом.

Стратмор был почти уверен, что в руке Сьюзан сжимала
«беретту», нацеленную ему в живот, но пистолет лежал на
полу, стиснутый в пальцах Хейла. Предмет, который она дер-
жала, был гораздо меньшего размера. Стратмор опустил глаза и тут же все понял. Время для него остановилось. Он услышал, как стучит его сердце. Человек, в течение многих лет
одерживавший победу над опаснейшими противниками, в
одно мгновение потерпел поражение. Причиной этого стала
любовь, но не только. Еще и собственная глупость. Он отдал
Сьюзан свой пиджак, а вместе с ним — «Скайпейджер».

Теперь уже окаменел Стратмор. Рука Сьюзан задрожала,
и пейджер упал на пол возле тела Хейла. Сьюзан прошла мимо
него с поразившим его выражением человека, потрясенного
предательством.

Коммандер не сказал ни слова и, медленно наклонив-
шись, поднял пейджер. Новых сообщений не было. Сьюзан

прочитала их все. Стратмор в отчаянии нажал на кнопку просмотра.

ОБЪЕКТ: ЭНСЕЙ ТАНКАДО — ЛИКВИДИРОВАН
ОБЪЕКТ: ПЬЕР КЛУШАР — ЛИКВИДИРОВАН
ОБЪЕКТ: ГАНС ХУБЕР — ЛИКВИДИРОВАН
ОБЪЕКТ: РОСИО ЕВА ГРАНАДА — ЛИКВИДИРОВАНА...

Список на этом не заканчивался, и Стратмора охватил ужас. «Я смогу ей объяснить! Она поймет! Честь! Страна!» Однако в списке было еще одно сообщение, которого он пока не видел и которое никогда не смог бы объяснить. Дрожащей рукой он дал команду вывести на экран последнее сообщение.

ОБЪЕКТ: ДЭВИД БЕККЕР — ЛИКВИДИРОВАН

Коммандер опустил голову. Его мечте не суждено сбыться.

ГЛАВА 104

Сьюзан вышла из комнаты.

ОБЪЕКТ: ДЭВИД БЕККЕР — ЛИКВИДИРОВАН

Как во сне она направилась к главному выходу из шифровалки. Голос Грега Хейла эхом отдавался в ее сознании: «Сьюзан, Стратмор меня убьет, коммандер влюблен в тебя!»

Она подошла к огромному круглому порталу и начала отчаянно нажимать кнопки. Дверь не сдвинулась с места. Она пробовала снова и снова, но массивная плита никак не реагировала. Сьюзан тихо вскрикнула: по-видимому, отключение электричества стерло электронный код. Она опять оказалась в ловушке.

Внезапно сзади ее обхватили и крепко сжали чьи-то руки. Их прикосновение было знакомым, но вызывало отвращение. В нем не чувствовалось грубой силы Грега Хейла, скорее — жестокость отчаяния, внутренняя бездушная решительность.

Сьюзан повернулась. Человек, попытавшийся ее удержать, выглядел растерянным и напуганным, такого лица у него она не видела.

— Сьюзан, — умоляюще произнес Стратмор, не выпуская ее из рук. — Я все объясню.

Она попыталась высвободиться.

Коммандер не отпускал ее.

Она попробовала закричать, но голос ей не повиновался. Ей хотелось убежать, но сильные руки тянули ее назад.

— Я люблю тебя, — шептал коммандер. — Я любил тебя всегда.

У нее свело желудок.

— Останься со мной.

В ее сознании замелькали страшные образы: светло-зеленые глаза Дэвида, закрывающиеся в последний раз; тело Грега Хейла, его сочащаяся кровь на ковре; обгорелый труп Фила Чатрукьяна на лопастях генератора.

— Боль пройдет, — внушал Стратмор. — Ты полюбишь снова.

Сьюзан не слышала ни единого слова.

— Останься со мной, — увещевал ее голос. — Я залечу твои раны.

Она безуспешно пыталась высвободиться.

— Я сделал это ради нас обоих. Мы созданы друг для друга. Сьюзан, я люблю тебя. — Слова лились потоком, словно ждали много лет, чтобы сорваться с его губ. — Я люблю тебя! Я люблю тебя!

В этот момент в тридцати метрах от них, как бы отвергая мерзкие признания Стратмора, «ТРАНСТЕКСТ» издал дикий, душераздирающий вопль. Звук был совершенно новым — глубинным, зловещим, нарастающим, похожим на змею, выползающую из бездонной шахты. Похоже, фреон не достиг нижней части корпуса.

Коммандер отпустил Сьюзан и повернулся к своему детищу стоимостью два миллиарда долларов. Глаза его расширились от ужаса.

— Нет! — Он схватился за голову. — Нет!

Шестиэтажная ракета содрогалась. Стратмор нетвердыми шагами двинулся к дрожащему корпусу и упал на колени, как грешник перед лицом рассерженного божества. Все предпринятые им меры оказались бесполезными. Где-то в самом низу шахты воспламенились процессоры.

ГЛАВА 105

Огненный шар, рвущийся наверх сквозь миллионы силиконовых чипов, производил ни на что не похожий звук. Треск лесного пожара, вой торнадо, шипение горячего гейзера... все они слились в гуле дрожащего корпуса машины. Это было дыхание дьявола, ищущее выхода и вырывающееся из закрытой пещеры. Стратмор так и остался стоять на коленях, парализованный ужасающим, неуклонно приближающимся звуком. Самый дорогой компьютер в мире на его глазах превращался в восьмиэтажный ад.

Стратмор медленно повернулся к Сьюзан. Тоже неподвижная, она стояла у дверей шифровалки. Стратмор посмотрел на ее залитое слезами лицо, и ему показалось, что вся она засветилась в сиянии дневного света. Ангел, подумал он. Ему захотелось увидеть ее глаза, он надеялся найти в них избавление. Но в них была только смерть. Смерть ее веры в него. Любовь и честь были забыты. Мечта, которой он жил все эти годы, умерла. Он никогда не получит Сьюзан Флетчер. Никогда. Внезапная пустота, разверзшаяся вокруг него, была невыносима.

Сьюзан равнодушно смотрела на «ТРАНСТЕКСТ». Она понимала, что огненный шар, заточенный в керамическую клетку, скоро вырвется наружу и поглотит их. Она почти физически ощущала, как этот шар поднимается вверх все быстрее, пожирая кислород, высвобождаемый горящими чипами. Еще немного — и купол шифровалки превратится в огненный ад.

Рассудок говорил ей, что надо бежать, но Дэвид мертвой тяжестью не давал ей сдвинуться с места. Ей казалось, что она слышит его голос, зовущий ее, заставляющий спасаться бегством, но куда ей бежать? Шифровалка превратилась в наглухо закрытую гробницу. Но это теперь не имело никакого значения, мысль о смерти ее не пугала. Смерть остановит боль. Она будет опять рядом с Дэвидом.

Шифровалка начала вибрировать, словно из ее глубин на поверхность рвалось сердитое морское чудовище. Ей слышался голос Дэвида: *Беги, Сьюзан, беги!*

Стратмор приближался к ней, его лицо казалось далеким воспоминанием. Холодные серые глаза смотрели безжизненно. Живший в ее сознании герой умер, превратился в убийцу. Его руки внезапно снова потянулись к ней в отчаянном порыве. Он целовал ее щеки.

— Прости меня, — умолял он. Сьюзан пыталась отстраниться, но он не отпускал ее.

«ТРАНСТЕКСТ» задрожал, как ракета перед стартом. Шифровалка содрогалась. Стратмор сжимал ее все сильнее.

— Останься со мной, Сьюзан! Ты нужна мне!

Яростная волна гнева захлестнула ее. Она снова услышала голос Дэвида: *Я люблю тебя! Беги!* Внезапный прилив энергии позволил ей освободиться из объятий коммандера. Шум «ТРАНСТЕКСТА» стал оглушающим. Огонь приближался к вершине. «ТРАНСТЕКСТ» стонал, его корпус готов был вот-вот рухнуть.

Голос Дэвида точно вел ее, управляя ее действиями. Она бросилась к лестнице и начала подниматься к кабинету Стратмора. За ее спиной «ТРАНСТЕКСТ» издал предсмертный оглушающий стон.

Когда распался последний силиконовый чип, громадная раскаленная лава вырвалась наружу, пробив верхнюю крышку и выбросив на двадцать метров вверх тучу керамических осколков, и в то же мгновение насыщенный кислородом воздух шифровалки втянуло в образовавшийся вакуум. Сьюзан едва успела взбежать на верхнюю площадку лестницы и вцепиться в перила, когда ее ударил мощный порыв горячего ветра. Повернувшись, она увидела заместителя оперативного директора АНБ; он стоял возле «ТРАНСТЕКСТА», не сводя с нее глаз. Вокруг него бушевала настоящая буря, но в его глазах она увидела смирение. Губы Стратмора приоткрылись, произнеся последнее в его жизни слово: «Сьюзан».

Воздух, ворвавшийся в «ТРАНСТЕКСТ», воспламенился. В ослепительной вспышке света коммандер Тревор Стратмор из человека превратился сначала в едва различимый силуэт, а затем в легенду.

Взрывной волной Сьюзан внесло в кабинет Стратмора, и последним, что ей запомнилось, был обжигающий жар.

ГЛАВА 106

К окну комнаты заседаний при кабинете директора, расположенной высоко над куполом шифровалки, прильнули три головы. От раздавшегося взрыва содрогнулся весь комплекс Агентства национальной безопасности. Лиланд Фонтейн, Чед Бринкерхофф и Мидж Милкен в безмолвном ужасе смотрели на открывшуюся их глазам картину.

Тридцатью метрами ниже горел купол шифровалки. Поликарбонатная крыша еще была цела, но под ее прозрачной оболочкой бушевало пламя. Внутри клубились тучи черного дыма.

Все трое как завороженные смотрели на это зрелище, не лишенное какой-то потусторонней величественности.

Фонтейн словно окаменел. Когда же он пришел в себя, его голос был едва слышен, но исполнен решимости:

— Мидж, вызовите аварийную команду. Немедленно.

В другой стороне комнаты зазвонил телефон.

Это был Джабба.

ГЛАВА 107

Сьюзан понятия не имела, сколько прошло времени. Жжение в горле заставило ее собраться с мыслями. Стоя на ковре возле письменного стола, она в растерянности осматривала кабинет шефа. Комнату освещали лишь странные оранжевые блики. В воздухе пахло жженой пластмассой. Вообще говоря, это была не комната, а рушащееся убежище: шторы горели, плексигласовые стены плавились. И тогда она вспомнила все.

Дэвид.

Паника заставила Сьюзан действовать. У нее резко запершило в горле, и в поисках выхода она бросилась к двери. Переступив порог, она вовремя успела ухватиться за дверную раму и лишь благодаря этому удержалась на ногах: лестница исчезла, превратившись в искореженный раскаленный металл. Сьюзан в ужасе оглядела шифровалку, превратившуюся в море огня. Расплавленные остатки миллионов кремниевых чипов извергались из «ТРАНСТЕКСТА» подобно вулканической лаве, густой едкий дым поднимался кверху. Она узнала этот запах, запах плавящегося кремния, запах смертельного яда.

Отступив в кабинет Стратмора, Сьюзан почувствовала, что начинает терять сознание. В горле нестерпимо горело. Все вокруг светилось ярко-красными огнями. Шифровалка умирала. «То же самое будет и со мной», — подумала она.

Сьюзан вспомнила о единственном остающемся выходе — личном лифте Стратмора. Но она понимала, что надежды нет: электроника вряд ли уцелела после катастрофы.

Двигаясь в дыму, она вдруг вспомнила слова Хейла: «У этого лифта автономное электропитание, идущее из главного здания! Я видел схему!» Она знала, что это так. Как и то, что шахта лифта защищена усиленным бетоном.

Сквозь клубящийся дым Сьюзан кое-как добралась до дверцы лифта, но тут же увидела, что индикатор вызова не горит. Она принялась нажимать кнопки безжизненной панели, затем, опустившись на колени, в отчаянии заколотила в дверь и тут же замерла. За дверью послышалось какое-то жужжание, словно кабина была на месте. Она снова начала нажимать кнопки и снова услышала за дверью этот же звук.

И вдруг Сьюзан увидела, что кнопка вызова вовсе не мертва, а просто покрыта слоем черной сажи. Она вдруг начала светиться под кончиком пальца.

Электричество есть!

Окрыленная надеждой, Сьюзан нажала на кнопку. И опять за дверью что-то как будто включилось. Она услышала, что в кабине работает вентиляция. *Лифт здесь! Почему же не открывается дверца?*

Вглядевшись, она как в тумане увидела еще одну панель с буквами алфавита от A до Z и тут же вспомнила, что нужно ввести шифр.

Клубы дыма начали вытекать из треснувших оконных рам. Сьюзан в отчаянии колотила в дверную панель, но все было бесполезно. *Шифр*, подумала она. Кабинет постепенно утопал в дыму. Стало трудно дышать. Сьюзан бессильно прижалась к двери, за которой, всего в нескольких сантиметрах от нее, работала вентиляция, и упала, задыхаясь и судорожно хватая ртом воздух.

Сьюзан закрыла глаза, но ее снова вывел из забытья голос Дэвида. *Беги, Сьюзан! Открой дверцу! Спасайся!* Она открыла глаза, словно надеясь увидеть его лицо, его лучистые зеленые глаза и задорную улыбку, и вновь перед ней всплыли буквы от A до Z. *Шифр!..*

Сьюзан смотрела на эти буквы, и они расплывались перед ее слезящимися глазами. Под вертикальной панелью она заметила еще одну с пятью пустыми кнопками. *Шифр из пяти букв*, сказала она себе и сразу же поняла, каковы ее шансы его угадать: двадцать шесть в пятой степени, 11 881 376 вариантов. По одной секунде на вариант — получается девятнадцать недель...

Когда она, задыхаясь от дыма, лежала на полу у дверцы лифта, ей вдруг вспомнились страстные слова коммандера: «Я люблю тебя, Сьюзан! Я любил тебя всегда! Сьюзан! Сьюзан! Сьюзан...»

Она знала, что его уже нет в живых, но его голос по-прежнему преследовал ее. Она снова и снова слышала свое имя.

Сьюзан... Сьюзан...

И в этот момент она все поняла.

Дрожащей рукой она дотянулась до панели и набрала шифр.

S...U...Z...A...N

И в то же мгновение дверца лифта открылась.

ГЛАВА 108

Лифт Стратмора начал стремительно спускаться. В кабине Сьюзан жадно вдохнула свежий прохладный воздух и, почувствовав головокружение, прижалась к стенке лифта. Вскоре спуск закончился, переключились какие-то шестеренки, и лифт снова начал движение, на этот раз горизонтальное. Сьюзан чувствовала, как кабина набирает скорость, двигаясь в сторону главного здания АНБ. Наконец она остановилась, и дверь открылась. Покашливая, Сьюзан неуверенно шагнула в темный коридор с цементными стенами. Она оказалась в теннеле, очень узком, с низким потолком. Перед ней, исчезая где-то в темноте, убегали вдаль две желтые линии.

Подземная шоссейная дорога...

Сьюзан медленно шла по этому туннелю, то и дело хватаясь за стены, чтобы сохранить равновесие. Позади закрылась дверь лифта, и она осталась одна в пугающей темноте. В окружающей ее тишине не было слышно ничего, кроме слабого гула, идущего от стен. Гул становился все громче.

И вдруг впереди словно зажглась заря. Темнота стала рассеиваться, сменяясь туманными сумерками. Стены туннеля начали обретать форму. И сразу же из-за поворота выехала миниатюрная машина, ослепившая ее фарами. Сьюзан слегка оторопела и прикрыла глаза рукой. Ее обдало порывом воздуха, и машина проехала мимо. Но в следующее мгновение послышался оглушающий визг шин, резко затормозивших на цементном полу, и шум снова накатил на Сьюзан, теперь уже сзади. Секунду спустя машина остановилась рядом с ней.

— Мисс Флетчер! — раздался изумленный возглас, и Сьюзан увидела на водительском сиденье электрокара, похожего на те, что разъезжают по полям для гольфа, смутно знакомую фигуру.

— Господи Иисусе! — воскликнул водитель. — С вами все в порядке? Мы уж думали, вы все погибли!

Сьюзан посмотрела на него отсутствующим взглядом.

— Чед Бринкерхофф, — представился он. — Личный помощник директора.

Сьюзан сумела лишь невнятно прошептать:

— «ТРАНС...»

Бринкерхофф кивнул.

— Забудьте об этом! Поехали!

Свет от фары пробежал по цементным стенам.

— В главный банк данных попал вирус, — сказал Бринкерхофф.

— Я знаю, — услышала Сьюзан собственный едва слышный голос.

— Нам нужна ваша помощь.

Она с трудом сдерживала слезы.

— Стратмор... он...

— Мы знаем, — не дал ей договорить Бринкерхофф. — Он обошел систему «Сквозь строй».

— Да... и... — слова застревали у нее в горле. *Он убил Дэвида!*

Бринкерхофф положил руку ей на плечо.

— Мы почти приехали, мисс Флетчер. Держитесь.

Скоростной карт фирмы «Кенсингтон» повернул за угол и остановился. Сзади, перпендикулярно туннелю, начинался коридор, едва освещаемый красными лампочками, вмонтированными в пол.

— Пойдемте, — позвал Бринкерхофф, помогая Сьюзан вылезти.

Она шла следом за ним точно в тумане. Коридор, выложенный кафельными плитками, довольно круто спускался вниз, и Сьюзан держалась за перила, стараясь не отставать. Воздух в помещении становился все прохладнее.

Чем глубже под землю уходил коридор, тем у́же он становился. Откуда-то сзади до них долетело эхо чьих-то громких, решительных шагов. Обернувшись, они увидели быстро приближавшуюся к ним громадную черную фигуру. Сьюзан никогда не видела этого человека раньше. Подойдя вплотную, незнакомец буквально пронзил ее взглядом.

— Кто это? — спросил он.

— Сьюзан Флетчер, — ответил Бринкерхофф.

Человек-гигант удивленно поднял брови. Даже перепачканная сажей и промокшая, Сьюзан Флетчер производила более сильное впечатление, чем он мог предположить.

— А коммандер? — спросил он.

Бринкерхофф покачал головой.

Человек ничего не сказал, задумался на мгновение, а потом обратился к Сьюзан.

— Лиланд Фонтейн, — представился он, протягивая руку. — Я рад, что вы живы-здоровы.

Сьюзан не отрывала глаз от директора. Она была уверена, что рано или поздно познакомится с этим человеком, но никогда не думала, что это случится при таких обстоятельствах.

— Идемте, мисс Флетчер, — сказал Фонтейн и прошел вперед. — Нам сейчас пригодится любая помощь.

Посверкивая в красноватом свете туннельных ламп, перед ними возникла стальная дверь. Фонтейн набрал код на специальной углубленной панели, после чего прикоснулся к небольшой стеклянной пластинке. Сигнальная лампочка вспыхнула, и массивная стена с грохотом отъехала влево.

В АНБ было только одно помещение, еще более засекреченное, чем шифровалка, и Сьюзан поняла, что сейчас она окажется в святая святых агентства.

ГЛАВА 109

Командный центр главного банка данных АНБ более всего напоминал Центр управления полетами НАСА в миниатюре. Десяток компьютерных терминалов располагались напротив видеоэкрана, занимавшего всю дальнюю стену площадью девять на двенадцать метров. На экране стремительно сменяли друг друга цифры и диаграммы, как будто кто-то скользил рукой по клавишам управления. Несколько операторов очумело перебегали от одного терминала к другому, волоча за собой распечатки и отдавая какие-то распоряжения. В помещении царила атмосфера полного хаоса.

Сьюзан завороженно смотрела на захватывающую дух технику. Она смутно помнила, что для создания этого центра из земли пришлось извлечь 250 метрических тонн породы. Командный центр главного банка данных располагался на глубине шестидесяти с лишним метров от земной поверхности, что обеспечивало его неуязвимость даже в случае падения вакуумной или водородной бомбы.

На высокой рабочей платформе-подиуме в центре комнаты возвышался Джабба, как король, отдающий распоряжения своим подданным. На экране за его спиной светилось сообщение, уже хорошо знакомое Сьюзан. Текст, набранный крупным шрифтом, точно на афише, зловеще взывал прямо над его головой:

ТЕПЕРЬ ВАС МОЖЕТ СПАСТИ ТОЛЬКО ПРАВДА
ВВЕДИТЕ КЛЮЧ_____

Словно в кошмарном сне Сьюзан шла вслед за Фонтейном к подиуму. Весь мир для нее превратился в одно смутное, медленно перемещающееся пятно.

Увидев их, Джабба сразу превратился в разъяренного быка:

— Я не зря создал систему фильтров!

— «Сквозь строй» приказал долго жить, — безучастно произнес Фонтейн.

— Это уже не новость, директор. — Джабба сплюнул. — От взрывной волны я чуть не упал со стула! Где Стратмор?

— Коммандер Стратмор погиб.

— Справедливость восторжествовала, как в дешевой пьесе.

— Успокойтесь, Джабба, — приказал директор, — и доложите ситуацию. Насколько опасен вирус?

Джабба пристально посмотрел на директора и вдруг разразился смехом.

— *Вирус?* — Его грубый хохот разнесся по подземелью. — Так вы считаете, что это вирус?

Фонтейн оставался невозмутимым. Грубость Джаббы была недопустима, но директор понимал, что сейчас не время и не место углубляться в вопросы служебной этики. Здесь, в командном центре, Джабба выше самого Господа Бога, а компьютерные проблемы не считаются со служебной иерархией.

— Это не вирус? — с надеждой в голосе воскликнул Бринкерхофф.

Джабба презрительно хмыкнул.

— У вирусов есть линии размножения, приятель! Тут ничего такого нет!

Сьюзан с трудом воспринимала происходящее.

— Что же тогда случилось? — спросил Фонтейн. — Я думал, это вирус.

Джабба глубоко вздохнул и понизил голос.

— Вирусы, — сказал он, вытирая рукой пот со лба, — имеют привычку размножаться. Клонировать самих себя.

Они глупы и тщеславны, это двоичные самовлюбленные существа. Они плодятся быстрее кроликов. В этом их слабость — вы можете путем скрещивания отправить их в небытие, если, конечно, знаете, что делаете. Увы, у этой программы такого тщеславия нет, у нее нет инстинкта продолжения рода. Она бесхитростна и целеустремленна, и когда достигнет своей цели, то скорее всего совершит цифровое самоубийство. — Джабба театральным жестом указал на громадный экран. — Дамы и господа, — он опять тяжело вздохнул, — перед вами компьютерный агрессор-камикадзе... червь.

— Червь? — с недоумением переспросил Бринкерхофф. Название показалось ему чересчур земным для такого агрессора.

— Червь, — недовольно сказал Джабба. — Никакой усложненной структуры, один лишь инстинкт: жри, опорожняйся и ползи. Вот что это такое. Простота. Губительная простота. Он делает то, на что запрограммирован, а потом исчезает.

Фонтейн сурово смотрел на Джаббу:

— И на что же запрограммирован этот червяк?

— Понятия не имею, — сказал Джабба. — Пока он ползет и присасывается к нашей секретной информации. После этого он способен на все. Он может стереть все файлы, или же ему придет в голову напечатать улыбающиеся рожицы на документах Белого дома.

Голос Фонтейна по-прежнему звучал спокойно, деловито:

— Можете ли вы его остановить?

Джабба тяжко вздохнул и повернулся к экрану.

— Не знаю. Все зависит от того, что ударило в голову автору. — Он привлек внимание к тексту на экране. — Кто-нибудь может мне объяснить, что это значит?

ВАС МОЖЕТ СПАСТИ ТОЛЬКО ПРАВДА
ВВЕДИТЕ КЛЮЧ_____

Джабба не дождался ответа.

— Похоже, кто-то очень нами недоволен, директор. Это шантаж. Больше всего похоже на требование выкупа.

Слова Сьюзан прозвучали слабым, едва уловимым шепотом:

— Это... Энсей Танкадо.

Джабба повернулся и изумленно посмотрел на нее.

— Танкадо?

Сьюзан едва заметно кивнула:

— Он требовал, чтобы мы сделали признание... о «ТРАНС-ТЕКСТЕ»... это стоило ему...

— Признание? — растерянно прервал ее Бринкерхофф. — Танкадо требует, чтобы мы признали существование «ТРАНС-ТЕКСТА»? Но он несколько опоздал.

Сьюзан хотела что-то сказать, но ее опередил Джабба:

— Значит, Танкадо придумал шифр-убийцу. — Он перевел взгляд на экран.

Все повернулись вслед за ним.

— Шифр-убийца? — переспросил Бринкерхофф.

Джабба кивнул:

— Да. Нужно ввести ключ, останавливающий червя. Все очень все просто. Мы признаем, что у нас есть «ТРАНС-ТЕКСТ», а Танкадо вручает нам шифр-убийцу. Мы вводим ключ и спасаем банк данных. Добро пожаловать, цифровой вымогатель!

Фонтейн даже глазом не повел.

— Каким временем мы располагаем?

— У нас есть около часа, — сказал Джабба. — Достаточно, чтобы созвать пресс-конференцию и все выложить.

— Каковы ваши рекомендации? — требовательно спросил Фонтейн. — Что вы предлагаете?

— Рекомендации? — выпалил Джабба. — Вы ждете рекомендаций? Что ж, пожалуйста. Хватит путаться у нас под ногами, вот моя рекомендация!

— Спокойно, Джабба, — предупредил директор.

— Директор, — сказал Джабба, — Энсей Танкадо владеет нашим банком данных. Дайте ему то, чего он требует. Если он хочет, чтобы мир узнал о «ТРАНСТЕКСТЕ», позвоните в Си-эн-эн и снимите штанишки. Все равно сейчас «ТРАНС-ТЕКСТ» — это всего лишь дырка в земле. Так какая разница?

Повисла тишина. Фонтейн, видимо, размышлял. Сьюзан попробовала что-то сказать, но Джабба ее перебил:

— Чего вы ждете, директор? Позвоните Танкадо. Скажи-те, что вы согласны на его условия. Нам нужен этот шифр-убийца, или все здесь провалится сквозь землю!

Все стояли не шелохнувшись.

— Да вы просто с ума все сошли, что ли? — закричал Джаб-ба. — Звоните Танкадо! Скажите, что мы сдаемся! Немедлен-но! — Джабба достал из кармана мобильник. — Давайте мне его номер! Я сам позвоню этому...

— Не беспокойтесь, — прошептала Сьюзан. — Танкадо мертв.

Все замерли в изумлении. Возможные последствия полу-ченного известия словно пулей пронзили Джаббу. Казалось, тучный шеф отдела обеспечения системной безопасности вот-вот рухнет на пол.

— Мертв? Но это значит... значит... что мы не можем...

— Это значит, что нужен другой план действий. — Фон-тейн, как обычно, говорил спокойно и деловито.

Глаза Джаббы по-прежнему выражали шок и растерян-ность, когда сзади раздался душераздирающий крик:

— Джабба! Джабба!

Это кричала Соши Кута, его технический ассистент, под-бегая к платформе с длиннющей распечаткой в руке. У нее был такой вид, словно она только что увидела призрак.

— Джабба! — Соши задыхалась. — Червь... я знаю, на что он запрограммирован! — Она сунула распечатку Джаббе. — Я поняла это, сделав пробу системных функций. Мы выде-лили отдаваемые им команды — смотрите! Смотрите, на что он нацелен!

Шеф систем безопасности прочитал текст и схватился за поручень.

— О Боже, — прошептал он. — Ну и мерзавец этот Тан-кадо!

ГЛАВА 110

Невидящими глазами Джабба смотрел на распечатку, которую ему вручила Соши. Он побледнел и вытер рукавом пот со лба.

— Директор, у нас нет выбора. Мы должны вырубить питание главного банка данных.

— Это невозможно, — сказал директор. — Вы представляете, каковы будут последствия?

Джабба отлично знал, что директор прав. Более трех тысяч узлов Независимой цифровой сети связывают весь мир с базой данных агентства. Каждый день военные оценивают моментальные спутниковые снимки всех передвижений по территории потенциальных противников. Инженеры компании «Локхид» скачивают подробные чертежи новых систем вооружения. Оперативные агенты сообщают последние данные о ходе выполнения поставленных перед ними задач. Банк данных АНБ — это основа основ тысяч правительственных операций. Отключить все это без подготовки — значит парализовать разведдеятельность во всем мире.

— Я отдаю себе отчет в последствиях, сэр, — сказал Джабба, — но у нас нет выбора.

— Объясните, — потребовал Фонтейн. Он посмотрел на Сьюзан, стоявшую рядом с ним на платформе. Казалось, все происходящее было от нее безумно далеко.

Джабба вздохнул и снова вытер пот со лба. По выражению его лица было ясно: то, что он собирается сказать, не понравится директору и остальным.

— Этот червь, — начал он, — не обычный переродивший-ся цикл. Это избирательный цикл. Иными словами, это червь со своими пристрастиями.

Бринкерхофф открыл рот, собираясь что-то сказать, но Фонтейн движением руки заставил его замолчать.

— Самое разрушительное последствие — полное уничто-жение всего банка данных, — продолжал Джабба, — но этот червь посложнее. Он стирает только те файлы, которые отве-чают определенным параметрам.

— Вы хотите сказать, что он не нападет на весь банк дан-ных? — с надеждой спросил Бринкерхофф. — Это ведь хоро-шо, правда?

— Нет! — взорвался Джабба. — Это плохо! Это очень и очень плохо!

— Спокойствие, — потребовал Фонтейн. — На какие же параметры нацелен этот червь? На военную информацию? Тайные операции?

Джабба покачал головой и бросил взгляд на Сьюзан, ко-торая по-прежнему была где-то далеко, потом посмотрел в глаза директору.

— Сэр, как вы знаете, всякий, кто хочет проникнуть в банк данных извне, должен пройти несколько уровней защиты.

Фонтейн кивнул. Иерархия допуска в банк данных была тщательно регламентирована; лица с допуском могли войти через Интернет. В зависимости от уровня допуска они попа-дали в те отсеки банка данных, которые соответствовали сфе-ре их деятельности.

— Поскольку мы связаны с Интернетом, — объяснял Джабба, — хакеры, иностранные правительства и акулы Фон-да электронных границ кружат вокруг банка данных двадцать четыре часа в сутки, пытаясь проникнуть внутрь.

— Да, — сказал Фонтейн, — и двадцать четыре часа в сут-ки наши фильтры безопасности их туда не пускают. Так что вы хотите сказать?

Джабба заглянул в распечатку.

— Вот что я хочу сказать. Червь Танкадо не нацелен на наш банк данных. — Он откашлялся. — Он нацелен на фильтры безопасности.

Фонтейн побледнел. Он, конечно, понял, чем это грозит: червь сожрет фильтры, содержащие информацию в тайне, и без них она станет доступна всем без исключения.

— Нам необходимо отключиться от Интернета, — продолжил Джабба. — Приблизительно через час любой третьекласс-ник с модемом получит высший уровень допуска к американ-ской секретной информации.

Фонтейн погрузился в раздумья.

Джабба терпеливо ждал, наконец не выдержал и крикнул ассистентке:

— Соши! ВР! Немедленно!

Соши побежала к своему терминалу.

Джабба нередко прибегал к ВР, что в компьютерных кру-гах означало «виртуальная реальность», но в АНБ это сокра-щение имело несколько иной смысл — «визуальная репре-зентация». В мире технических служащих и политиков, име-ющих чрезвычайно разные уровни понимания, визуальная репрезентация нередко была единственным способом что-либо доказать: взмывающая вверх кривая производит куда более сильное впечатление, чем целые тома рассуждений. Джабба понимал, что ВР текущего кризиса со всей нагляд-ностью объяснит то, что он хотел сказать.

— ВР! — крикнула Соши, усаживаясь за компьютер в зад-ней части комнаты.

На стене ожила связанная с компьютером диаграмма. Сьюзан рассеянно подняла на нее глаза, безучастная к ца-рившему вокруг нее безумию. Все в комнате дружно повер-нули головы.

Диаграмма чем-то напоминала бычий глаз. В центре на-ходился красный кружок с надписью БАЗА, вокруг которого располагались пять концентрических окружностей разной толщины и разного цвета. Внешняя окружность была зату-манена и казалась почти прозрачной.

— У нас имеется пять уровней защиты, — объяснял Джабба. — «Главный бастион», два набора пакетных фильтров для Протокола передачи файлов, Х-одиннадцать, туннельный блок и, наконец, окно авторизации справа от проекта «Трюфель». Внешний щит, исчезающий на наших глазах, — открытый главный компьютер. Этот щит практически взломан. В течение часа то же самое случится с остальными пятью. После этого сюда полезут все, кому не лень. Каждый бит информации АНБ станет общественным достоянием.

Фонтейн внимательно изучал ВР, глаза его горели.

Бринкерхофф слабо вскрикнул:

— Этот червь откроет наш банк данных всему миру?

— Для Танкадо это детская забава, — бросил Джабба. — Нашим главным стражем была система «Сквозь строй», а Стратмор вышвырнул ее в мусорную корзину.

— Это объявление войны, — прошептал Фонтейн срывающимся голосом.

Джабба покачал головой:

— Лично я сомневаюсь, что Танкадо собирался зайти так далеко. Я думаю, он собирался оставаться поблизости и вовремя все это остановить.

Глядя на экран, Фонтейн увидел, как полностью исчезла первая из пяти защитных стен.

— Бастион рухнул! — крикнул техник, сидевший в задней части комнаты. — Обнажился второй щит!

— Нужно приступать к отключению, — настаивал Джабба. — Судя по ВР, у нас остается около сорока пяти минут. Отключение — сложный процесс.

Это была правда. Банк данных АНБ был сконструирован таким образом, чтобы никогда не оставался без электропитания — в результате случайности или злого умысла. Многоуровневая защита силовых и телефонных кабелей была спрятана глубоко под землей в стальных контейнерах, а питание от главного комплекса АНБ было дополнено многочисленными линиями электропитания, независимыми от городской системы снабжения. Поэтому отключение представляло собой сложную серию подтверждений и протоколов, гораздо более сложную, чем запуск ядерной ракеты с подводной лодки.

— У нас есть время, но только если мы поспешим, — сказал Джабба. — Отключение вручную займет минут тридцать.

Фонтейн по-прежнему смотрел на ВР, перебирая в уме остающиеся возможности.

— Директор! — взорвался Джабба. — Когда эти стены рухнут, вся планета получит высший уровень допуска к нашим секретам! Высший уровень! К отчетам о секретных операциях! К зарубежной агентурной сети! Им станут известны имена и местонахождение всех лиц, проходящих по федеральной программе защиты свидетелей, коды запуска межконтинентальных ракет! Мы должны немедленно вырубить электроснабжение! Немедленно!

Казалось, на директора его слова не произвели впечатления.

— Должен быть другой выход.

— Да, — в сердцах бросил Джабба. — Шифр-убийца! Но единственный человек, которому известен ключ, мертв!

— А метод «грубой силы»? — предложил Бринкерхофф. — Можно ли с его помощью найти ключ?

Джабба всплеснул руками.

— Ради всего святого! Шифры-убийцы похожи на любые другие — они так же произвольны! Угадать ключи к ним невозможно. Если вы думаете, что можно ввести шестьсот миллионов ключей за сорок пять минут, то пожалуйста!

— Ключ находится в Испании, — еле слышно произнесла Сьюзан, и все повернулись к ней. Это были ее первые слова за очень долгое время.

Сьюзан подняла голову. Глаза ее были затуманены.

— Танкадо успел отдать его за мгновение до смерти.

Все были в растерянности.

— Ключ:.. — Ее передернуло. — Коммандер Стратмор отправил кого-то в Испанию с заданием найти ключ.

— И что? — воскликнул Джабба. — Человек Стратмора его нашел?

Сьюзан, больше не в силах сдержать слезы, разрыдалась.

— Да, — еле слышно сказала она. — Полагаю, что да.

ГЛАВА 111

В комнате оперативного управления раздался страшный крик Соши:

— Акулы!

Джабба стремительно повернулся к ВР. За пределами концентрических окружностей появились две тонкие линии. Они были похожи на сперматозоиды, стремящиеся проникнуть в неподатливую яйцеклетку.

— Пора, ребята! — Джабба повернулся к директору. — Мне необходимо решение. Или мы начинаем отключение, или же мы никогда этого не сделаем. Как только эти два агрессора увидят, что «Бастион» пал, они издадут боевой клич!

Фонтейн ничего не ответил, погруженный в глубокое раздумье. Слова Сьюзан Флетчер о том, что ключ находится в Испании, показались ему обнадеживающими. Он бросил быстрый взгляд на Сьюзан, которая по-прежнему сидела на стуле, обхватив голову руками и целиком уйдя в себя. Фонтейн не мог понять, в чем дело, но, какими бы ни были причины ее состояния, выяснять это сейчас не было времени.

— Нужно решать, сэр! — требовал Джабба. — Немедленно.

Фонтейн поднял голову и произнес с ледяным спокойствием:

— Вот мое решение. Мы не отключаемся. Мы будем ждать.

Джабба открыл рот.

— Но, директор, ведь это...

— Риск, — прервал его Фонтейн. — Однако мы можем выиграть. — Он взял у Джаббы мобильный телефон и нажал несколько кнопок. — Мидж, — сказал он. — Говорит Лиланд Фонтейн. Слушайте меня внимательно...

ГЛАВА 112

— Надеюсь, вы знаете, что делаете, директор, — холодно сказал Джабба. — Мы упускаем последнюю возможность вырубить питание.

Фонтейн промолчал. И словно по волшебству в этот момент открылась дверь, и в комнату оперативного управления, запыхавшись, вбежала Мидж. Поднявшись на подиум, она крикнула:

— Директор! На коммутатор поступает сообщение!

Фонтейн тотчас повернулся к стене-экрану. Пятнадцать секунд спустя экран ожил.

Сначала изображение на экране было смутным, точно смазанным сильным снегопадом, но постепенно оно становилось все четче и четче. Это была цифровая мультимедийная трансляция — всего пять кадров в секунду. На экране появились двое мужчин: один бледный, коротко стриженный, другой — светловолосый, с типично американской внешностью. Они сидели перед камерой наподобие телеведущих, ожидающих момента выхода в эфир.

— Это что еще за чертовщина? — возмутился Джабба.

— Сидите тихо, — приказал Фонтейн.

Люди на экране вроде бы сидели в каком-то автобусе, а вокруг них повсюду тянулись провода. Включился звук, и послышался фоновой шум.

— Установлена аудиосвязь. Через пять секунд она станет двусторонней.

— Кто это такие? — переминаясь с ноги на ногу, спросил Бринкерхофф.

— Всевидящее око, — сказал Фонтейн, вглядываясь в лица людей, которых он отправил в Испанию. Это была вынужденная мера. Фонтейн почти во всем полагался на Стратмора и верил в его план, в том числе и в достойную сожаления, но неизбежную необходимость устранять Энсея Танкадо и в переделку «Цифровой крепости», — все это было правильно. Но одно не давало Фонтейну покоя — то, что Стратмор решил прибегнуть к услугам Халохота. Тот, конечно, был мастером своего дела, но наемник остается наемником. Можно ли ему доверять? А не заберет ли он ключ себе? Фонтейну нужно было какое-то прикрытие — на всякий случай, — и он принял необходимые меры.

ГЛАВА 113

— Ни в коем случае! — крикнул мужчина с короткой стрижкой, глядя в камеру. — У нас приказ! Мы отчитываемся перед директором Лиландом Фонтейном, и только перед ним!

Фонтейна это позабавило.

— Вы знаете, кто я?

— Какая разница? — огрызнулся светловолосый.

— Позвольте вам сразу кое-что объяснить, — сказал директор.

Секунду спустя оба, залившись краской, делали доклад директору Агентства национальной безопасности.

— Д-директор, — заикаясь выдавил светловолосый. — Я — агент Колиандер. Рядом со мной агент Смит.

— Хорошо, — сказал Фонтейн. — Докладывайте.

В задней части комнаты Сьюзан Флетчер отчаянно пыталась совладать с охватившим ее чувством невыносимого одиночества. Она тихо плакала, закрыв глаза. В ушах у нее раздавался непрекращающийся звон, а все тело словно онемело. Хаос, царивший в комнате оперативного управления, воспринимался ею как отдаленный гул.

Люди на подиуме не отрываясь смотрели на экран. Агент Смит начал доклад.

— По вашему приказу, директор, — говорил он, — мы провели в Севилье два дня, выслеживая мистера Энсея Танкадо.

— Расскажите, как он погиб, — нетерпеливо сказал Фонтейн.

Смит сообщил:

— Мы вели наблюдение из мини-автобуса с расстояния метров в пятьдесят. Вначале все шло гладко. Халохот, по всей видимости, настоящий профессионал. Но потом появилась группа людей, и Халохот не смог завладеть искомым предметом.

Фонтейн кивнул. Агенты связались с ним, когда он находился в Южной Америке, и сообщили, что операция прошла неудачно, поэтому Фонтейн в общих чертах уже знал, что случилось.

Тут вступил агент Колиандер:

— Как вы приказали, мы повсюду следовали за Халохотом. В морг он не пошел, поскольку в этот момент напал на след еще какого-то парня в пиджаке и галстуке, вроде бы штатского.

— Штатского? — переспросил Фонтейн. Скорее всего это игры Стратмора: он мудро решил не впутывать в это дело агентство.

— Фильтры Протокола передачи файлов выходят из строя! — крикнул кто-то из технического персонала.

— Нам нужен этот предмет, — сказал Фонтейн. — Где сейчас находится Халохот?

Смит бросил взгляд через плечо.

— Сэр... видите ли, он у нас.

— Что значит «у вас»? — крикнул директор. Это могло оказаться лучшей новостью за весь день.

Смит потянулся к объективу камеры, чтобы направить его в глубь кузова. На экране промелькнула внутренняя часть мини-автобуса, и перед глазами присутствующих предстали два безжизненных тела у задней двери. Один из мужчин был крупного телосложения, в очках в тонкой металлической оправе с разбитыми стеклами. Второй — молодой темноволосый, в окровавленной рубашке.

— Халохот — тот, что слева, — пояснил Смит.

— Он мертв? — спросил директор.

— Да, сэр.

Фонтейн понимал, что сейчас не время для объяснений. Он бросил взгляд на истончающиеся защитные щиты.

— Агент Смит, — произнес он медленно и четко, — мне нужен предмет.

Лицо у Смита было растерянным.

— Сэр, мы до сих пор не имеем понятия, что это за предмет. Нам нужны указания.

ГЛАВА 114

— Обыщите их еще раз! — потребовал директор.

В отчаянии он наблюдал за тем, как расплывчатые фигуры агентов обыскивают бездыханные тела в поисках листка бумаги с беспорядочным набором букв и цифр.

— О мой Бог! — Лицо Джаббы мертвенно побледнело. — Они ничего не найдут. Мы погибли!

— Теряем фильтры Протокола! — раздался чей-то голос. — Открылся третий уровень защиты! — Люди в комнате засуетились.

На экране агент с короткой стрижкой безнадежно развел руками.

— Сэр, ключа здесь нет. Мы обыскали обоих. Осмотрели карманы, одежду, бумажники. Ничего похожего. У Халохота был компьютер «Монокль», мы и его проверили. Похоже, он не передал ничего хотя бы отдаленно похожего на набор букв и цифр — только список тех, кого ликвидировал.

— Черт возьми! — не сдержался Фонтейн, теряя самообладание. — Он должен там быть! Ищите!

Джабба окончательно убедился: директор рискнул и проиграл. Шеф службы обеспечения систем безопасности спустился с подиума подобно грозовой туче, сползающей с горы, и окинул взглядом свою бригаду программистов, отдающих какие-то распоряжения.

— Начинаем отключение резервного питания! Приготовиться! Приступайте!

— Мы не успеем! — крикнула Соши. — На это уйдет полчаса! К тому времени все уже рухнет!

Джабба открыл рот, готовый что-то сказать, но тут его буквально парализовал душераздирающий крик.

Все повернули головы к Сьюзан Флетчер, которая выпрямилась и поднялась со стула. Лицо ее побелело, глаза не отрываясь смотрели на застывший кадр, демонстрировавший неподвижное тело Дэвида Беккера, залитое кровью, брошенное на пол мини-автобуса.

— Вы его убили! — крикнула она. — Вы его убили! — Она бросилась к экрану, протянула к нему руки. — Дэвид...

Все пришли в смятение. Сьюзан шла вперед, повторяя это имя, ее глаза неотрывно смотрели на экран.

— Дэвид! — воскликнула она, еле держась на ногах. — О, Дэвид... как они могли...

Фонтейн растерялся:

— Вы знаете этого человека?

Сьюзан застыла в полутора метрах от экрана, ошеломленная увиденным, и все называла имя человека, которого любила.

ГЛАВА 115

В голове Дэвида Беккера была бесконечная пустота. «Я умер. Но я слышу какие-то звуки. Далекий голос...»

— Дэвид!

Он почувствовал болезненное жжение в боку. «Мое тело мне больше не принадлежит». И все же он слышал чей-то голос, зовущий его. Тихий, едва различимый. Но этот голос был частью его самого. Слышались и другие голоса — незнакомые, ненужные. Он хотел их отключить. Для него важен был только один голос, который то возникал, то замолкал.

— Дэвид... прости меня.

Он увидел пятна света. Сначала слабые, еле видимые на сплошном сером фоне, они становились все ярче. Попробовал пошевелиться и ощутил резкую боль. Попытался что-то сказать, но голоса не было. Зато был другой голос, тот, что звал его.

Кто-то рядом с ним попытался его приподнять. Он потянулся к голосу. Или это его подвинули? Голос все звал его, а он безучастно смотрел на светящуюся картинку. Он видел ее на крошечном экране. Эту женщину, которая смотрела на него из другого мира. «Она наблюдает за тем, как я умираю?»

— Дэвид...

Голос показался ему знакомым. Наверное, эта женщина — ангел. Она прилетела за ним. Ангел заговорил:

— Дэвид, я люблю тебя.

Внезапно он все понял.

Сьюзан на экране тянулась к нему, плача и смеясь, захлестнутая волной эмоций. Вот она вытерла слезы.

— Дэвид... я подумала...

Оперативный агент Смит усадил Беккера на сиденье перед монитором.

— Он немного сонный, мадам. Дайте ему минутку прийти в себя.

— Н-но... — Сьюзан произнесла слова медленно. — Я видела сообщение... в нем говорилось...

Смит кивнул:

— Мы тоже прочитали это сообщение. Халохот рано принялся считать цыплят.

— Но кровь...

— Поверхностная царапина, мадам. Мы залепили ее пластырем.

Сьюзан лишилась дара речи.

Перед камерой появился агент Смит.

— Мы выстрелили в него новым «Джей-23», это нервно-паралитическое вещество продолжительного действия. Конечно, это чертовски болезненно, но нам нужно было его остановить.

— Не волнуйтесь, мадам, — заверил второй агент. — С ним все будет в порядке.

Дэвид Беккер смотрел на экран прямо перед собой. У него кружилась голова, и он едва отдавал себе отчет в происходящем. На экране он видел комнату, в которой царил хаос. В этой комнате находилась Сьюзан. Она стояла отдельно от остальных и смотрела на него, смеясь и плача.

— Дэвид... Слава Богу! Я думала, что потеряла тебя.

Он потер виски, подвинулся ближе к камере и притянул гибкий шланг микрофона ко рту.

— Сьюзан?

Она была потрясена. Прямо перед ней во всю стену был Дэвид, его лицо с резкими чертами.

— Сьюзан, я хочу кое о чем тебя спросить. — Звук его голоса гулко раздался в комнате оперативного управления, и все тут же замерли, повернувшись к экрану.

— Сьюзан Флетчер, — вновь прозвучал его голос, — вы выйдете за меня замуж?

В комнате зашушукались. С одного из столов на пол упали подставка для бумаг и стакан с карандашами, но никто даже не пошевельнулся, чтобы их поднять. Лишь едва слышно шуршали лопасти вентиляторов охлаждения мониторов да доносилось ровное дыхание Дэвида в микрофон, почти прижатый к его рту.

— Д-дэвид... — Сьюзан не знала, что за спиной у нее собралось тридцать семь человек. — Ты уже задавал мне этот вопрос, помнишь? Пять месяцев назад. Я сказала «да».

— Я знаю. — Он улыбнулся. — Но на этот раз, — он вытянул левую руку так, чтобы она попала в камеру, и показал золотой ободок на безымянном пальце, — на этот раз у меня есть кольцо.

ГЛАВА 116

— Читайте, мистер Беккер! — скомандовал Фонтейн.

Джабба сидел весь потный, положив руки на клавиатуру.

— Да, да, — сказал он, — читайте эту благословенную надпись!

Сьюзан стояла рядом, у нее подгибались колени и пылали щеки. Все в комнате оставили свои занятия и смотрели на огромный экран и на Дэвида Беккера. Профессор вертел кольцо в пальцах и изучал надпись.

— Читайте медленно и точно! — приказал Джабба. — Одна нсточность, и все мы погибли!

Фонтейн сурово взглянул на него. Уж о чем о чем, а о стрессовых ситуациях директор знал все. Он был уверен, что чрезмерный нажим не приведет ни к чему хорошему.

— Расслабьтесь, мистер Беккер. Если будет ошибка, мы попробуем снова, пока не добьемся успеха.

— Плохой совет, мистер Беккер, — огрызнулся Джабба. — Нужно сразу быть точным. У шифров-убийц обычно есть функция злопамятства — чтобы не допустить использования метода проб и ошибок. Некорректный ввод только ускорит процесс разрушения. Два некорректных ввода — и шифр навсегда захлопнется от нас на замок. Тогда всему придет конец.

Директор нахмурился и повернулся к экрану.

— Мистер Беккер, я был не прав. Читайте медленно и *очень* внимательно.

Беккер кивнул и поднес кольцо ближе к глазам. Затем начал читать надпись вслух:

— Q... U... I... S... пробел... C...

Джабба и Сьюзан в один голос воскликнули:

— Пробел? — Джабба перестал печатать. — Там пробел?

Беккер пожал плечами и вгляделся в надпись.

— Да, их тут немало.

— Я что-то не понимаю, — вмешался Фонтейн. — Чего мы медлим?

— Сэр, — удивленно произнесла Сьюзан, — просто это очень...

— Да, да, — поддержал ее Джабба. — Это очень странно. В ключах никогда не бывает пробелов.

Бринкерхофф громко сглотнул.

— Так что вы хотите сказать? — спросил он.

— Джабба хотел сказать, что это, возможно, не шифр-убийца.

— Конечно же, это убийца! — закричал Бринкерхофф. — Что еще это может быть? Иначе Танкадо не отдал бы ключ! Какой идиот станет делать на кольце надпись из произвольных букв?

Фонтейн свирепым взглядом заставил его замолчать.

— Вы меня слышите? — вмешался Беккер, чувствуя себя неловко. — Вы все время говорите о произвольном наборе букв. Мне кажется, я должен вам сказать... что это не случайный набор букв.

Все на подиуме воскликнули:

— Что?

В голосе Беккера слышались извиняющиеся нотки:

— Простите, но это определенно осмысленные слова. Они выгравированы очень близко одно к другому и на первый взгляд кажутся произвольным набором букв, но если присмотреться повнимательнее, то... становится ясно, что надпись сделана по-латыни.

— Вы что, морочите нам голову? — взорвался Джабба.

Беккер покачал головой:

— Отнюдь нет. Тут написано — Quis custodiet ipsos custodes. Это можно примерно перевести как...

— Кто будет охранять охранников! — закончила за него Сьюзан.

Беккера поразила ее реакция.

— Сьюзан, не знал, что ты...

— Это из сатир Ювенала! — воскликнула она. — Кто будет охранять охранников? Иными словами — кто будет охранять Агентство национальной безопасности, пока мы охраняем мир? Это было любимое изречение, которым часто пользовался Танкадо!

— И что же, — спросила Мидж, — это и есть искомый ключ?

— Наверняка, — объявил Бринкерхофф.

Фонтейн молча обдумывал информацию.

— Не знаю, ключ ли это, — сказал Джабба. — Мне кажется маловероятным, что Танкадо использовал непроизвольный набор знаков.

— Выбросьте пробелы и наберите ключ! — не сдержался Бринкерхофф.

Фонтейн повернулся к Сьюзан.

— Как вы думаете, мисс Флетчер?

Сьюзан задумалась. Она чувствовала, что здесь что-то не то, но не могла сообразить, что именно. Она достаточно хорошо знала Танкадо и знала, что он боготворил простоту. Его доказательства, его программы всегда отличали кристальная ясность и законченность. Необходимость убрать пробелы показалась ей странной. Это была мелочь, но все же изъян, отсутствие чистоты — не этого она ожидала от Танкадо, наносящего свой коронный удар.

— Тут что-то не так, — наконец сказала она. — Не думаю, что это ключ.

Фонтейн глубоко вздохнул. Его темные глаза выжидающе смотрели на Сьюзан.

— Мисс Флетчер, как вы полагаете, если это не ключ, то почему Танкадо обязательно хотел его отдать? Если он знал, что мы его ликвидируем, то естественно было бы ожидать, что он накажет нас, допустив исчезновение кольца.

В разговор вмешался новый участник.

— Д-директор?

Все повернулись к экрану. Это был агент Колиандер из Севильи. Он перегнулся через плечо Беккера и заговорил в микрофон:

— Не знаю, важно ли это, но я не уверен, что мистер Танкадо знал, что он пал жертвой покушения.

— Прошу прощения? — проговорил директор.

— Халохот был профессионалом высокого уровня, сэр. Мы были свидетелями убийства, поскольку находились всего в пятидесяти метрах от места. Все данные говорят, что Танкадо ни о чем таком даже не подозревал.

— Данные? — спросил Бринкерхофф. — Какие такие данные? Танкадо отдал кольцо. Вот и все доказательства!

— Агент Смит, — прервал помощника директор. — Почему вы считаете, будто Танкадо не знал, что на него совершено покушение?

Смит откашлялся.

— Халохот ликвидировал его с помощью НТП — непроникающей травматической пули. Это резиновая капсула, которая при попадании растворяется. Все тихо и чисто. Перед сердечным приступом мистер Танкадо не почувствовал ничего, кроме легкого укола.

— Травматическая пуля, — задумчиво повторил Беккер. — Вот откуда шрам.

— Весьма сомнительно, чтобы Танкадо связал свои ощущения с выстрелом.

— И все же он отдал кольцо, — сказал Фонтейн.

— Вы правы, сэр. Но он не искал глазами убийцу. Жертва *всегда* ищет глазами убийцу. Она делает это инстинктивно.

Фонтейна эти слова озадачили.

— Вы хотите сказать, что Танкадо не искал глазами Халохота?

— Да, сэр. У нас все это записано на пленку, и если вы хотите...

— Исчезает фильтр Х-одиннадцать! — послышался возглас техника. — Червь преодолел уже половину пути!

— Забудьте про пленку, — сказал Бринкерхофф. — Вводите ключ и кончайте со всем этим!

Джабба вздохнул. На сей раз голос его прозвучал с несвойственным ему спокойствием:

— Директор, если мы введем неверный ключ...

— Верно, — прервала его Сьюзан. — Если Танкадо ничего не заподозрил, нам придется ответить на ряд вопросов.

— Как у нас со временем, Джабба? — спросил Фонтейн.

Джабба посмотрел на ВР.

— Около двадцати минут. Их надо использовать с толком.

Фонтейн долго молчал. Потом, тяжело вздохнув, скомандовал:

— Хорошо. Запускайте видеозапись.

ГЛАВА 117

— Трансляция видеофильма начнется через десять секунд, — возвестил трескучий голос агента Смита. — Мы опустим каждый второй кадр вместе со звуковым сопровождением и постараемся держаться как можно ближе к реальному времени.

На подиуме все замолчали, не отрывая глаз от экрана. Джабба нажал на клавиатуре несколько клавиш, и картинка на экране изменилась. В левом верхнем углу появилось послание Танкадо:

ТЕПЕРЬ ВАС МОЖЕТ СПАСТИ ТОЛЬКО ПРАВДА

Правая часть экрана отображала внутренний вид миниавтобуса и сгрудившихся вокруг камеры Беккера и двух агентов. В центре возник нечеткий из-за атмосферных помех кадр, который затем превратился в черно-белую картинку парка.

— Трансляция началась, — объявил агент Смит.

Это было похоже на старое кино. Кадр казался неестественно вытянутым по вертикали и неустойчивым, как бывает при дрожащем объективе, — это было результатом удаления кадров, процесса, сокращающего видеозапись вдвое и экономящего время.

Объектив, скользнув по огромной площади, показал полукруглый вход в севильский парк Аюнтамьенто. На переднем плане возникли деревья. Парк был пуст.

— Фильтр X-одиннадцать уничтожен, — сообщил техник. — У этого парня зверский аппетит!

Смит начал говорить. Его комментарий отличался бесстрастностью опытного полевого агента:

— Эта съемка сделана из мини-автобуса, припаркованного в пятидесяти метрах от места убийства. Танкадо приближается справа, Халохот — между деревьев слева.

— У нас почти не осталось времени, — сказал Фонтейн. — Давайте ближе к сути дела.

Агент Колиандер нажал несколько кнопок, и кадры стали сменяться быстрее.

Люди на подиуме с нетерпением ждали, когда на экране появится их бывший сослуживец Энсей Танкадо. Ускоренное проигрывание видеозаписи придавало изображению некоторую комичность. Вот Танкадо вышел на открытое место и залюбовался открывшимся перед ним зрелищем. Он козырьком поднес руку к глазам и стал разглядывать шпили над внушительным фасадом.

— Смотрите внимательно, — предупредил Смит. — Халохот — профессионал. Это его первый выстрел в публичном месте.

Смит был прав. Между деревьев в левой части кадра что-то сверкнуло, и в то же мгновение Танкадо схватился за грудь и потерял равновесие. Камера, подрагивая, словно наехала на него, и кадр не сразу оказался в фокусе.

А Смит тем временем безучастно продолжал свои комментарии:

— Как вы видите, у Танкадо случился мгновенный сердечный приступ.

Сьюзан стало дурно от того, что она увидела. Танкадо прижал изуродованную руку к груди с выражением недоумения и ужаса на лице.

— Вы можете заметить, — продолжал Смит, — что взгляд его устремлен вниз. Он ни разу не посмотрел по сторонам.

— Это так важно? — полувопросительно произнес Джабба.

— Очень важно, — сказал Смит. — Если бы Танкадо подозревал некий подвох, он инстинктивно стал бы искать глазами убийцу. Как вы можете убедиться, этого не произошло.

На экране Танкадо рухнул на колени, по-прежнему прижимая руку к груди и так ни разу и не подняв глаз. Он был совсем один и умирал естественной смертью.

— Странно, — удивленно заметил Смит. — Обычно травматическая капсула не убивает так быстро. Иногда даже, если жертва внушительной комплекции, она не убивает вовсе.

— У него было больное сердце, — сказал Фонтейн.

Смит поднял брови.

— Выходит, выбор оружия был идеальным.

Сьюзан смотрела, как Танкадо повалился на бок и, наконец, на спину. Он лежал, устремив глаза к небу и продолжая прижимать руку к груди. Внезапно камера отъехала в сторону, под деревья. В кадре возник мужчина в очках в тонкой металлической оправе, в руке он держал большой портфель. Выйдя на открытое место и бросив взгляд на корчащегося на земле Танкадо, он задвигал пальцами, словно исполнял ими какой-то причудливый танец над коробочкой, которую держал в руке.

— Он работает на «Монокле», — пояснил Смит. — Посылает сообщение о том, что Танкадо ликвидирован.

Сьюзан повернулась к Беккеру и усмехнулась:

— Похоже, у этого Халохота дурная привычка сообщать об убийстве, когда жертва еще дышит.

Камера последовала за Халохотом, двинувшимся в направлении жертвы. Внезапно откуда-то появился пожилой человек, подбежал к Танкадо и опустился возле него на колени. Халохот замедлил шаги. Мгновение спустя появились еще двое — тучный мужчина и рыжеволосая женщина. Они также подошли к Танкадо.

— Неудачный выбор места, — прокомментировал Смит. — Халохот думал, что поблизости никого нет.

Халохот какое-то время наблюдал за происходящим, потом скрылся за деревьями, по-видимому, выжидая.

— Сейчас произойдет передача, — предупредил Смит. — В первый раз мы этого не заметили.

Сьюзан не отрываясь смотрела на эту малоприятную картину. Танкадо задыхался, явно стараясь что-то сказать добрым людям, склонившимся над ним. Затем, в отчаянии, он поднял над собой левую руку, чуть не задев по лицу пожилого человека. Камера выхватила исковерканные пальцы Танкадо, на одном из которых, освещенное ярким испанским солнцем, блеснуло золотое кольцо. Танкадо снова протянул руку. Пожилой человек отстранился. Танкадо посмотрел на женщину, поднеся исковерканные пальцы прямо к ее лицу, как бы умоляя понять его. Кольцо снова блеснуло на солнце. Женщина отвернулась. Танкадо, задыхаясь и не в силах произнести ни звука, в последней отчаянной надежде посмотрел на тучного господина.

Пожилой человек вдруг поднялся и куда-то побежал, видимо, вызвать «скорую». Танкадо явно терял последние силы, но по-прежнему совал кольцо прямо в лицо тучному господину. Тот протянул руку, взял Танкадо за запястье, поддерживая остававшуюся на весу руку умирающего. Танкадо посмотрел вверх, на свои пальцы, на кольцо, а затем, умоляюще, — на тучного господина. Это была предсмертная мольба. Энсей Танкадо незаметно кивнул, словно говоря: *да.*

И тут же весь обмяк.

— Боже всемилостивый, — прошептал Джабба.

Камера вдруг повернулась к укрытию Халохота. Убийцы там уже не было. Подъехал полицейский на мотоцикле. Женщина, наклонившаяся над умирающим, очевидно, услышала полицейскую сирену: она нервно оглянулась и потянула тучного господина за рукав, как бы торопя его. Оба поспешили уйти.

Камера снова показала Танкадо, его руку, упавшую на бездыханную грудь. Кольца на пальце уже не было.

ГЛАВА 118

— Это может служить доказательством, — решительно заявил Фонтейн. — Танкадо избавился от кольца. Он хотел, чтобы оно оказалось как можно дальше от него — чтобы мы его никогда не нашли.

— Но, директор, — возразила Сьюзан, — это не имеет смысла. Если Танкадо не понял, что стал жертвой убийства, зачем ему было отдавать ключ?

— Согласен, — сказал Джабба. — Этот парень был диссидентом, но диссидентом, сохранившим совесть. Одно дело — заставить нас рассказать про «ТРАНСТЕКСТ», и совершенно другое — раскрыть все государственные секреты.

Фонтейн не мог в это поверить.

— Вы полагаете, что Танкадо хотел остановить червя? Вы думаете, он, умирая, до последний секунды переживал за несчастное АНБ?

— Распадается туннельный блок! — послышался возглас одного из техников. — Полная незащищенность наступит максимум через пятнадцать минут!

— Вот что я вам скажу, — решительно заявил директор. — Через пятнадцать минут все страны «третьего мира» на нашей планете будут знать, как построить межконтинентальную баллистическую ракету. Если кто-то в этой комнате считает, что ключ к шифру-убийце содержится еще где-то, помимо этого кольца, я готов его выслушать. — Директор выдержал паузу. Никто не проронил ни слова. Он снова посмотрел на Джаббу и закрыл глаза. — Танкадо отдал кольцо с умыслом.

Мне все равно, думал ли он, что тучный господин побежит к телефону-автомату и позвонит нам, или просто хотел избавиться от этого кольца. Я принял решение. Мы вводим эту цитату. Сейчас же.

Джабба тяжко вздохнул. Он знал, что Фонтейн прав: у них нет иного выбора. Время на исходе. Джабба сел за монитор.

— Хорошо. Давайте попробуем. — Он потянулся к клавиатуре. — Мистер Беккер, пожалуйста, продиктуйте надпись. Медленно и отчетливо.

Дэвид Беккер начал читать, Джабба печатал следом за ним. Когда все было закончено, они проверили орфографические ошибки и удалили пробелы. В центре панели на экране, ближе к верхнему краю, появились буквы:

QUISCUSTODIETIPSOSCUSTODES

— Мне это не нравится, — тихо проговорила Сьюзан. — Не вижу чистоты.

Джабба занес палец над клавишей «Ввод».

— Давайте же, — скомандовал Фонтейн.

Джабба нажал на клавишу. И в следующую секунду все присутствующие поняли, что это было ошибкой.

ГЛАВА 119

— Червь набирает скорость! — крикнула Соши, склонившаяся у монитора в задней части комнаты. — Неверный ключ!

Все застыли в ужасе.

На экране перед ними высветилось сообщение об ошибке:

НЕДОПУСТИМЫЙ ВВОД.
ТОЛЬКО В ЦИФРОВОЙ ФОРМЕ

— Черт его дери! — взорвался Джабба. — Только цифровой! Нам нужно число! Он нас надул! Это кольцо — обман!

— Червь удвоил скорость! — крикнула Соши. — Штрафная санкция!

На центральном экране прямо под извещением об ошибке ВР представила зрителям ужасающую картину. По мере того как рушилась третья защитная стенка, полдюжины черных линий, эти хакеры-мародеры, устремлялись вперед, неуклонно продвигаясь к сердцевине. С каждым мгновением появлялась новая линия, а за ней — следующая.

— Они повсюду! — крикнула Соши.

— Присоединяются зарубежные налетчики! — крикнул один из техников. — Уже обо всем пронюхали!

Сьюзан отвернулась от экрана ВР к боковому монитору. На нем бесконечно повторялась видеозапись убийства Танкадо. И всякий раз Танкадо хватался за грудь, падал и с выражение ужаса на лице навязывал кольцо ничего не подозревающим туристам. «В этом нет никакого смысла, —

размышляла она. — Если он не знал, что мы его убиваем... Ничего не понятно. Слишком поздно. Мы упустили что-то очень важное».

На экране ВР у входа толпились и множились хакеры, число их за последние минуты удвоилось. Теперь оно начало расти в геометрической прогрессии. Хакеры подобны гиенам: это одна большая семья, радостно возвещающая о любой возможности поживиться.

Лиланд Фонтейн решил, что с него довольно этого зрелища.

— Выключите, — приказал он. — Выключите эту чертовщину.

Джабба смотрел прямо перед собой, как капитан тонущего корабля.

— Мы опоздали, сэр. Мы идем ко дну.

ГЛАВА 120

Шеф отдела обеспечения системной безопасности, тучный мужчина весом за центнер, стоял неподвижно, заложив руки за голову. Он не мог поверить, что дожил до подобной катастрофы. Он отдал распоряжение вырубить электропитание, но это все равно произойдет на двадцать минут позже, чем следует. Акулы со скоростными модемами успеют скачать чудовищные объемы секретной информации через открывшееся окно.

Из размышлений об этом кошмаре его вывела Соши, подбежавшая к подиуму со свежей распечаткой.

— Я кое-что нашла, сэр! — возбужденно сказала она. — Висячие строки в источнике! Альфа-группы повсюду!

Джабба не шелохнулся.

— Мы ищем цифровой ключ, черт его дери. А не альфа-группы. Ключ к шифру-убийце — это число!

— Но, сэр, тут висячие строки! Танкадо — мастер высокого класса, он никогда не оставил бы висячие строки, тем более в таком количестве!

Эти висячие строки, или «сироты», обозначают лишние строки программы, никак не связанные с ее функцией. Они ничего не питают, ни к чему не относятся, никуда не ведут и обычно удаляются в процессе окончательной проверки и антивирусной обработки.

Джабба взял в руки распечатку. Фонтейн молча стоял рядом.

Сьюзан заглянула в распечатку через плечо Джаббы.

— Выходит, нас атакует всего лишь первый набросок червя Танкадо?

— Набросок или отшлифованный до блеска экземпляр, — проворчал Джабба, — но он дал нам под зад коленом.

— Не верю, — возразила Сьюзан. — Танкадо был известен стремлением к совершенству. Вы сами это знаете. Он никогда не оставил бы «жучков» в своей программе.

— Их слишком много! — воскликнула Соши, выхватив распечатку из рук Джаббы и сунув ее под нос Сьюзан. — Смотрите!

Сьюзан кивнула. Так и есть, примерно через каждые двадцать строк появляется произвольный набор четырех знаков. Сьюзан пробежала все их глазами.

```
            PFEE
            SESN
            RETM
```

— Альфа-группы из четырех знаков, — задумчиво проговорила Сьюзан. — И частью программы они явно не являются.

— Да бросьте вы это, — проворчал Джабба. — Хватаетесь за соломинку.

— Может быть, и нет, — сказала Сьюзан. — Во множестве шифров применяются группы из четырех знаков. Возможно, это и есть ключ.

— Вот именно, — простонал Джабба. — Он над вами издевается. А вы тем временем погибаете. — Он посмотрел на экран. — Осталось девять минут.

Сьюзан, не слушая его, повернулась к Соши.

— Сколько там этих сироток? — спросила она.

Соши развела руками. Она села за терминал Джаббы и перепечатала все группы, а закончив, подбежала к Сьюзан. Все посмотрели на экран.

```
PFEE  SESN  RETM  MFHA  IRWE  OOIG  MEEN  NRMA
ENET  SHAS  DCNS  IIAA  IEER  BRNK  FBLE  LODI
```

Улыбалась одна только Сьюзан.

— Нечто знакомое, — сказала она. — Блоки из четырех знаков, ну прямо ЭНИГМА.

Директор понимающе кивнул. ЭНИГМА, это двенадцатитонное чудовище нацистов, была самой известной в истории шифровальной машиной. Там тоже были группы из четырех знаков.

— Потрясающе, — страдальчески сказал директор. — У вас, часом, нет такой же под рукой?

— Не в этом дело! — воскликнула Сьюзан, внезапно оживившись. Это как раз было ее специальностью. — Дело в том, что это и есть ключ! Энсей Танкадо дразнит нас, заставляя искать ключ в считанные минуты. И при этом подбрасывает подсказки, которые нелегко распознать!

— Абсурд! — отрезал Джабба. — Танкадо оставил нам только один выход — признать существование «ТРАНСТЕКСТА». Такая возможность была. Последний шанс. Но мы его упустили.

— Не могу с ним не согласиться, — заметил Фонтейн. — Сомневаюсь, что Танкадо пошел бы на риск, дав нам возможность угадать ключ к шифру-убийце.

Сьюзан рассеянно кивнула, но тут же вспомнила, как Танкадо отдал им Северную Дакоту. Она вглядывалась в группы из четырех знаков, допуская, что Танкадо играет с ними в кошки-мышки.

— Туннельный блок наполовину уничтожен! — крикнул техник.

На ВР туча из черных нитей все глубже вгрызалась в оставшиеся щиты.

Дэвид сидел в мини-автобусе, тихо наблюдая за драмой, разыгрывавшейся перед ним на мониторе.

— Сьюзан! — позвал он. — Меня осенило. Здесь шестнадцать групп по четыре знака в каждой?

— О, ради Бога, — пробурчал себе под нос Джабба. — Все хотят поиграть в эту игру?

Сьюзан пропустила эти слова мимо ушей.

— Да. Шестнадцать.

— Уберите пробелы, — твердо сказал Дэвид.

— Дэвид? — сказала Сьюзан. — Ты, наверное, не понял. Эти группы из четырех знаков...

— Уберите пробелы, — повторил он.

Сьюзан колебалась недолго, потом кивнула Соши. Соши быстро удалила пробелы, но никакой ясности это не внесло.

P F E E S E S N R E T M M F H A I R W E O O I G M E E N N R M A
E N E T S H A S D C N S I I A A I E E R B R N K F B L E L O D I

Джабба взорвался:

— Довольно! Игра закончена! Червь ползет с удвоенной скоростью! У нас осталось всего восемь минут. Мы ищем число, а не произвольный набор букв.

— Четыре умножить на шестнадцать, — спокойно сказал Дэвид. — Вспомни арифметику, Сьюзан.

Сьюзан посмотрела на Беккера, наблюдавшего за ней с экрана. *Вспомнить арифметику? Он сам считает как фокусник.* Она знала, что он перемножает цифры и намертво запоминает словари, не хуже ксерокса.

— Таблица умножения, — сказал Беккер.

«При чем здесь таблица умножения? — подумала Сьюзан. — Что он хочет этим сказать?»

— Четыре на шестнадцать, — повторил профессор. — Лично я проходил это в четвертом классе.

Сьюзан вспомнила стандартную школьную таблицу. *Четыре на шестнадцать.*

— Шестьдесят четыре, — сказала она равнодушно. — Ну и что?

Дэвид приблизился поближе к камере. Теперь его лицо занимало экран целиком.

— Шестьдесят четыре знака...

Сьюзан кивнула:

— Да, но они... — Она вдруг замерла.

— Шестьдесят четыре буквы, — повторил Дэвид.

— О мой Бог! — воскликнула Сьюзан. — Дэвид, ты просто гений!

ГЛАВА 121

— *Семь минут!* — оповестил техник.

— Восемь рядов по восемь! — возбужденно воскликнула Сьюзан.

Соши быстро печатала. Фонтейн наблюдал молча. Предпоследний щит становился все тоньше.

— Шестьдесят четыре буквы! — скомандовала Сьюзан. — Это «совершенный квадрат»!

— «Совершенный квадрат»? — переспросил Джабба. — Ну и что с того?

Спустя несколько секунд Соши преобразовала на экране, казалось бы, произвольно набранные буквы. Теперь они выстроились в восемь рядов по восемь в каждом. Джабба посмотрел на экран и в отчаянии всплеснул руками. Новый порядок букв показался не более вразумительным, чем оригинал.

```
P  F  E  E  S  E  S  N
R  E  T  M  P  F  H  A
I  R  W  E  O  O  I  G
M  E  E  N  N  R  M  A
E  N  E  T  S  H  A  S
D  C  N  S  I  I  A  A
I  E  E  R  B  R  N  K
F  B  L  E  L  O  D  I
```

— Ясно как в полночь в подвале, — простонал Джабба.

— Мисс Флетчер, — потребовал Фонтейн, — объяснитесь! Все глаза обратились к ней.

Сьюзан внимательно вглядывалась в буквы. Вскоре она едва заметно кивнула и широко улыбнулась.

— Дэвид, ты превзошел самого себя!

Люди на подиуме с недоумением переглянулись.

Дэвид подмигнул крошечной Сьюзан на своем мониторе.

— Шестьдесят четыре буквы. Юлий Цезарь всегда с нами.

Мидж развела руками.

— О чем вы?

— «Квадрат» Цезаря, — просияла Сьюзан. — Читается сверху вниз. Танкадо прислал нам письмо.

ГЛАВА 122

— Шесть минут! — крикнул техник.

Сьюзан отдала приказ:

— Перепечатайте сверху вниз! Нужно читать по вертикали, а не по горизонтали!

Пальцы Соши стремительно забегали по клавишам.

— Так посылал свои распоряжения Цезарь! — сказала Сьюзан. — Количество букв всегда составляло совершенный квадрат.

— Готово! — крикнула Соши.

Все посмотрели на вновь организованный текст, выстроенный в горизонтальную линию.

— По-прежнему чепуха, — с отвращением скривился Джабба. — Смотрите. Это просто бессмысленный набор букв... — Слова застряли у него в горле, глаза расширились. — О... Боже ты мой...

Фонтейн тоже все понял. Брови его поползли вверх. Он был потрясен.

Мидж и Бринкерхофф охнули в унисон.

— Ну и чертовщина!

Перед глазами возник текст:

PRIMEDIFFERENCEBETWEEN ELEMENTSRESPONSIBLE
FORHIROSHIMAANDNAGASAKI

— Введите пробелы, — приказала Сьюзан. — Нам предстоит решить одну задачку.

ГЛАВА 123

Техник с бледным лицом подбежал к подиуму.

— Туннельный блок сейчас рухнет!

Джабба повернул голову к экрану ВР. Атакующие линии рвались вперед, они находились уже на волосок от пятой, и последней, стены. Последние минуты существования банка данных истекали.

Сьюзан отгородилась от царившего вокруг хаоса, снова и снова перечитывая послание Танкадо.

PRIME DIFFERENCE BETWEEN ELEMENTS
RESPONSIBLE FOR HIROSHIMA AND NAGASAKI

ГЛАВНАЯ РАЗНИЦА МЕЖДУ ЭЛЕМЕНТАМИ,
ОТВЕТСТВЕННЫМИ ЗА ХИРОСИМУ И НАГАСАКИ

— Это даже не вопрос! — крикнул Бринкерхофф. — Какой же может быть ответ?

— Нам необходимо число, — напомнил Джабба. — Шифр-убийца имеет цифровую структуру.

— Тихо, — потребовал Фонтейн и повернулся к Сьюзан. — Мисс Флетчер, вы проделали уже немалую часть пути. Постарайтесь пройти по нему до конца.

Сьюзан вздохнула:

— Программа принимает ключ только в цифровой форме. Мне кажется, что тут содержится некий намек на то, что это за цифра. В тексте названы Хиросима и Нагасаки, города, разрушенные атомными бомбами. Может быть, ключ связан с количеством человеческих жертв, оценочной суммой нанесенного ущерба в долларах... — Она замолчала, снова вчитываясь в текст. — Слово «разница» особенно важно. Главная *разница* между Хиросимой и Нагасаки. По-видимому, Танкадо считал, что два эти события чем-то различались между собой.

Выражение лица Фонтейна не изменилось. Но надежда быстро улетучивалась. Похоже, нужно было проанализировать политический фон, на котором разворачивались эти события, сравнить их и перевести это сопоставление в магическое число... и все это за пять минут.

ГЛАВА 124

— *Атаке подвергся последний щит!*

На ВР отчетливо было видно, как уничтожалось окно программной авторизации. Черные всепроникающие линии окружили последний предохранительный щит и начали прорываться к сердцевине банка данных.

Алчущие хакеры прорывались со всех уголков мира. Их количество удваивалось каждую минуту. Еще немного, и любой обладатель компьютера — иностранные шпионы, радикалы, террористы — получит доступ в хранилище секретной информации американского правительства.

Пока техники тщетно старались отключить электропитание, собравшиеся на подиуме пытались понять расшифрованный текст. Дэвид Беккер и два оперативных агента тоже пробовали сделать это, сидя в мини-автобусе в Севилье.

ГЛАВНАЯ РАЗНИЦА МЕЖДУ ЭЛЕМЕНТАМИ,
ОТВЕТСТВЕННЫМИ ЗА ХИРОСИМУ И НАГАСАКИ

Соши размышляла вслух:

— Элементы, ответственные за Хиросиму и Нагасаки... Пёрл-Харбор? Отказ Хирохито...

— Нам нужно число, — повторял Джабба, — а не политические теории. Мы говорим о математике, а не об истории!

Соши замолчала.

— Полезный груз? — предложил Бринкерхофф. — Количество жертв? Ущерб в долларах?

— Нам нужна точная цифра, — напомнила Сьюзан. — Оценки ущерба всюду приводятся разные. — Она еще раз взглянула на текст. — Элементы, ответственные...

У Дэвида Беккера, находившегося в трех тысячах миль от комнаты оперативного управления, загорелись глаза.

— Элементы! — воскликнул он. — Мы говорим о математике, а не об истории!

Головы повернулись к спутниковому экрану.

— Танкадо играет с нами в слова! — сказал Беккер. — Слово «элемент» имеет несколько значений!

— Какие же, мистер Беккер? — спросил Фонтейн.

Все остальные встретили слова Беккера недоуменным молчанием.

— Элементы! — повторил Беккер. — Периодическая таблица! Химические элементы! Видел ли кто-нибудь из вас фильм «Толстый и тонкий» о Манхэттенском проекте? Примененные атомные бомбы были неодинаковы. В них использовалось разное топливо — разные элементы!

Соши хлопнула в ладоши.

— Он прав! Я читала об этом! В бомбах было разное топливо! В одной урановое, в другой плутониевое! Это два разных элемента!

Люди на подиуме перешептывались.

— Уран и плутоний! — воскликнул Джабба, и в его голосе впервые послышались нотки надежды. — Нам нужно установить разницу между этими элементами. — Он повернулся к бригаде своих помощников. — Кто знает, какая разница между этими элементами?

На лицах тех застыло недоумение.

— Давайте же, ребята! — сказал Джабба. — Вы же учились в колледжах! Ну, кто-нибудь? Разница между ураном и плутонием!

Ответа не последовало.

Сьюзан повернулась к Соши.

— Выход в Интернет! Здесь есть браузер?

Соши кивнула.

— Лучше всего — «Нетскейп».

Сьюзан сжала ее руку.

— Давайте скорее! Попробуем порыскать!

ГЛАВА 125

— Сколько у нас времени? — крикнул Джабба.

Техники в задней части комнаты не откликнулись. Все их внимание было приковано к ВР. Последний щит угрожающе таял.

Сьюзан и Соши занялись поисками во Всемирной паутине.

— «Лаборатория вне закона»? — спросила Сьюзан. — Это что за фрукт?

Соши пожала плечами.

— Открыть? Ну и ну, — ужаснулась она. — Шестьсот сорок семь ссылок на уран, плутоний и атомные бомбы. Похоже, это то, что нам нужно.

Сьюзан открыла один из каналов. На экране высветилось предупреждение:

Информация, содержащаяся в этом файле, предназначена исключительно для научного использования. Любые частные лица, которые попытаются создать описанные здесь изделия, рискуют подвергнуться смертоносному облучению и/или вызвать самопроизвольный взрыв.

— Самопроизвольный взрыв? — ужаснулась Соши. — Господи Иисусе.

— Ищите. — Над ними склонился Фонтейн. — Посмотрим, что у них есть.

Соши начала просматривать документ. Ей попалось описание нитрата мочевины, в десять раз более мощной взрывчатки, чем динамит. Инструкция по ее изготовлению была проста, как рецепт приготовления жженого сахара.

— Плутоний и уран, — повторял Джабба. — Переходите к главному.

— Вернитесь назад, — приказала Сьюзан. — Документ слишком объемный. Найдите содержание.

Соши открутила несколько страниц назад.

I. Механизм атомной бомбы
   A) альтиметр
   B) детонатор сжатого воздуха
   C) детонирующие головки
   D) взрывчатые заряды
   E) нейтронный дефлектор
   F) уран и плутоний
   G) свинцовая защита
   H) взрыватели
II. Ядерное деление/ядерный синтез
   A) деление (атомная бомба) и синтез (водородная бомба)
   B) U–235, U–238 и плутоний
III. История атомного оружия
   A) разработка (Манхэттенский проект)
   B) взрыв
      1) Хиросима
      2) Нагасаки
      3) побочные продукты атомного взрыва
      4) зоны поражения

— Раздел второй! — сразу же воскликнула Сьюзан. — Уран и плутоний! Давай!

Все ждали, когда Соши откроет нужный раздел.

— Вот, — сказала она. — Стоп. — И быстро пробежала глазами информацию. Здесь имелась масса всяческих сведений. — И откуда мы знаем, что именно ищем? Одно различие от природы, другое — рукотворное. Плутоний впервые был открыт...

— Число, — напомнил Джабба. — Нам нужно число.

Сьюзан еще раз перечитала послание Танкадо. *Главная разница между элементами... разница между... нужно найти число...*

— Подождите! — сказала она. — Слово «разница» многозначно. Нам нужно число — значит, речь идет о математике. Еще одна игра слов мистера Танкадо: «разница» означает результат вычитания.

— Верно! — сказал Беккер с экрана. — Может быть, у этих элементов разное число протонов или чего-то еще? Если вычесть...

— Он прав, — сказал Джабба, повернувшись к Соши. — На этих таблицах есть числа? Количество протонов? Период полураспада? Что-нибудь, что можно было бы вычесть одно из другого?

— Три минуты! — послышался крик.

— А сверхкритическая масса? — предложила Соши. — Тут сказано, что сверхкритическая масса плутония составляет тридцать пять и две десятых фунта.

— Вот именно! — крикнул Джабба. — Посмотрите уран! Его сверхкритическую массу.

— М-м... сто десять фунтов, — сказала Соши.

— Сто десять? — оживился Джабба. — Сколько будет сто десять минус тридцать пять и две десятых?

— Семьдесят четыре и восемь десятых, — сказала Сьюзан. — Но я не думаю...

— С дороги! — закричал Джабба, рванувшись к клавиатуре монитора. — Это и есть ключ к шифру-убийце! Разница между критическими массами. Семьдесят четыре и восемь десятых!

— Подождите, — сказала Сьюзан, заглядывая через плечо Соши. — Есть еще кое-что. Атомный вес. Количество нейтронов. Техника извлечения. — Она пробежала глазами таблицу. — Уран распадается на барий и криптон; плутоний ведет себя несколько иначе. В уране девяносто два протона и сто сорок шесть нейтронов, но...

— Нам нужна самоочевидная разница, — подсказала Мидж. — У Танкадо сказано: *главная* разница между элементами.

— Господи Иисусе! — вскричал Джабба. — Откуда нам знать, что для Танкадо было главной разницей?

— На самом деле, — прервал его Дэвид, — Танкадо имел в виду *первичную*, а не *главную* разницу.

Его слова буквально обожгли Сьюзан.

— Первичное! — воскликнула она. И повернулась к Джаббе. — Ключ — это первичное, то есть простое число! Подумайте! Это не лишено смысла!

Джабба сразу понял, что Сьюзан права. Энсей Танкадо сделал карьеру на простых числах. Простые числа — главные строительные блоки шифровальных алгоритмов, они обладали уникальной ценностью сами по себе. Эти числа отлично работают при создании шифров, потому что компьютеры не могут угадать их с помощью обычного числового дерева.

Соши даже подпрыгнула.

— Да! Совершенно верно! Простые числа играют важнейшую роль в японской культуре! Стихосложение хайку основано на простых числах. Три строки по пять, семь и снова пять слогов. Во всех храмах Киото...

— *Довольно!* — сказал Джабба. — Если ключ — простое число, то что с того? Варианты бесконечны!

Конечно, Джабба прав. Поскольку числовая строка бесконечна, всегда можно заглянуть дальше и найти еще одно простое число. Между 0 и 1 000 000 более 70 000 вариантов. Все зависит от того, что выбрал Танкадо. Чем больше это число, тем труднее его найти.

— Оно будет громадным, — застонал Джабба. — Ясно, что это будет число-монстр.

Сзади послышался возглас:

— Двухминутное предупреждение!

Джабба в отчаянии бросил взгляд на ВР. Последний щит начал рушиться. Техники сновали по комнате.

Что-то подсказывало Сьюзан, что они близки к разгадке.

— Мы можем это сделать! — сказала она, стараясь взять ситуацию под контроль. — Из всех различий между ураном и плутонием наверняка есть такое, что выражается простым числом! Это наша главная цель. Простое число!

Джабба посмотрел на таблицу, что стояла на мониторе, и всплеснул руками.

— Здесь около сотни пунктов! Мы не можем вычесть их все одно из другого.

— Многие пункты даны не в числовой форме, — подбодрила людей Сьюзан. — Их мы можем проигнорировать. Уран природный элемент, плутоний — искусственный. Для урана используется ружейный детонатор, для плутония нужен взрыв. Это не числа, такие различия нас не касаются.

— Работайте, — поторопил Фонтейн. На ВР последняя стена стала уже тоньше яичной скорлупы.

Джабба поднял брови.

— Хорошо, это ничего не дает. Начнем вычитание. Я беру на себя верхнюю четверть пунктов, вы, Сьюзан, среднюю. Остальные — все, что внизу. Мы ищем различие, выражаемое простым числом.

Через несколько секунд всем стало ясно, что эта затея бессмысленна. Числа были огромными, в ряде случаев не совпадали единицы измерения.

— Это все равно что вычитать апельсины из яблок, — сказал Джабба. — Гамма-лучи против электромагнитной пульсации. Распадающиеся материалы и нераспадающиеся. Есть целые числа, но есть и подсчет в процентах. Это полная каша!

— Это где-то здесь, — твердо сказала Сьюзан. — Надо думать. Есть различие, которое мы все время упускаем. Что-то очень простое!

— Ой, дорогие мои... — сказала вдруг Соши. Она открыла на экране второе окно и просматривала остальную часть документов «Лаборатории вне закона».

— В чем дело? — спросил Фонтейн. — Вы что-то нашли?

— Вроде того. — У Соши был голос провинившегося ребенка. — Помните, я сказала, что на Нагасаки сбросили плутониевую бомбу?

— Да, — ответил дружный хор голосов.

— Так вот... — Соши шумно вздохнула. — Похоже, я ошиблась.

— Что?! — чуть не подпрыгнул Джабба. — Мы ищем совсем не то?

Соши показала на экран. Все сгрудились вокруг нее и прочитали текст:

...распространено заблуждение, будто на Нагасаки была сброшена плутониевая бомба. На самом деле в ней использовался уран, как и в ее сестрице, сброшенной на Хиросиму.

— Но... — Сьюзан еле обрела дар речи. — Если оба элемента — уран, то как мы найдем различие между ними?

— А вдруг Танкадо ошибся? — вмешался Фонтейн. — Быть может, он не знал, что бомбы были одинаковые?

— Нет! — отрезала Сьюзан. — Он стал калекой из-за этих бомб. И он знал про них все.

ГЛАВА 126

— Одна минута!

Джабба посмотрел на ВР.

Стремительно исчезал уровень авторизации файлов — последняя линия обороны. А у входа толпились бандиты.

— Внимание! — скомандовал Фонтейн.

Соши смотрела на монитор и читала вслух:

— В бомбе, сброшенной на Нагасаки, использовался не плутоний, а искусственно произведенный, обогащенный нейтронами изотоп урана с атомным весом 238.

— Черт возьми! — выругался Бринкерхофф. — В обеих бомбах уран. Элементы, ответственные за Хиросиму и Нагасаки, — оба являются ураном! Никакого различия!

— Мы погибли, — прошептала Мидж.

— Подождите, — сказала Сьюзан. — Прочитайте еще раз.

Соши прочитала снова:

— ...Искусственно произведенный, обогащенный нейтронами изотоп урана с атомным весом 238.

— Двести тридцать восемь? — воскликнула Сьюзан. — Разве мы не знаем, что в хиросимской бомбе был другой изотоп урана?

Все вокруг недоуменно переглянулись. Соши лихорадочно прогоняла текст на мониторе в обратном направлении и наконец нашла то, что искала.

— Да! Здесь говорится о другом изотопе урана!

Мидж изумленно всплеснула руками.

— И там и там уран, но разный!

— В обеих бомбах уран? — Джабба оживился и прильнул к экрану. — Это обнадеживает: яблоки и яблоки!

— Чем отличаются изотопы? — спросил Фонтейн. — Это должно быть что-то фундаментальное.

Соши пожирала глазами текст.

— Подождите... сейчас посмотрю... отлично...

— Сорок пять секунд! — раздался крик.

Сьюзан взглянула на ВР. Последний защитный слой был уже почти невидим.

— Вот оно! — воскликнула Соши.

— Читайте! — Джабба обливался потом. — В чем разница? Должна же она быть?

— Да! — Соши ткнула пальцем в свой монитор. — Смотрите!

Все прочитали:

— ...в этих бомбах использовались разные виды взрывчатого вещества... обладающие идентичными химическими характеристиками. Эти изотопы нельзя разделить путем обычного химического извлечения. Кроме незначительной разницы в атомном весе, они абсолютно идентичны.

— Атомный вес! — возбужденно воскликнул Джабба. — Единственное различие — их атомный вес. Это и есть ключ! Давайте оба веса! Мы произведем вычитание.

— Подождите, — сказала Соши. — Сейчас найду. *Вот!*

Все прочитали:

— Разница в весе незначительна... разделяются вследствие газовой диффузии... 10,032498X10^134 в сравнении с 1939484X10^23*.

— Ну вот, наконец-то! — вскрикнул Джабба. — Это и есть их вес!

— Тридцать секунд!

— Давайте же, — прошептал Фонтейн. — Вычитайте, да побыстрее.

Джабба схватил калькулятор и начал нажимать кнопки.

— А что это за звездочка? — спросила Сьюзан. — После цифр стоит какая-то звездочка.

Джабба ее не слушал, остервенело нажимая на кнопки.

— Осторожно! — сказала Соши. — Нам нужны точные цифры.

— Звездочка, — повторила Сьюзан, — это сноска.

Соши прокрутила текст до конца раздела и побелела.

— О... Боже ты мой.

— В чем дело? — спросил Джабба.

Все прильнули к экрану и сокрушенно ахнули. Крошечная сноска гласила:

Предел ошибки составляет 12%. Разные лаборатории приводят разные цифры.

ГЛАВА 127

Собравшиеся на подиуме тотчас замолчали, словно наблюдая за солнечным затмением или извержением вулкана — событиями, над которыми у них не было ни малейшей власти. Время, казалось, замедлило свой бег.

— Мы терпим бедствие! — крикнул техник. — Все линии устремились к центру!

С левого экрана в камеру неотрывно смотрели Дэвид и агенты Смит и Колиандер. На ВР последняя стенка напоминала тонюсенькую пленку. Вокруг нее было черно от нитей, готовых ринуться внутрь. Справа бесконечной чередой мелькали кадры, запечатлевшие последние минуты Танкадо: выражение отчаяния на его лице, вытянутую руку, кольцо, поблескивающее на солнце.

Сьюзан смотрела на эти кадры, то выходившие из фокуса, то вновь обретавшие четкость. Она вглядывалась в глаза Танкадо — и видела в них раскаяние. «Он не хотел, чтобы это зашло так далеко, — говорила она себе. — Он хотел нас спасти». Но снова и снова он протягивал руку, так, чтобы люди обратили внимание на кольцо. Он хотел объяснить им, но не мог. И все тянул и тянул к ним свои пальцы.

В Севилье Беккер лихорадочно обдумывал происходящее. Как они называют эти изотопы — U235 и U?.. Он тяжко вздохнул: какое все это имеет значение? Он профессор лингвистики, а не физики.

— Атакующие линии готовятся к подтверждению доступа!

— Господи! — Джабба в отчаянии промычал нечто нечленораздельное. — Чем же отличаются эти чертовы изотопы? Никто этого не знает? — Ответа он не дождался. Техники и все прочие беспомощно смотрели на ВР. Джабба повернулся к монитору и вскинул руки. — Почему среди нас нет ни одного ядерного физика?

Сьюзан, глядя на мультимедийный клип, понимала, что все кончено. Она следила за смертью Танкадо — в который уже раз. Он хотел говорить, но слова застревали у него в горле. Он протягивал свою изуродованную руку... пытаясь что-то сообщить. «Танкадо хотел спасти наш банк данных, — говорила она себе. — А мы так и не узнаем, как это сделать».

— Захватчики у ворот!

Джабба взглянул на экран.

— Вот и все! — По его лицу стекали ручейки пота.

Последняя защитная стенка на центральном экране почти совсем исчезла. Черные линии, сбившись в кучу вокруг ядра, настолько сгустились, что их масса стала совсем непрозрачной и легонько подрагивала. Мидж отвернулась. Фонтейн стоял очень прямо, глядя прямо перед собой. У Бринкерхоффа был такой вид, словно он вот-вот лишится чувств.

— Десять секунд!

Глаза Сьюзан неотрывно смотрели на Танкадо. Отчаяние. Сожаление. Снова и снова тянется его рука, поблескивает кольцо, деформированные пальцы тычутся в лица склонившихся над ним незнакомцев. *Он что-то им говорит. Но что же?*

Дэвид на экране застыл в глубокой задумчивости.

— Разница, — бормотал он себе под нос. — Разница между U235 и U238. Должно быть что-то самое простое.

Техник в оперативном штабе начал отсчет:

— Пять! Четыре! Три!

Эта последняя цифра достигла Севильи в доли секунды. *Три... три...*

Беккера словно еще раз ударило пулей, выпущенной из пистолета. Мир опять замер вокруг.

Три... три... три... 238 минус 235! Разница равна трем! Он медленно потянул к себе микрофон.

В то же самое мгновение Сьюзан опять бросила взгляд на руку Танкадо, на этот раз посмотрев не на кольцо... не на гравировку на золоте, а на... его пальцы. *Три пальца.* Дело было вовсе не в кольце, а в человеческой плоти. Танкадо не говорил, он показывал. Он открывал секрет, открывал ключ к шифру-убийце — умоляя, чтобы люди его поняли... моля Бога, чтобы его секрет вовремя достиг агентства.

— Три, — прошептала она, словно оглушенная.

— Три! — раздался крик Дэвида из Испании.

Но в общем хаосе их никто, похоже, не слышал.

— Мы тонем! — крикнул кто-то из техников.

ВР начала неистово мигать, когда ядро захлестнул черный поток. Под потолком завыли сирены.

— Информация уходит!

— Вторжение по всем секторам!

Сьюзан двигалась как во сне. Подойдя к компьютеру Джаббы, она подняла глаза и увидела своего любимого человека. Его голос гремел:

— Три! Разница между 238 и 235 — три!

Все подняли головы.

— Три! — крикнула Сьюзан, перекрывая оглушающую какофонию сирен и чьих-то голосов. Она показала на экран. Все глаза были устремлены на нее, на руку Танкадо, протянутую к людям, на три пальца, отчаянно двигающихся под севильским солнцем.

Джабба замер.

— О Боже! — Он внезапно понял, что искалеченный гений все это время давал им ответ.

— Три — это простое число! — сказала Соши. — Три — это простое число!

Фонтейн пребывал в изумлении.

— Неужели так просто?

— Утечка информации! — кричал кто-то. — Стремительная!

Все люди на подиуме потянулись к терминалу в одно и то же мгновение, образовав единое сплетение вытянутых рук. Но Сьюзан, опередив всех, прикоснулась к клавиатуре и нажала цифру 3. Все повернулись к экрану, где над всем этим хаосом появилась надпись:

ВВЕСТИ ПАРОЛЬ? 3

— Да! — скомандовал Фонтейн. — Нажимайте!

Сьюзан задержала дыхание и опустила палец на клавишу «Ввод». Компьютер издал звуковой сигнал.

Никто не мог даже пошевелиться.

Спустя три мучительные секунды все еще ничего не произошло. Сирены по-прежнему выли. Пять секунд. Шесть секунд.

— Утечка информации!

— Никаких изменений!

Внезапно Мидж судорожно указала на экран.

— Смотрите!

На экран выплыла надпись:

КЛЮЧ К ШИФРУ-УБИЙЦЕ ПОДТВЕРЖДЕН

— Укрепить защитные стены! — приказал Джабба.

Но Соши, опередив его, уже отдала команду.

— Утечка прекратилась! — крикнул техник.

— Вторжение прекращено!

Наверху, на экране ВР, возникла первая из пяти защитных стен. Черные атакующие линии начали исчезать.

— Происходит восстановление! — кричал Джабба. — Все становится на свои места!

Какой-то миг еще ощущались сомнения, казалось, что в любую секунду все снова начнет разваливаться на части. Но затем стала подниматься вторая стена, за ней третья. Еще несколько мгновений, и весь набор фильтров был восстановлен. Банк данных снова был в безопасности.

В комнате творилось нечто невообразимое. Техники обнимали друг друга, подбрасывая вверх длинные полосы распечаток. Бринкерхофф обнимал Мидж. Соши заливалась слезами.

— Джабба, — спросил Фонтейн, — много они похитили?

— Совсем мало, — сказал Джабба, посмотрев на монитор. — Всего лишь какие-то обрывки, в полном виде — ничего.

Фонтейн медленно кивнул и улыбнулся одними уголками губ. Он искал глазами Сьюзан Флетчер, но она уже стояла прямо перед экраном, на котором крупным планом было видно лицо Дэвида Беккера.

— Дэвид?

— Привет, красавица. — Он улыбнулся.

— Возвращайся домой. Прямо сейчас.

— Встретимся в «Стоун-Мэнор»?

Она кивнула, и из ее глаз потекли слезы.

— Договорились.

— Агент Смит! — позвал Фонтейн.

Из-за спины Беккера появилось лицо Смита.

— Слушаю, сэр?

— Мне кажется, мистер Беккер опаздывает на свидание. Проследите, чтобы он вылетел домой немедленно.

Смит кивнул:

— Наш самолет в Малаге. — Он похлопал Беккера по спине. — Получите удовольствие, профессор. Вы летали когда-нибудь на «Лирджете-60»?

Беккер усмехнулся:

— Давненько не летал. Со вчерашнего дня.

ГЛАВА 128

Когда Сьюзан проснулась, солнце уже светило вовсю. Его нежные лучи проникали сквозь занавеску и падали на пуховую перину. Она потянулась к Дэвиду. Это ей снится? Трудно было даже пошевельнуться: события вчерашнего дня вычерпали все ее силы без остатка.

— Дэвид... — тихо простонала она.

Ответа не последовало. Она открыла глаза, не в состоянии даже протянуть руку. Простыня на его половине кровати была холодной. Дэвид исчез.

Значит, приснилось, подумала Сьюзан и села в кровати. Комната в викторианском стиле, сплошь кружева и антиквариат — лучший гостиничный номер в «Стоун-Мэнор». Сумка, с которой она приехала, на дощатом полу посреди комнаты... ее белье на спинке стула эпохи королевы Анны, стоящего возле кровати.

Вернулся ли Дэвид? Она помнила его тело, прижавшееся к ее телу, его нежные поцелуи. Неужели все это был сон? Сьюзан повернулась к тумбочке. На ней стояли пустая бутылка из-под шампанского, два бокала... и лежала записка.

Протерев глаза, она натянула на плечи одеяло и прочла:

Моя драгоценная Сьюзан!
Я люблю тебя.

Без воска, Дэвид.

Она просияла и прижала записку к груди. Это был Дэвид, кто же еще? *Без воска...* Этот шифр она еще не разгадала.

Что-то шевельнулось в углу. Сьюзан подняла глаза. На плюшевом диване, закутавшись в махровый халат, грелся на солнце Дэвид и внимательно за ней наблюдал. Она протянула руку, поманив его к себе.

— Без воска? — тихо спросила она, обнимая его.

— Без воска. — Он улыбнулся в ответ.

Она поцеловала его.

— Скажи, что это значит?

— Ни за что на свете. — Он засмеялся. — Супружеская пара без секретов — это очень скучно.

Сьюзан застенчиво улыбнулась.

— Если будет еще интереснее, чем этой ночью, я не смогу встать.

Дэвид привлек ее к себе, не ощущая тяжести. Вчера он чуть не умер, а сегодня жив, здоров и полон сил.

Сьюзан положила голову ему на грудь и слушала, как стучит его сердце. А ведь еще вчера она думала, что потеряла его навсегда.

— Дэвид, — вздохнула она, заметив на тумбочке его записку. — Скажи мне, что такое «без воска»? Ты же знаешь, что шифры, которые не поддаются, не выходят у меня из головы.

Дэвид молчал.

— Расскажи. — Она надулась. — Если не скажешь, тебе меня больше не видать.

— Врешь.

Она ударила его подушкой.

— Рассказывай! Немедленно!

Но Дэвид знал, что никогда ей этого не откроет. Секрет выражения «без воска» был ему слишком дорог. Он уходил корнями в давние времена. В эпоху Возрождения скульпторы, оставляя изъяны при обработке дорогого мрамора, заделывали их с помощью *cera*, то есть воска. Статуя без изъянов, которую не нужно было подправлять, называлась скульптурой *sin cera*, иными словами — без воска. С течением времени это выражение стало означать нечто честное, правдивое.

Английское слово sincere, означающее все *правдивое и искрен-нее*, произошло от испанского sin cera — без воска. Этот его секрет в действительности не был никакой тайной, он просто подписывал свои письма словом «Искренне». Почему-то ему казалось, что этот филологический ребус Сьюзан не об-радует.

— Хочу тебя обрадовать. Когда я летел домой, — сказал он, желая переменить тему, — я позвонил президенту уни-верситета.

Сьюзан радостно встрепенулась.

— Скажи, что ты ушел с поста декана.

Дэвид кивнул.

— В следующем семестре я возвращаюсь в аудиторию.

Сьюзан с облегчением вздохнула:

— Туда, где твое подлинное призвание.

Дэвид улыбнулся:

— Да. Наверное, Испания напомнила мне о том, что по-настоящему важно.

— Помогать вскрывать шифры? — Она чмокнула его в щеку. — Как бы там ни было, ты поможешь мне с моей руко-писью.

— Рукописью?

— Да. Я решила ее издать.

— Издать? — Он с сомнением покачал головой. — Из-дать *что*?

— Некоторые идеи о протоколах вариативных фильтров и квадратичных остатках.

— Стопроцентный бестселлер.

Она засмеялась.

— Сам удивишься.

Дэвид сунул руку в карман халата и вытащил маленький предмет.

— Закрой глаза. У меня есть кое-что для тебя.

Она зажмурилась.

— Попробую угадать. Безвкусное золотое кольцо с над-писью по-латыни?

— Нет. — Он усмехнулся. — Я попросил Фонтейна передать его наследникам Танкадо. — Он взял ее руку и натянул что-то на палец.

— Лжец, — засмеялась Сьюзан, открывая глаза. — Я же угада... — Но она замолкла на полуслове. На ее пальце было не кольцо Танкадо. Это было другое кольцо — платиновое, с крупным сверкающим бриллиантом.

Сьюзан охнула.

Дэвид посмотрел ей в глаза:

— Ты выйдешь за меня замуж?

У нее перехватило дыхание. Она посмотрела на него, потом на кольцо. Глаза ее увлажнились.

— О, Дэвид... у меня нет слов.

— Скажи «да».

Она отвернулась. Дэвид терпеливо ждал.

— Сьюзан Флетчер, я люблю вас. Будьте моей женой.

Она подняла голову. Глаза ее были полны слез.

— Прости меня, Дэвид, — прошептала она. — Я... я не могу.

Дэвид даже вздрогнул. Он смотрел в ее глаза, надеясь увидеть в них насмешливые искорки. Но их там не было.

— Сью... зан, — заикаясь, начал он. — Я... я не понимаю.

— Я не могу, — повторила она. — Я не могу выйти за тебя замуж. — Она отвернулась. Ее плечи подрагивали. Она закрыла лицо руками.

Дэвид не мог прийти в себя.

— Но, Сьюзан... я думал... — Он взял ее за дрожащие плечи и повернул к себе. И тогда он увидел, что Сьюзан вовсе не плакала.

— Я не выйду за тебя замуж! — Она расхохоталась и стукнула его подушкой. — До тех пор, пока ты не объяснишь, что такое «без воска»! Ты сводишь меня с ума!

ЭПИЛОГ

Говорят, что смерть проясняет все. Токуген Нуматака теперь знал, что это именно так. Стоя над гробом в таможенном зале аэропорта Осаки, он ощущал горькую ясность, какой не знал прежде. Его религия говорила о взаимозависимости жизней, но у Нуматаки никогда не оставалось времени для религии.

Таможенные чиновники вручили ему конверт со свидетельством о рождении и документами на усыновление.

— Вы единственный родственник этого парня, — сказали они. — Мы с большим трудом вас нашли.

Мысли Нуматаки перенеслись на тридцать два года назад, в дождливую ночь, в больничную палату, где он оставил умирающую жену и калеку-сына. Он сделал это во имя *менбоку* — чести, — от которой осталась лишь бледная тень.

Среди бумаг оказалось золотое кольцо. Надпись Нуматака не понял. Да и какая разница: слова для него больше ничего не значили. Он бросил единственного сына. И вот теперь жестокая судьба их соединила.

Литературно-художественное издание

Браун Дэн
Цифровая крепость

Роман

Ответственный редактор Л.А. Кузнецова
Редактор Е.Е. Харитонова
Художественный редактор М.В. Седова
Компьютерная верстка: Р.В. Рыдалин
Технический редактор О.В. Панкрашина

Общероссийский классификатор продукции
ОК-005-93, том 2; 953000 — книги, брошюры

Санитарно-эпидемиологическое заключение
№ 77.99.02.953.Д.001056.03.05 от 10.03.05 г.

ООО «Издательство АСТ»
667000, Республика Тыва, г. Кызыл, ул. Кочетова, д. 93
Наши электронные адреса:
WWW.AST.RU E-mail: astpub@aha.ru

ООО «АСТ МОСКВА»
129085, г. Москва, Звездный б-р, д. 21, стр. 1

ООО «Транзиткнига»
143900, Московская область,
г. Балашиха, шоссе Энтузиастов, д. 7/1

Издано при участии ООО «Харвест».
Лицензия № 02330/0056935 от 30.04.04.
РБ, 220013, Минск, ул. Кульман,
д. 1, корп. 3, эт. 4, к. 42.

Открытое акционерное общество
«Полиграфкомбинат им. Я. Коласа».
220600, Минск, ул. Красная, 23.

РЕГИОНЫ:

- Архангельск, 103-й квартал, ул. Садовая, 18, т. (8182) 65-44-26
- Белгород, пр. Хмельницкого, 132а, т. (0722) 31-48-39
- Волгоград, ул. Мира, 11, т. (8442) 33-13-19
- Екатеринбург, ул. Малышева, 42, т. (3433) 76-68-39
- Калининград, пл. Калинина, 17/21, т. (0112) 65-60-95
- Киев, ул. Льва Толстого, 11/61, т. (8-10-38-044) 230-25-74
- Красноярск, «ТК», ул. Телевизорная, 1, стр. 4, т. (3912) 45-87-22
- Курган, ул. Гоголя, 55, т. (3522) 43-39-29
- Курск, ул. Ленина, 11, т. (07122) 2-42-34
- Курск, ул. Радищева, 86, т. (07122) 56-70-74
- Липецк, ул. Первомайская, 57, т. (0742) 22-27-16
- Н. Новгород, ТЦ «Шоколад», ул. Белинского, 124, т. (8312) 78-77-93
- Ростов-на-Дону, пр. Космонавтов, 15, т. (8632) 35-95-99
- Рязань, ул. Почтовая, 62, т. (0912) 20-55-81
- Самара, пр. Ленина, 2, т. (8462) 37-06-79
- Санкт-Петербург, Невский пр., 140
- Санкт-Петербург, ул. Савушкина, 141, ТЦ «Меркурий», т. (812) 333-32-64
- Тверь, ул. Советская, 7, т. (0822) 34-53-11
- Тула, пр. Ленина, 18, т. (0872) 36-29-22
- Тула, ул. Первомайская, 12, т. (0872) 31-09-55
- Челябинск, пр. Ленина, 52, т. (3512) 63-46-43, 63-00-82
- Челябинск, ул. Кирова, 7, т. (3512) 91-84-86
- Череповец, Советский пр., 88а, т. (8202) 53-61-22
- Новороссийск, сквер им. Чайковского, т. (8617) 67-61-52
- Краснодар, ул. Красная, 29, т. (8612) 62-75-38
- Пенза, ул. Б. Московская, 64
- Ярославль, ул. Свободы, 12, т. (0862) 72-86-61

Заказывайте книги почтой в любом уголке России
107140, Москва, а/я 140, тел. (095) 744-29-17

ВЫСЫЛАЕТСЯ БЕСПЛАТНЫЙ КАТАЛОГ

Приобретайте в Интернете на сайте www.ozon.ru
Издательская группа АСТ
129085, Москва, Звездный бульвар, д. 21, 7-й этаж

Справки по телефону:
(095) 215-01-01, факс 215-51-10
E-mail: astpab@aha.ru http://www.ast.ru

МЫ ИЗДАЕМ НАСТОЯЩИЕ КНИГИ